ATTACHiANTE

SARRA MANNING

ATTACHIANTE

Traduit de l'anglais (Royaume-Uni)
par Cécile Leclère

hachette

Photographie de couverture : Colin Thomas – Illustration : Vanessa Tilly

Traduit de l'anglais (Royaume-Uni) par Cécile Leclère

L'édition originale de ce texte a paru en langue anglaise chez Atom,
an imprint of Little, Brown Book Group (London), sous le titre :
ADORKABLE

Irresistibly Geek, le manifeste

1. Nous n'avons rien à déclarer, sauf notre geek-attitude.
2. Non aux centres commerciaux, oui aux vide-greniers.
3. Mieux vaut paraître à la masse que se fondre dans la masse.
4. Souffrir ne vous rend pas forcément meilleur, mais au moins vous saurez quoi écrire dans votre blog.
5. Faites des folies avec Photoshop, le vernis à ongles, les parfums de cupcakes, mais la drogue, jamais.
6. Ne suivez pas les leaders, soyez-en un.
7. Création et invention riment avec customisation.
8. Avec des chiots, tout paraît plus beau !
9. Une fille tranquille marque rarement les esprits.
10. Ne dissimulez jamais votre bizarrerie, faites-en votre étendard.

1

— Il faut qu'on parle, a déclaré Michael Lee d'un ton ferme.

Nous nous trouvions à la vente de charité de St Jude, je venais de quitter une cabine d'essayage de fortune composée de quatre tringles à rideaux disposées en carré, pour mieux me contempler dans un miroir piqué.

Je n'ai rien répondu. J'ai simplement fixé son reflet dans la glace, parce que c'était Michael Lee. MICHAEL LEE !

Alors, Michael Lee. Par où commencer ? Tous les garçons rêvaient d'être comme lui. Toutes les filles de sortir avec lui. Michael Lee, star du lycée, de la scène, du stade. Assez brillant pour avoir sa place parmi les intellos, *et* capitaine de l'équipe de football, donc vénéré par tous les fans de sport. Sa coupe de cheveux fashion et ses Converse soigneusement élimées lui valaient même les faveurs des branchés. Comme si cela ne suffisait pas, son père était chinois, ce qui lui conférait un côté eurasien très exotique ; pour tout dire, une ode à ses pommettes s'étalait sur le mur des toilettes des filles du deuxième étage, au lycée.

Il pouvait bien être tout ça à la fois et plus encore, mais en ce qui me concernait, pour s'entendre avec tous sans exception, il fallait surtout manquer sacrément de personnalité.

À vouloir plaire à tout le monde, Michael Lee devait forcément être la personne la moins intéressante de tout le lycée. Ce qui n'était pas peu dire, étant donné la médiocrité inhérente à cet établissement.

Aussi, je n'arrivais pas à imaginer pour quelle raison Michael Lee insistait pour que nous bavardions tous les deux. Il se tenait là devant moi, menton en avant, comme pour bien me montrer ses inspirantes pommettes, mais j'avais également une bonne vue de l'intérieur de ses narines, étant donné sa taille imposante.

— Va-t'en, ai-je déclaré d'une voix morne, en désignant d'un geste languissant l'autre côté de la salle paroissiale. De toute façon, rien de ce que tu pourrais me dire ne m'intéresse, je peux te le garantir.

La plupart des gens auraient filé vite fait bien fait sans demander leur reste, mais Michael Lee m'a dévisagée avec un air blasé qui semblait reléguer mes propos au rayon bluff et fanfaronnades. Là, il a eu le culot de poser la main sur mon épaule pour faire pivoter mon corps raide et mal embouché.

— Regarde : qu'est-ce qui cloche dans cette image ? m'a-t-il demandé en m'envoyant son souffle dans la figure, ce qui n'a fait qu'accentuer ma tension.

Je ne parvenais pas à me concentrer sur autre chose que ses doigts sur ma clavicule, ses doigts de joueur de foot, d'auteur de dissertations brillantes. Alerte, dérapage. Dérapage complet. Je venais de basculer dans une autre dimension. J'ai fermé les yeux très fort en signe de protestation et, lorsque je les ai rouverts, j'ai découvert Barney (à qui je venais de confier mon stand, en dépit du bon sens) en train de discuter avec une fille.

Et pas n'importe laquelle : Scarlett Thomas, qui se trouvait être la petite amie de Michael Lee. Tant mieux pour elle, je n'y voyais aucun inconvénient. L'inconvénient, en revanche, avec cette fille, c'était sa niaiserie, et aussi sa voix agaçante, éraillée et bêtifiante, qui avait le même effet sur moi que le bruit des glaçons entre les dents. Scarlett arborait une longue chevelure blonde, qu'elle passait des heures à peigner, vaporiser, bichonner, remuer à droite et à gauche, de sorte que si vous vous teniez derrière elle dans la queue de la cantine, vous aviez de fortes chances de vous prendre une mèche dans la bouche.

D'ailleurs, c'était ce qu'elle faisait en ce moment même, en s'adressant à Barney, et, effectivement, elle affichait un sourire niais, et lui souriait aussi, en baissant la tête, comme quand il était gêné. Certes, ce n'était pas une vision qui me réjouissait follement, mais bon…

— Je ne vois rien de mal, ai-je informé Michael Lee d'un ton sec. Ta petite amie discute avec mon petit ami…

— La discussion n'est pas le problème…

— Sûrement à propos d'équations du second degré ou de l'une des nombreuses questions mathématiques auxquelles elle ne comprend rien, et qui lui ont fait rater son examen, qu'elle doit maintenant repasser, ai-je résumé à Michael avec un regard implacable. Raison pour laquelle Mlle Clement a demandé à Barney d'aider Scarlett à réviser. Elle ne t'a pas prévenu ?

— Si, bien sûr, mais ce qui me tracasse, ce n'est pas qu'ils se parlent, c'est même plutôt *qu'ils ne se parlent pas du tout*. Ils restent plantés là à se regarder dans le blanc des yeux, a-t-il souligné.

— Ne dis pas n'importe quoi, ai-je répliqué tout en jetant un coup d'œil discret en direction des intéressés qui, indéniablement, se dévoraient des yeux.

Pas de doute, ils se dévisageaient, parce qu'ils n'avaient plus rien à se dire ; c'était un regard gêné, nerveux, vu qu'ils n'ont rien de rien en commun.

— Il n'y a rien, *nada*, *niente* entre eux. Le seul scoop du jour, c'est de vous trouver, Scarlett et toi, à vous encanailler dans une brocante, ai-je commenté en me concentrant à nouveau sur Michael. Bon, maintenant que nous avons éclairci ce point, je ne te retiens pas, tu peux reprendre le cours de ta vie.

Il a ouvert la bouche, comme pour ajouter quelque chose à propos du non-événement absolu que constituaient Barney, Scarlett et leurs yeux de merlan frit. Mais il l'a refermée. J'attendais qu'il s'en aille pour pouvoir reprendre le cours de *ma* vie quand, tout à coup, il s'est approché de moi.

— Il se passe quelque chose entre eux, m'a-t-il glissé en confidence.

À nouveau, son souffle a frôlé ma joue. J'ai eu envie de l'écarter d'un geste de la main irrité. Il s'est redressé.

— Jolie robe, au fait.

J'ai compris, au sourire en coin que je voyais poindre sur ses lèvres, qu'il ne le pensait pas, et me suis soudain demandé si Michael Lee ne dissimulait pas, en fait, une certaine profondeur, derrière son apparence fadasse.

J'ai reniflé bruyamment pour lui signifier mon mépris, ce qui a provoqué l'apparition, sur son visage, d'un sourire narquois en bonne et due forme, puis il s'est éloigné.

— Jeane, ma puce, ne le prends pas mal, mais c'était ironique, ce que t'a dit ce garçon. Cette robe n'est pas jolie du tout, a déclaré une voix chagrine sur ma gauche.

Je me suis tournée vers Marion et Betty, deux bénévoles du comité de l'action sociale de la paroisse de St Jude, préposées au stand de gâteaux et à la sécurité des cabines d'essayage. Un regard sévère de leur part aurait suffi à faire décamper le pervers le plus déterminé. Au cas où cela se serait révélé inefficace, je suis persuadée qu'elles auraient été capables de bombarder le voyeur de petits sablés.

— Je sais bien que c'était ironique, mais il se trompe complètement, parce que cette robe est au contraire plutôt très jolie.

Elle était noire et, en temps normal, j'évite. C'est vrai, qui aurait envie de s'habiller en noir alors que le monde regorge de couleurs sublimes ? Je vais vous le dire, moi : les gens sans imagination et les gothiques qui se croient toujours dans les années 1990. Mais cette robe n'était pas seulement noire : elle était ponctuée de motifs horizontaux – de lignes ondulées jaunes, vertes, orange, bleues, rouges, violettes et roses qui me donnaient mal aux yeux – et elle m'allait si bien qu'on l'aurait cru faite pour moi, ce qui n'arrive pas souvent, car j'ai un corps très particulier. Je suis petite, un mètre cinquante et des poussières, et compacte, ce qui me permet de m'habiller au rayon enfants, mais en plus de ça, je suis robuste. Mon grand-père disait toujours que je lui rappelais un cheval de mine – quand il ne disait pas que les petites filles sont faites pour être vues, pas entendues.

Bref, voilà. Je suis robuste, râblée, même. Par exemple, j'ai les jambes très musclées parce que je fais beaucoup de vélo et le reste de mon corps est en un seul bloc. À l'exception des cheveux gris acier (censés être blancs, mais mon pote Ben ayant commencé sa formation de coiffeur à peine deux semaines plus tôt, quelque chose avait foiré), et de mon éternel rouge vif sur les lèvres, on pourrait me prendre pour un garçon de douze ans. Mais cette robe avait suffisamment de pinces, de plis, de fronces et de traits horizontaux pour, au moins, donner l'illusion que j'avais des formes. Il faut dire que la puberté et moi, on ne s'est pas très bien entendues. Elle a oublié de me doter en formes féminines, leur préférant l'option boursouflures généralisées.

— Tu serais tellement mignonne avec une belle robe au lieu de ces cochonneries de vide-grenier. Tu ne sais pas où ça a pu traîner, s'est lamentée Betty. Ma petite-fille a des tas de vêtements qu'elle ne porte plus. Je pourrais te dénicher quelques pièces.

— Non merci, ai-je répondu fermement. J'adore les cochonneries de vide-grenier.

— Mais elle s'habille chez Topshop, ma petite-fille, a plaidé Betty.

Non sans mal, je suis parvenue à me retenir de me lancer illico dans une longue diatribe contre les grandes enseignes commerciales de centre-ville, qui présentaient les cinq mêmes looks chaque saison pour que tout le monde soit habillé exactement comme tout le monde, avec des vêtements cousus dans des ateliers du tiers-monde par des petits enfants payés en mesures de maïs.

— Je suis sincère, Betty, j'aime porter ce que les gens ne veulent plus. Ce n'est pas la faute des vêtements s'ils sont devenus démodés, ai-je insisté. De toute façon, mieux vaut réutiliser que recycler.

Cinq minutes plus tard, la robe était à moi, j'avais renfilé ma petite jupe mémé en tweed lilas et mon pull-over moutarde et je me dirigeais vers mon stand, où Barney feuilletait une pile de BD jaunies, sans Scarlett ni Michael à l'horizon, Dieu merci.

— Je t'ai acheté ta part de gâteau, ai-je annoncé.

En entendant ma voix, Barney a levé la tête d'un coup, et son teint laiteux a viré au rose. Je n'ai jamais vu un garçon rougir autant. À vrai dire, je n'aurais pas parié que les garçons étaient même capables de rougir, jusqu'à ce que je rencontre Barney.

Il ne rougissait, en cet instant précis, pour aucune raison en particulier, à moins que… Non, hors de question de perdre mon précieux temps sur les théories délirantes de Michael Lee, sauf que…

— Que pouvaient bien faire dans le coin Michael Lee et Scarlett Thomas ? ai-je demandé, l'air de rien. Ils ne fréquentent pas ce genre d'endroit, d'habitude. Je te parie qu'ils ont foncé se désinfecter pour se débarrasser de la puanteur des objets d'occasion.

Barney était désormais pivoine, on aurait cru qu'il avait plongé la tête dans une bassine d'eau bouillante, mais il s'est retranché derrière le rideau de ses beaux cheveux et a grommelé une phrase inintelligible.

— Scarlett et toi ? ai-je suggéré.

— Euh, quoi, Scarlett et moi ? a-t-il demandé d'une voix étranglée.

J'ai haussé les épaules.

— Je l'ai aperçue en train de regarder le stand pendant que j'essayais une robe. J'espère que tu n'as pas cédé au marchandage. Est-ce que tu as pu lui refourguer cette tasse ébréchée « Je me suis fait plaquer par un rugbyman » ?

— Eh non, je n'en ai pas eu l'occasion, a reconnu Barney, comme s'il s'agissait d'un aveu honteux. Il faut dire que la tasse est vraiment très abîmée.

— Exact. Tout à fait exact. Pas étonnant que tu n'aies pas réussi à lui refiler, convins-je en penchant la tête avec une expression assez compréhensive, du moins je l'espérais. Vous aviez l'air assez proches, tous les deux. De quoi vous parliez ?

Barney a levé les deux mains.

— De rien ! s'est-il écrié, avant de se rendre compte que cette réponse ne convenait pas. Des maths, de trucs.

J'aurais juré qu'il ne se passait rien entre Scarlett et lui en dehors de quelques fractions complexes, mais la culpabilité apparente de Barney me forçait à repenser ma théorie.

Je savais pouvoir lui arracher la vérité en quelques nano-secondes et cette vérité, c'était que Barney craquait pour Scarlett – agréable à l'œil et peu exigeante intellectuellement, elle était considérée comme un sacré beau parti. Il était inutile de s'en formaliser, même si je croyais avoir mieux éduqué Barney, mais ça ne valait pas le coup de s'attarder sur le fond. C'était sans aucun intérêt.

— Je t'ai rapporté du gâteau, lui ai-je rappelé.

J'ai vu ses yeux filer d'un côté, de l'autre, comme s'il n'était pas certain que ce brusque changement de sujet signi-fiait que la page était tournée pour de bon concernant Scarlett, craignant qu'il s'agisse uniquement d'une tactique sournoise pour le piéger.

Pour une fois, ça n'était pas le cas. Je lui ai tendu une énorme part de gâteau, dissimulée sous une serviette en papier. Barney l'a acceptée avec méfiance.

— Ah, merci, a-t-il marmonné.

Il s'est emparé de sa récompense et là, sa figure est passée du rose vif au blanc livide. Barney paraissait soudain si pâle qu'il se rapprochait dangereusement de l'albinos. Il détestait son teint presque autant que ses cheveux orange. Du temps du collège, Barney se faisait traiter de « vilain rouquin », pourtant ses cheveux ne sont pas roux. Ils sont en fait couleur marmelade, sauf quand le soleil brille car, là, ils s'enflam-ment véritablement, raison pour laquelle je lui ai interdit de les teindre. Et puis il n'est pas vilain non plus. Quand son visage n'est pas mangé par sa frange, ses traits sont délicats, féminins presque, et ses yeux, rivés sur moi et implorants, sont vert d'eau. Barney est le seul garçon que j'aie rencon-tré dont le code couleur soit le blanc, l'orange et le vert. La plupart des autres garçons sont en bleu ou marron, ai-je songé en prenant note mentalement d'explorer cette théorie de la couleur dans mon blog cette semaine. Puis je me suis à nouveau concentrée sur Barney, qui me tendait la serviette et son contenu avec une moue dégoûtée.

— Du carrot cake !

J'ai confirmé d'un hochement de tête.

— Carrot cake avec glaçage au cream cheese. Miam.

— Pas miam. Grave dégueu, même ! Je t'ai demandé une part de gâteau. DE GÂTEAU ! Et tu reviens avec un truc à base de carottes et de fromage. Ce n'est pas un gâteau, a aboyé Barney. C'est un repas complet déguisé en pâtisserie.

Je l'ai observé sans rien dire. Je l'avais déjà vu irrité – en général, par ma faute –, mais je ne le savais pas si hargneux.

— Mais tu manges bien des carottes, me suis-je aventurée, intimidée, sous le poids de la grogne féroce de Barney. Je suis sûre de t'avoir déjà vu en manger.

— Oui, contraint et forcé. Je suis obligé d'avaler de la viande ou des pommes de terre en même temps pour les faire passer.

— Je m'excuse, ai-je dit en essayant de paraître sincère.

Barney semblait d'humeur imprévisible et je préférais ne pas déclencher une nouvelle explosion.

— Je suis désolée d'être si nulle pour choisir des pâtisseries. Visiblement, il va falloir que je fasse des efforts.

— Bon, ça n'est pas vraiment ta faute, a décrété Barney, magnanime.

Il m'a regardée par-dessous sa frange, une esquisse de sourire flottait sur ses lèvres.

— Je confirme, t'es vraiment nulle en choix de gâteaux, mais finalement, c'est rassurant de savoir que ça t'arrive d'échouer, parfois. Je commençais à en douter.

— Je suis nulle dans tout un tas de domaines, ai-je juré à Barney, estimant que je ne risquais désormais plus rien à le rejoindre derrière le stand. Je suis incapable de faire la roue. Je n'ai jamais pu apprendre l'allemand et les muscles de mon visage n'ont pas la force d'arquer un sourcil.

— C'est génétique, a-t-il commenté. Mais je crois qu'on peut s'améliorer, avec de l'entraînement.

J'ai poussé mon sourcil droit du bout du doigt.

— Je devrais peut-être le scotcher en l'air toutes les nuits en espérant que ma mémoire musculaire prenne le relais.

— Je te parie qu'on peut trouver une méthode sur Internet, a avancé Barney, enthousiaste.

C'était exactement le genre de renseignements, aussi aléatoires qu'obscurs, qu'il adorait chercher.

— Google et moi, on s'en occupe ! a-t-il conclu.

Nous étions amis à nouveau. Petits amis, même. Je lui ai rapporté une part de gâteau au chocolat et j'ai passé le reste de l'après-midi à compléter ma liste des choses pour lesquelles je suis absolument nulle, ce qui l'a fait rire.

Tout allait pour le mieux. Aucun problème entre nous. Cela dit, je me demandais quand même ce qui pouvait bien me pousser à me dévaloriser comme ça, uniquement pour rassurer Barney sur notre couple, alors que je suis une féministe encartée. Sans rire. Le mot « féministe » est écrit en toutes lettres sur mes cartes de visite. Mais, pour une fois, j'ai choisi de faire simple, parce que je ne supportais pas l'idée d'avoir Barney en train de broyer du noir à côté de moi pendant trois heures. Je ne lui ai même pas crié dessus lorsqu'il a renversé son soda sur le cache-Thermos « Irresistibly Geek » que j'avais mis des siècles à tricoter.

2

Je déteste Jeane Smith.

Je déteste ses cheveux gris à la con, ses fringues en polyester immondes. Elle en fait des tonnes pour s'enlaidir et pour
se faire remarquer, et ça aussi, je déteste. Franchement, elle
aurait plus vite fait de porter un tee-shirt marqué « Hé-ho tout
le monde ! Regardez-moi ! Plus vite que ça ! ».

Je déteste sa méchanceté, ses sarcasmes – énoncés avec
son ton neutre et impersonnel, c'est encore pire. Comme
s'il était trop ringard de montrer ses émotions ou son
enthousiasme.

Je déteste comment elle a collé sa figure toute moche contre
la mienne et enfoncé le doigt dans mon torse pour bien se
faire comprendre. Quoique, maintenant que j'y réfléchis, je
ne suis plus très sûr qu'elle l'ait fait, mais c'est le genre de
choses dont elle est capable.

Ce que je déteste par-dessus tout, c'est qu'elle est odieuse,
complètement frappée, au point que même son mec ne la
supporte plus et cherche une alternative. Surtout quand cette
alternative est ma petite amie.

Je savais que Barney en pinçait pour Scarlett. C'était couru
d'avance. Elle est super bien foutue. Vraiment super bien foutue. Chaque fois qu'on se balade en ville et qu'on approche

de Topshop, elle est harcelée de tous côtés par des scouts d'agences de mannequins.

Mais Scarlett n'a jamais cédé aux requêtes des agences, parce qu'elle prétend être sept centimètres trop petite et bien trop timide pour devenir mannequin. Avant que nous sortions ensemble, elle et moi, je trouvais sa timidité adorable. Mais au bout d'un moment, ça perd de son attrait, une fille aussi timide : au début, on a envie de la protéger, après, on grince des dents en secret, énervé.

Le problème, avec la timidité, c'est que ça ressemble beaucoup à une absence totale d'efforts, comme celle dont fait preuve Scarlett dans notre couple. Moi, je me suis toujours donné du mal, je l'appelle tous les soirs, je propose des activités sympas à faire tous les deux. Je lui ai offert des cadeaux, j'ai configuré son BlackBerry, bref, j'ai assuré, comme petit ami. En amour, comme en football ou en physique, quel intérêt de s'impliquer si c'est seulement à moitié ? Et je ne veux pas paraître avoir la grosse tête, mais je pourrais sortir avec à peu près n'importe quelle fille du lycée – du quartier, même. Le fait que j'aie choisi Scarlett aurait dû gonfler sa confiance en elle, elle aurait pu faire preuve d'un peu de gratitude, tout de même.

Du coup, quand j'ai vu Barney et Scarlett ensemble, ça m'a rendu furieux. Tout ce que j'obtiens d'elle, ce sont des mouvements de cheveux et quelques malheureux sourires, mais lui il a droit aux regards langoureux et aux gloussements. Je ne les entendais pas, ces gloussements, mais je les ai imaginés comme de minuscules dagues d'argent en direction de mon cœur et, quand j'ai détourné la tête, je suis tombé sur une fille courte sur pattes, à cheveux gris, en train de se regarder dans une glace.

Jeane Smith est la seule personne au lycée à qui je n'ai jamais adressé la parole. Sérieux. Je déteste les étiquettes, les clans et toutes ces conneries qui poussent à snober les gens simplement parce qu'ils n'écoutent pas la même musique que vous ou qu'ils sont nuls en sport. J'aime m'entendre avec tout le monde et toujours pouvoir trouver un sujet de conversation commun, même s'il n'est pas forcément palpitant.

Jeane Smith ne parle à personne, à part ce fameux Barney. Tout le monde parle d'elle, ou de ses fringues atroces, ou des altercations qu'elle provoque avec les profs à chacun des cours auxquels elle assiste, mais personne ne lui parle *à elle* parce que c'est s'exposer aux piques les plus mortelles ou à se faire fusiller d'un regard supérieur.

C'est d'ailleurs ce que j'ai obtenu lorsque j'ai tenté de lui expliquer mes soupçons à propos de Barney et Scarlett. J'ai pris conscience de mon erreur au beau milieu de ma première phrase, mais c'était déjà trop tard. Je m'étais engagé dans une conversation avec Jeane Smith. Je ne sais pas, exactement, comment on réussit à produire un regard inexpressif qui parvient également à promettre des souffrances inimaginables, mais d'une façon ou d'une autre, Jeane le maîtrise à la perfection. Ses rétines avaient cédé la place à des pointeurs laser.

Après ça, elle a joué les garces, menton en avant, et tout à coup, l'affaire entre Barney et Scarlett, si louche soit-elle, est passée au second plan, j'ai juste eu envie d'avoir le dernier mot.

— Jolie robe, au fait, ai-je dit en désignant l'horrible machin multicolore qu'elle avait sur le dos.

C'était un coup bas, parfaitement indigne de moi, mais au moins j'ai réussi à fermer son clapet à Jeane Smith. Pourtant, à ce moment-là, elle a eu un petit sourire en coin. Elle fait partie de ceux qui peuvent mettre beaucoup de choses dans un sourire en coin. Beaucoup de choses et pas une de sympa.

Lorsque j'en ai eu terminé avec ce petit échange fort désagréable, Scarlett et Barney, de leur côté, avaient fini leur flirt silencieux. Scarlett s'est empressée de me rejoindre – je ne l'avais jamais vue avec un visage aussi expressif.

— On peut y aller, maintenant ? m'a-t-elle demandé.

Comme si c'était mon idée de venir dans cette brocante pleine de vieilles saletés et de vêtements poisseux dont même la pire association caritative au monde ne voudrait pas. C'était Scarlett qui avait tenu à y faire un saut et, comme elle ne proposait jamais rien d'intéressant ou de marrant à faire, j'avais pris cela comme un signe de réel progrès dans notre relation.

Maintenant, je la soupçonnais de n'avoir été motivée que par la présence de Barney. En temps normal, je serais allé droit au but et j'aurais exigé des explications, mais quelque chose m'a fait hésiter. Si notre couple était un échec, que devais-je en conclure ? Qu'elle me préférait un rouquin timoré, et ça… non. Ça n'était pas possible.

Donc, je me suis contenté de répondre :

— Cool, ça sent le cadavre, cet endroit.

Scarlett a marmonné son accord, mais, à l'instant de franchir la porte, elle a tourné la tête en direction du coin où se trouvait Barney. Il ne lui a pas rendu un regard enamouré, pour la bonne raison qu'il faisait face à Jeane qui, à en juger d'après son visage revêche et sa position, mains sur les hanches, devait lui passer un savon.

— Cette fille, je ne peux pas la sentir, a craché Scarlett à voix basse, d'un ton assassin.

Je l'ai dévisagée, ébahi. C'était la première fois que je l'entendais exprimer une opinion.

— Elle est trop méchante, a-t-elle ajouté. Un jour, elle m'a fait pleurer en anglais : j'étais en train de lire à voix haute *Le Songe d'une nuit d'été* et elle a levé la main pour se plaindre que je ne mettais pas le ton. Moi, au moins, je n'ai pas une voix de robot sous calmant.

— C'est vrai qu'elle est un peu agaçante…

— Pas qu'un peu. Elle *est* agaçante, point barre, m'a informé Scarlett, glaciale.

Elle était pleine de surprises, cet après-midi. Elle m'a même jeté un regard noir en passant, pendant que je lui tenais la porte, comme si j'étais Jeane Smith par procuration.

— Pourquoi elle te met dans un état pareil ? ai-je demandé dans l'escalier qui nous ramenait vers la rue.

Je connaissais déjà la réponse – si Scarlett détestait autant Jeane, c'est parce que Jeane sortait avec Barney. J'en étais sûr et certain.

— « Je suis Jeane Smith, a imité Scarlett d'une voix mécanique, qui m'a fait sourire malgré moi, parce que cette Scarlett énervée et rouspéteuse était environ mille fois plus marrante que la Scarlett avec laquelle je sortais jusque-là. J'ai un million de followers sur Twitter, mon blog est génial, mes vêtements atroces et mes cheveux de vieille sont en réalité à l'avant-garde de la coolitude, et si tu n'es pas d'accord, c'est parce que tu n'es pas cool. D'ailleurs, tu n'es tellement pas cool que je ne peux même pas poser les yeux sur toi, au cas où tes vilains microbes de banlieusard pas cool seraient contagieux. » Franchement, elle se prend pour qui ?

— Elle a un blog ? La belle affaire. Tout le monde en a un.

— On voit que tu ne connais pas le sien, a marmonné Scarlett sombrement. Les sujets qu'elle aborde… C'est pas croyable.

— Comment se fait-il que tu joues la cyber-espionne comme ça, au fait ? ai-je demandé d'une voix si aiguë que je me suis étranglé sur la dernière syllabe.

— Je ne l'espionne pas.

La voix de Scarlett, en revanche, redevenait le murmure habituel.

— Je suis bien obligée de lire son blog, sinon je ne pourrais pas participer quand les gens parlent d'elle au lycée.

— Quoi, en dehors de Jeane Smith, vous n'avez aucun autre sujet de conversation, dans ta classe ?

Scarlett n'a rien répondu, elle s'est contentée de scruter la rue, puis elle a poussé un soupir de soulagement.

— Ma mère est là, il faut que je file.

— Je croyais qu'on allait boire un café.

— Oui, eh bien, en fait, ma mère m'a envoyé un texto pour me dire qu'elle passait dans le quartier, a-t-elle avoué, gênée. Pendant que tu faisais un tour, au vide-grenier. Enfin, c'est à ce moment-là que j'ai eu son message.

Je ferais bien de tout arrêter avec elle, voilà ce que je me suis dit. Parce que nous n'irions nulle part, elle et moi. Et oui, Scarlett me ferait son visage triste qui évoque un bébé phoque sur le point de succomber aux coups du braconnier, mais je l'avais vu si souvent ces dernières semaines que j'étais immunisé.

— Écoute, Scarlett, j'ai réfléchi… ai-je commencé, mais elle reculait déjà.

— J'y vais, a-t-elle couiné tandis que sa mère klaxonnait. À demain ou un de ces quatre.

— Oui, c'est ça, ai-je dit, mais elle s'était déjà mise à courir en direction du Range Rover de sa mère, qui bloquait la circulation, et il était impossible qu'elle ait pu m'entendre.

3

Dix-sept heures sont arrivées bien trop vite et les hordes de clients potentiels ont commencé à se clairsemer dans les allées du vide-grenier.

L'après-midi avait été bonne, j'avais vendu la plupart des gros objets, y compris une collection pourrie de romans de gare, un cadre hideux représentant un clown qui me fichait les jetons chaque fois que je posais les yeux dessus ainsi qu'une statuette Art déco de chat noir surmontée d'un abat-jour, équipée d'un fil électrique et d'une prise, à l'endroit où aurait dû se trouver sa queue.

Autrement dit, il ne nous a pas fallu trop de temps pour remballer le stand et charger les caisses en plastique dans l'énorme 4 × 4 ultra-polluant de la mère de Barney, et il n'a même pas été nécessaire d'en entasser sur le siège arrière, contrairement à d'habitude. Barney avait son permis depuis peu et le fait de ne pas voir à travers la lunette arrière le mettait dans un état de panique, tout en sueur et tremblements.

Son champ de vision était totalement dégagé, certes, mais Barney, au volant, avait aussi besoin de silence complet. Cependant, comme nous approchions de chez moi, je commençais à avoir du mal à me contenir.

J'ai attendu qu'on soit arrêtés à un feu.

— Alors, tu as envie de venir un moment à la maison ? ai-je proposé. Ou tu préfères qu'on aille au cinéma ? Il y a ce film avec Ellen Page dont nous avons discuté l'autre jour. Sinon…

Barney a lâché un bruit agacé : j'avais continué de parler alors que le feu venait de passer au vert.

— Pardon, ai-je murmuré en me renfonçant sur mon siège.

Il a bandé tous ses muscles pour redémarrer sans caler.

J'ai fait de mon mieux pour garder le plus grand calme, et même respirer tout doucement, jusqu'à ce que Barney se gare, avec lenteur et précaution, le long du trottoir juste devant l'imposant immeuble de brique rouge où je vivais.

— Alors, tu as envie de faire un truc ? ai-je à nouveau proposé. Quelques heures.

— Impossible. Tu sais bien que ma mère tient à ce que je reste à la maison le dimanche soir pour s'assurer que j'ai bien fait mes devoirs, que je me suis lavé derrière les oreilles, que j'ai taillé mes crayons et que j'ai suffisamment de tee-shirts propres pour la semaine.

Il a fait une grimace, dégoûté.

— Je te parie que quand je serai à l'université, elle viendra me surveiller sur le campus le dimanche après-midi.

— Mais non, je suis sûre qu'elle ne ferait pas une chose pareille, ai-je dit, alors que j'étais persuadée que c'était précisément ce qu'elle aurait fait si Barney n'avait pas eu un petit frère qui exigeait au moins autant, sinon plus, d'attention que l'aîné.

Nous ne nous appréciions pas trop, la mère de Barney et moi – elle considérait que j'avais une mauvaise influence sur son fils et préférait grandement le temps où il traînait à la maison et où sa vie sociale était inexistante. Cela dit, je prenais garde de ne pas aborder le sujet avec Barney, ne voulant pas être le genre de fille qui s'interpose entre un garçon et sa mère despotique.

— Oh, si, elle en serait capable, a répondu Barney en détachant sa ceinture de sécurité. Je t'aide à tout rentrer, mais ensuite je file.

Après que nous avons convoyé les malles, les cartons et les sacs jusque dans le hall, puis dans le branlant ascenseur menant au sixième étage et, enfin, dans le vestibule de mon appartement, Barney a pris une grande inspiration et il a attendu que j'accroche ma veste.

Je voyais son visage anxieux dans le miroir de l'entrée, écho parfait du mien. Je détestais ce passage. Le moment où l'on s'embrasse pour se dire au revoir.

J'ai fait deux pas dans sa direction, Barney a plié le cou vers moi de quelques centimètres, en signe de bonne volonté. Lorsque nous nous sommes retrouvés nez à nez, ou presque, il a fermé les yeux très serrés et pincé les lèvres très fort, ce qui a fait ressembler sa bouche à un derrière de chat. Outre cette absence de stimulation visuelle, quand j'ai pressé mes lèvres contre les siennes, elles ne m'ont pas paru très embrassables. Sa bouche n'était pas détendue, ses lèvres n'étaient ni souples ni malléables, aussi nous avons terminé par nous embrasser comme nous nous embrassons toujours, en écrasant nos bouches furieusement, comme si l'effort pouvait compenser l'absence de passion.

Cela ne s'est accompagné ni de doigts entremêlés, ni de caresses. Barney a gardé les bras le long du corps, quant à moi, j'ai déposé une main très convenable sur son épaule. La langue n'avait rien à voir non plus dans ce processus. La première fois que j'avais voulu l'introduire, Barney avait tellement flippé que je n'avais plus osé retenter le coup. J'ai compté « Un éléphant, deux éléphants, trois éléphants » dans ma tête et, une fois arrivée à cinquante, je me suis doucement écartée.

— On s'améliore, non, tu ne crois pas ? a constaté Barney, qui arborait toutefois une expression peinée, comme s'il n'avait qu'une envie, essuyer sa bouche d'un revers de main pour effacer la trace fantôme de mes lèvres.

— Absolument, ai-je renchéri.

Pourtant, nous savions l'un comme l'autre que c'était un mensonge. Moi, du moins, mais j'ose espérer que Barney ne se leurrait pas au point de croire que ces cinquante secondes passées à s'écraser la bouche constituaient une amélioration.

Barney était drôle, gentil, il savait des tas de choses en informatique, mais nous n'avions pas la moindre alchimie sexuelle, lui et moi. Je n'étais pas persuadée que tout l'entraînement du monde pourrait y changer quoi que ce soit. Soit il y avait alchimie, soit il n'y en avait pas. Et entre nous, elle n'existait franchement pas.

— Bon, je ferais bien d'y aller, a-t-il soupiré.

Ce manque d'enthousiasme à l'idée de me quitter a donné un petit coup de fouet à mon ego.

— Ma mère préparait une soupe de lentilles quand je suis parti. J'imagine que c'est ce qu'on aura au dîner, a-t-il ajouté.

Cela dit, il n'avait peut-être pas envie de rentrer, tout simplement.

— Je parie que ce carrot cake te paraît plus appétissant, maintenant, ai-je plaisanté.

Barney a souri.

— Tu as tellement de chance de vivre seule, Jeane. Personne pour te dire ce que tu dois faire. Tu manges ce que tu veux, quand tu veux, tu te couches tard si ça te chante, tu passes tellement de temps sur Internet que tu finis par ne plus voir clair et…

— Et si quelque chose est cassé ou en panne, je dois trouver la solution toute seule. Je suis obligée de nettoyer, de cuisiner, de me lever pour aller en cours…

— Oh, n'essaye pas de me faire croire que c'est horrible, a-t-il raillé. Ce n'est pas comme si tu faisais vraiment le ménage et puis tu te nourris de bonbons Haribo et de gâteaux. Pense un peu à moi, avec ma mère qui me harcèle, pendant que je mange sa soupe de lentilles dégoûtante et son pain maison tout ramollo. Imagine, il est gris, a-t-il précisé avec un frisson en se dirigeant vers la porte. Elle dit que c'est à cause des germes de blé, mais quand même, ça n'est pas une couleur pour un pain comestible.

J'ai accompagné Barney jusqu'à la porte parce qu'il n'arrive jamais à l'ouvrir et, lorsque je me suis mise sur la pointe des pieds pour déposer un petit bisou sur sa joue, il a reculé la tête avec brusquerie, comme si je m'étais jetée sur sa bouche, langue pendante.

— À demain ! a-t-il lancé d'un ton enjoué pour dissimuler le fait qu'il venait de fuir mes lèvres comme si j'avais la lèpre.

Son visage a rougi violemment pour la dix-septième fois de la journée au moins.

— Faut que j'y aille !

J'ai écouté le couinement discret de ses baskets sur le parquet, le cliquetis grinçant de la grille métallique lorsqu'il l'a tirée pour monter dans l'ascenseur, puis le ronron de la cabine dans son périple d'un étage à l'autre. J'ai même entendu claquer la porte d'entrée, au loin. Ce son m'a paru final, définitif.

Après le divorce de mes parents, quand ma sœur aînée et moi avons emménagé dans cet appartement, j'étais aux anges. Cela semblait tellement exotique après mes quinze premières années passées dans une maison mitoyenne avec jardin, garage, double vitrage et placards intégrés.

Dans cet immeuble bourgeois qui sentait bon la cire, avec un carrelage en damier noir et blanc dans le hall – car il y avait un hall ! –, je me faisais l'effet d'évoluer dans un livre des années 1920. Je m'imaginais avec un carré à la Louise Brooks, remercier des messieurs qui me tenaient galamment la porte.

Bethan et moi avions même évoqué l'idée d'apprendre les claquettes pour pouvoir traverser les couloirs en pas glissés (quel que soit le terme adéquat), ce qui donnerait un super son. Mais ça, c'était l'an dernier, car cette année, Bethan faisait un internat d'un an dans un hôpital spécialisé en pédiatrie de Chicago, et moi, j'étais toute seule dans ce bel appartement, qui n'était plus si beau d'ailleurs, parce que bon… la vie est trop courte pour passer l'aspirateur, faire la poussière ou ramasser les trucs qui traînent.

Il existait un vague chemin dégagé entre la porte d'entrée et le double séjour. Écrasant au passage magazines et papiers de bonbons, j'ai atteint la table et allumé mon MacBook.

Au prix d'un effort surhumain, je n'ai ouvert ni ma messagerie, ni Twitter, ni Facebook, et me suis plongée dans mon cours d'entrepreneuriat.

Je consacre toujours mes dimanches soir aux devoirs. Non parce que je suis une feignante qui fait tout à la dernière minute, mais parce que le dimanche est le soir le plus solitaire de la semaine. Les gens sont tous cloîtrés à la maison, leur mère s'agite à propos des repas de la semaine et des lessives à faire. Même mes vrais amis, adultes, avouent retrouver cette sensation de veille de rentrée scolaire, ce soir-là ; une sensation que seuls un bon film bien nul et un bac de glace parviennent à calmer un peu.

N'ayant pas de mère – ni même de père, d'ailleurs – qui se tracasse pour moi, je garde toujours des devoirs en réserve, histoire de ne pas trop ruminer. Pour éviter de se lamenter sur son sort, rien de tel que de compiler des données dans un tableur pour un cours d'entrepreneuriat.

Le fait que la société inventée pour ce cours existe également dans la vraie vie n'aidait en rien. Irresistibly Geek était à la fois une marque emblématique de la culture geek et une agence de tendances que j'avais créées suite au succès de mon blog du même nom. Irresistibly Geek, le blog, avait en effet remporté des tas de récompenses, du coup, on avait commencé à me proposer d'écrire des papiers pour le *Guardian*, de participer à des émissions sur Radio 4… Les chiffres que je copiais-collais d'un document à un autre pour mes devoirs indiquaient donc les sommes d'argent réellement gagnées ces six derniers mois grâce à mon activité de consultante ou de journaliste, à mes apparitions publiques ou à la vente de produits Irresistibly Geek sur les sites Etsy ou CafePress. Ça ne rendait pas le cours d'entrepreneuriat plus amusant pour autant. Loin de là. Je soupirais de soulagement en atteignant le bas de l'ultime colonne lorsque le téléphone a sonné.

Ma mère appelait à 19 h 30 tous les dimanches, alors ça n'aurait pas dû me surprendre, mon cœur n'avait aucune raison de s'emballer ainsi. Peut-être était-ce parce que je passais le reste de la semaine à réprimer le souvenir de nos coups de fil… En tout cas, chacun de ses appels me faisait comme un choc, quand j'entendais sa façon de prononcer mon nom avec cette pointe d'appréhension qu'elle avait toujours dans la voix, d'aussi loin que je m'en souvienne.

— Salut, Pat, ai-je dit. Comment ça va ?

Tout allait pour le mieux à Trujillo, au Pérou, malgré les coupures de courant fréquentes cette semaine et les vêtements propres qui commençaient à manquer parce que…

— Il n'y a pas de machines à laver au Pérou ? ai-je demandé d'un ton distrait, la conversation étant compliquée par la friture sur la ligne et un décalage bizarre.

Et puis, même quand nous vivions sous le même toit, nous n'avions déjà pas grand-chose à nous dire…

— Bien sûr que si, Jeane. Si je n'ai plus de culottes propres, c'est parce que je n'ai pas eu *le temps* de faire de lessive. Le Pérou n'est pas complètement arriéré. Il y a des machines à laver, l'eau courante, froide et chaude, et tu sais quoi, il y a même des Starbucks. Ce qui en dit d'ailleurs bien plus sur la mondialisation que…

Deux minutes de discussion seulement, et déjà, c'était tendu.

— Mais c'est toi qui as parlé de coupures de courant !

— Oui, c'est vrai. Il faut dire que, comme tu le sais, du lundi au jeudi, je suis en dehors de la ville, dans une région très reculée…

— Ah, oui. Comment vont les prisonnières péruviennes, au fait ? ai-je demandé d'un ton plein de sous-entendus, suintant de dédain jusque dans chaque syllabe.

— Tu es obligée de te montrer aussi désinvolte en permanence ?

— Je ne suis pas désinvolte, ai-je prétendu, alors que si, mais de toute façon, elle était incapable de faire la différence. Ça m'intéresse, je t'assure. Comment vont-elles ?

Je savais que le sort des femmes en prison au Pérou lui donnerait matière à discourir pendant dix bonnes minutes. Après tout, elles étaient la raison, la maigre excuse qu'elle avait fournie pour filer de l'autre côté de l'Atlantique avec ses deux fourre-tout et sa valise à roulettes et consacrer deux années de sa vie à la rédaction d'une thèse sur « Les effets d'une approche écolo-neuneu de l'incarcération sur les tendances meurtrières et le comportement des détenues de sexe féminin dans le système carcéral péruvien ». Je paraphrase, car la lecture du titre exact de ce mémoire suffirait à endormir n'importe qui avant même d'avoir atteint la fin.

Pat continuait de parler pour ne rien dire et je me contentais de faire « hum-hum » de temps à autre, tout en réfléchissant à la nature de mon premier tweet de la soirée. En général, je tweete toutes les cinq minutes, mais Barney s'était plaint de me voir tripoter mon iPhone en permanence pendant qu'on était ensemble, ce qu'il jugeait asocial. Je souffrais donc en ce moment précis d'un grave manque de Twitter.

— Bref, et toi, Jeane, comment vas-tu ?

Pat, qui avait enfin terminé de vanter les mérites de l'enseignement de la méditation à des serial-killeuses ultraviolentes, était maintenant prête à me prendre la tête sur, eh bien, à peu près tout.

— Comment va l'appartement ? a-t-elle continué.

— Moi, ça va, l'appartement aussi, ai-je répondu.

— Tu fais le ménage, j'espère ? Tu n'oublies pas la vaisselle, le balai dans la cuisine parce que sinon tu vas avoir des fourmis…

— On est au sixième étage, je ne vois pas comment une fourmi pourrait être capable de grimper tant de marches, à moins d'emprunter l'ascenseur.

Pat s'est retenue d'intervenir.

— Tout est propre, l'ai-je assurée.

Encore heureux qu'elle ne lise pas mon blog, elle aurait pu constater que j'avais installé une DustCam (soit mon vieil ordi portable filmant un coin de buffet) pour tenter de prouver la théorie de Quentin Crisp selon laquelle au bout de quatre ans, la poussière cesse de s'accumuler.

— Si tu le dis, a-t-elle cédé.

Je sentais bien qu'elle ne me croyait pas.

— Comment ça va, à l'école ? Je suis en contact avec Mlle Ferguson par e-mail. Elle a l'air de dire que tout se passe bien.

Mlle Ferguson et moi nous entendions merveilleusement et, à moins que je débarque au lycée armée d'un fusil pour dézinguer tout le monde, elle n'allait sûrement pas balancer à ma mère mes infractions mineures du type embrouilles avec les profs, réglage de mon iPhone sur une sonnerie audible des seules oreilles adolescentes me permettant de recevoir mes e-mails en classe, ou lui détailler la partie de bras de fer que j'avais entamée avec Mme Spiers, ma prof d'arts plastiques, concernant mon refus de peindre une nature morte débile à base de brindilles. La routine, quoi.

— C'est parce que tout va bien. Bon, je vais devoir te laisser.

— Attends ! Tu as des nouvelles de Roy ?

— Oui. Il vient bientôt à Londres, on se verra à ce moment-là, ai-je dit en contemplant le bazar que j'allais devoir ranger dans un futur assez proche, pour éviter que mon père voie ça.

— Et tu as eu Bethan ?

— Oui.

Je perdais patience et ça devait s'entendre.

— On se parle tout le temps, par Skype, ai-je ajouté. Tu pourrais faire pareil, d'ailleurs. Ça coûterait moins cher que le téléphone.

— Tu sais que je ne suis pas très douée en informatique.

— Pas besoin d'être douée pour ça. Tu télécharges l'appli, tu cliques sur « installer » et ton ordinateur s'occupe du reste. Facile. Même toi, tu peux y arriver.

— Jeane, ne commence pas.

— Je ne commence rien du tout. Je dis juste que je suis en ligne en permanence, alors, si tu avais Skype, tu pourrais me contacter quand tu veux…

— Mais moi, je suis rarement devant un ordinateur. Les cybercafés ne courent pas les rues.

— Tu m'as dit qu'il y avait des Starbucks, ils sont tous équipés en Wi-Fi gratuit, alors je ne vois pas où est le problème.

— Non, tu ne vois jamais, a-t-elle soupiré. Pourquoi faut-il toujours que tu transformes nos conversations en disputes, Jeane ?

— Il faut être deux pour une dispute, Pat, lui ai-je rappelé, parce que je ne lâchais jamais le morceau.

Même quand j'aurais dû. J'étais entêtée de naissance.

— Je dois y aller, maintenant, ai-je conclu.

— Tu me dis au revoir correctement, au moins ? a-t-elle insisté.

— Au revoir correctement, ai-je répété d'une voix traînante, ce qui était franchement méchant parce que Pat était comme ça, on n'allait pas la changer – pas plus que je ne pouvais m'empêcher de jouer les râleuses professionnelles. Écoute, je suis désolée. Il me reste encore une tonne de devoirs et la simple idée de me pencher sur mon tableur pour le cours d'entrepreneuriat me met sur les nerfs.

— Je suis bien contente que ce ne soit pas à cause de moi, a-t-elle dit d'une voix un peu moins vexée. Mais tu avais promis de ne plus faire tes devoirs à la dernière minute.

Ce n'était pas la dernière minute. La dernière minute, ce serait de remplir son fichier pendant que le prof faisait l'appel.

— Je sais, ai-je réussi à articuler. Désolée.

Il s'en est suivi deux interminables minutes et trente-sept secondes de dialogue dépourvu du moindre contenu avant que Pat raccroche enfin.

J'ai étiré mes bras au-dessus de ma tête pour atténuer les douleurs et raideurs dans ma nuque et mes épaules qui survenaient toujours lors de mes conversations avec Pat puis j'ai double-cliqué sur l'icône Firefox, j'ai ouvert TweetDeck et j'ai connecté mon iPhone à l'ordinateur pour pouvoir télécharger les photos prises dans l'après-midi.

Mes doigts se sont agités sur le clavier pour rédiger mon premier tweet de la soirée. J'ai appuyé sur entrée et, dix secondes après, quelqu'un me répondait.

Et ça a été aussi simple que ça. Tout à coup, je n'étais plus seule.

4

J'adore le dimanche soir. Les autres soirs de la semaine sont tous tellement remplis de devoirs, d'entraînements de foot, de réunions de délégués, d'organisation de débats avec le club de rhétorique, de paperasse pour mes parents, qu'une simple sortie entre amis semble une tâche supplémentaire à rayer de ma liste de choses à faire. En plus, mes parents sont catégoriques : j'ai besoin de mes dix heures de sommeil pour affronter la semaine qui s'annonce, alors ils me découragent fortement (certains iraient jusqu'à dire « m'interdisent ») de sortir le dimanche soir.

Ma mère s'occupait du bain de mes petites sœurs. En montant l'escalier pour rallier ma chambre sous les combles, j'ai entendu Melly se plaindre de devoir partager la baignoire avec Alice : « Elle a cinq ans, maman, moi sept, j'ai droit à mon intimité. »

J'ai fermé ma porte en souriant, puis j'ai déposé mon plateau sur mon bureau avec la plus grande précaution. Le dimanche soir, ma mère attend de moi que je nettoie le réfrigérateur de tous les restes du week-end avant la livraison du supermarché le lundi matin. Étant donné que du lundi au jeudi, on n'est pas censés manger « des cochonneries », comme ils disent, c'est ma dernière chance de me gaver de bouffe trop sucrée, trop grasse.

En mâchonnant un nem froid, j'ai allumé mon ordinateur, j'avais un exercice de physique à terminer. *Ils* sont persuadés que je finis tous mes devoirs avant de sortir le vendredi soir, mais ils se plantent complètement.

Je venais de mettre le point final à ma série de formules lorsque ma mère a frappé à la porte.

— Michael ? Tout va bien ?

Elle n'était pas autorisée à entrer avant d'avoir ma permission expresse, depuis la fois où elle m'avait surpris en compagnie de Megan, la fille avec qui je sortais avant Scarlett, dans une position compromettante, sur mon tapis Ikea.

S'en étaient suivies d'interminables et pénibles discussions sur les limites à se fixer et les risques de grossesse non désirée. Depuis, chaque fois que ma mère dépose mes affaires propres dans une corbeille devant ma porte, je retrouve systématiquement des paquets de capotes fourrés dans mes poches de jean. Selon mes calculs, je détenais quatre-vingt-treize préservatifs dans leur petit emballage aluminium.

— Oui, oui, ça va, ai-je répondu. J'ai pris le dernier pancake aux pépites de chocolat que papa a préparé hier, j'avais le droit ?

— Mieux vaut qu'il finisse dans ta bouche que sur mes hanches, a constaté ma mère. Qu'est-ce que tu fais ?

Parfois, je repense avec nostalgie à ces jours heureux où elle débarquait dans ma chambre sans prévenir. Je préférais presque ça à l'entendre me bombarder de questions de l'autre côté de la porte.

— Je traîne un peu sur Internet, ai-je signalé d'un ton vague.

— Bon, avec ton père, on va se regarder un DVD si tu veux te joindre à nous, persista-t-elle. Pas un truc trop cucul.

— Non, non, ça va, ai-je réussi à articuler. Je t'assure, maman, je descendrai plus tard.

— Si tu es sûr…

Je n'ai rien répondu, je me suis contenté de grogner parce que, si je continuais à parler, elle allait rester plantée là jusqu'à la fin des temps. Pour finir, je l'ai entendue descendre les marches – elle seule était capable de signifier le reproche grâce à de simples pas. Je me suis à nouveau concentré sur Facebook. Scarlett était en ligne, mais, à l'instant où je me suis connecté, elle a disparu. Ou bien elle a opté pour un statut « invisible » pour que je la croie déconnectée – quoi qu'il en soit, les perspectives s'annonçaient sombres pour ce qui restait de notre couple, cette bête boiteuse et blessée.

Presque comme si mes doigts agissaient indépendamment de mon cerveau, je les ai soudain vus taper « Jeane Smith + blog + Twitter » dans la barre de recherche de Google. Je ne sais vraiment pas ce qui m'a pris, pourtant, les cinq minutes en compagnie de Jeane Smith de l'après-midi m'avaient suffi pour les dix ans à venir et, de toute façon, il devait sûrement y avoir des *milliers* de Jeane Smith qui tenaient un blog. Même si, franchement, ça faisait très poseuse, de coller un *e* au bout de son nom pour lui donner un côté français ou je ne sais quoi et… oh !

Le tout premier lien parmi les 1 390 000 000 résultats m'a emmené tout droit sur son blog, Irresistibly Geek.

Il était illustré d'une photo représentant l'auteure, j'ai donc su tout de suite que je me trouvais au bon endroit. Juste en dessous, il était écrit : « Je n'ai rien à déclarer, si ce n'est ma geek-attitude. » Au moins un point sur lequel on était d'accord.

Jeane Smith vit à Londres. Blogueuse, twitteuse, rêveuse, et même rêveuse audacieuse, elle est aussi agent provocateur, experte en tricot, apprentie iconoclaste.

Un jour, il y a quelques années, elle lance un blog intitulé Irresistibly Geek afin d'évoquer les très, très nombreux sujets qui lui tiennent à cœur. Ainsi que les très, très nombreux sujets qui la mettent en rage. Peu à peu, les lecteurs se multiplient, au point qu'un an après sa création, le blog est élu Meilleur Blog de Style par le *Guardian*, puis reçoit un Bloggie Award. Il a depuis été cité dans le *Times*, le *New York Post*, l'*Observer* et les sites Web Jezebel et Salon.

Votre humble et néanmoins distinguée maîtresse de blog a accédé au 7e rang de la liste des « 30 personnes de moins de 30 ans qui changent le monde », elle est également considérée comme une experte en réseaux sociaux et tendances (Dieu seul sait ce que ça peut bien vouloir dire) et œuvre comme consultante pour toutes sortes de boîtes fashion basées à Hoxton et Soho. Ses papiers ont été publiés par le *Guardian*, le *Times*, *NYLON*, *i-D* et *Le Monde*. Elle s'est exprimée lors de conférences traitant des nouvelles tendances chez les jeunes à Londres, Paris, Stockholm, Milan et Berlin. Jeane rédige aussi une rubrique style dans le magazine japonais pour ados *Kiki*, elle tient régulièrement un stand sur les brocantes les mieux fréquentées organisées un peu partout dans Londres et sa région.

Irresistibly Geek n'est pas uniquement un blog, un style de vie ou une agence de tendances, c'est aussi un état d'esprit. Seuls, nous sommes des geeks, des intellos, des déjantés, des losers, des nullos, des opprimés – mais tous ensemble, nous pesons lourd, très lourd. *Oh yeah*.

Et là je me suis dit : « Mais bien sûr », parce que franchement, il fallait voir le niveau de connerie. *Laisse tomber.* C'était juste une nana de dix-sept ans qui se la jouait grave – parce que les gens qui vont au lycée, vivent avec leurs parents et sont forcés, comme tout le monde, de lever la main pour demander la permission d'aller aux toilettes en heure d'étude ne changeaient pas le monde et ne signaient aucun super contrat de consultante. Ça n'existait pas, point.

Jeane Smith racontait n'importe quoi et je ne comprends vraiment pas pourquoi je me suis attardé sur son blog au point de me retrouver à fixer un truc appelé « DustCam », une caméra censée filmer l'accumulation de la poussière. Apparemment, Jeane intervenait sur son blog au moins une fois par jour, autrement dit, elle ne devait pas avoir grand-chose à faire de ses journées, en dehors de dénicher des robes d'occasion qui puent et de jouer l'« apprentie iconoclaste ». J'ai parcouru des tas de posts prétentieux qui parlaient d'entrer en contact avec son geek intérieur, j'ai même lu les billets quotidiens de 8 h 15, qui la montraient en train de faire la maline avec ses tenues bariolées, assortis de commentaires :

Jupe à motif spirales – offerte par la grand-mère de Ben
Collants rayés – GapKids (Est-il normal que je m'habille toujours au rayon enfants, à mon âge ?)
Tennis à imprimé fleurs de cerisier – vide-grenier
Collier de bonbons – épicerie du coin

Je ne comprenais pas pourquoi Jeane était si fière de son effroyable sens de la mode. Certes, je ne me précipitais pas tous les mois sur le dernier numéro de *Vogue Hommes*, mais je m'habillais chez Hollister, Jack Wills et Abercrombie & Fitch, en d'autres termes, j'étais bien placé pour savoir ce qui avait de l'allure ou non, et les spirales, les rayures sur de vieilles fringues moisies ne répondaient carrément pas aux critères. N'importe qui doté de deux yeux en état de fonctionner était capable de voir ça.

Au moins, la Jeane qui s'affichait ainsi dans une variété de poses exagérées, inspirées de celles des top-models (qu'elle baptisait « Moue boudeuse », « Moue à l'ancienne » et même « Ooh ma sciatique »), avait l'air un peu plus heureuse que la version hargneuse croisée l'après-midi, mais en dehors de ça, je ne voyais pas à quoi rimait ce genre de cinéma. Si ce n'était prouver que Jeane Smith se la jouait encore plus en ligne qu'en réalité. Pas étonnant que Barney en ait ras le bol. J'étais sur le point de me dégotter un coin sur Internet débarrassé des inepties geeks de Jeane quand je suis tombé sur un lien YouTube, sur lequel j'ai cliqué sans réfléchir.

Je me suis reculé dans mon fauteuil en lâchant un couinement très féminin, assez inquiétant d'ailleurs, lorsque est apparue sur mon écran Jeane, vêtue d'un collant satiné et d'un justaucorps, un bandeau en éponge autour du front. Elle avait l'air ridicule, mais très contente d'elle. Deux filles plus âgées l'ont rejointe, qui mesuraient au moins une tête de plus qu'elle, habillées de la même tenue débile de fitness.

Soudain a retenti la rengaine immédiatement reconnaissable de « Single ladies » et toutes trois se sont lancées dans la chorégraphie. Celle de Beyoncé. Jusqu'au petit coup sec de la main, qui ne suffisait cependant pas à cacher les bourdes à répétition de Jeane, qui persistait à vouloir aller à gauche chaque fois que les deux autres danseuses se dirigeaient vers la droite, déclenchant force gloussements et bousculades bon enfant. Je n'ai pas pu m'empêcher de m'esclaffer, moi aussi, parce qu'il n'y a rien de plus impayable que de voir quelqu'un qu'on n'apprécie pas se ridiculiser, mais, bientôt,

mes ricanements se sont transformés en sourire parce que…
je ne sais pas… Peut-être à cause de la manière dont Jeane
agitait ses hanches, inexistantes, et se mordait les joues pour
accentuer ses pommettes, c'était d'un naturel pas du tout
étudié, contrairement à toutes les filles que je connaissais.
Celles qui vérifiaient leur coiffure en toutes circonstances et
projetaient leurs seins en avant comme si tout le monde les
regardait, même quand il n'y avait personne.

Pour finir, Jeane a tenté un saut de biche et, durant l'atter-
rissage pour le moins chancelant, elle a heurté de plein fouet
l'une de ses acolytes. Toutes deux se sont écroulées sur le sol.
La troisième, la dernière encore debout, a continué tant bien
que mal, mais elle était secouée d'un tel fou rire que, lorsque
Jeane lui a fait un croche-pied, elle s'est laissée tomber avec
joie sur ses camarades qui n'ont plus formé dès lors qu'une
pile de jambes en leggings brillants. La chanson s'est interrompue puis, avant que l'écran ne vire au noir, on a entendu
une voix dire : « Jeane, t'es vraiment une buse. »

J'ai zappé les liens menant à ses boutiques sur Etsy et
CafePress (existait-il un seul coin d'Internet où elle n'avait
pas fourré ses sales pattes ?), où elle vendait des tasses, des
tee-shirts et des sacs en coton arborant des slogans tels que
« I ♥ les Geeks » et « Le Geek c'est chic », pour atteindre
directement son compte Twitter.

Cette page n'était pas très claire. Cela dit, Twitter, en
général, ne m'avait jamais semblé très clair. Tous ces gens
qui détaillaient ce qu'ils avaient avalé au petit déjeuner ou
leur manque d'enthousiasme face aux devoirs d'allemand
me paraissaient un brin trop autocentrés. Comme si tout ce
qui leur passait par la tête avait besoin d'être tweeté pour la
postérité. De toute évidence, il s'agissait de losers complets
n'ayant aucun ami et fréquentant Twitter pour raconter des

conneries avec d'autres rebuts de la société qui n'avaient pas plus d'amis qu'eux.

Bon, OK, j'étais moi aussi sur Twitter, comme j'étais sur Facebook, MySpace et Bebo, mais après mon premier tweet (« Alors, qu'est-ce qui se passe, maintenant ? »), je m'en étais totalement désintéressé. D'après ce que je voyais du compte Twitter de Jeane, j'avais eu raison de laisser les tweets à d'autres, parce que son profil consistait principalement en des réponses à d'autres tweets et donnait l'impression d'avoir accès à trente private jokes même pas drôles.

D'ailleurs, je n'ai pas trouvé très drôle non plus que Jeane soit suivie par plus d'un demi-million de timbrés. Comment était-ce même possible ? Ses tweets étaient-ils saupoudrés de poussière magique ? Certaines authentiques célébrités, que l'on voyait à la télé, dans les journaux, avaient moins de followers qu'elle.

Tandis que je contemplais sa page avec incrédulité, elle s'est mise à jour automatiquement.

 irresistibly_geek Jeane Smith
Un gâteau dont les principaux ingrédients sont le fromage et les carottes est-il vraiment un gâteau ?

J'ai cliqué sur le lien et j'ai découvert la photo d'une tranche du délicieux et moelleux carrot cake auquel j'avais goûté l'après-midi même lors du vide-grenier.

Jeane a passé les cinq minutes suivantes à débattre des subtilités du carrot cake en particulier, et de la pâtisserie en général, sous les yeux des multitudes suspendues à la moindre des syllabes tweetées par ses soins.

irresistibly_geek Jeane Smith
Je n'ai rien contre une pointe de piment dans mon chocolat (miam), mais je ne sais trop quoi penser des cupcakes à l'eau de rose.

Je me suis connecté machinalement sous mon identité @superdimsum (toutes les combinaisons de Michael Lee et de ma date de naissance étaient déjà prises) et, avant que j'aie eu le temps de lister les mille et une raisons qui font que ce n'était pas une bonne idée, je suis descendu dans l'arène.

 superdimsum miam-miam
@irresistibly_geek Et les bonbons à la violette ?

Elle a répliqué dans la seconde.

 irresistibly_geek Jeane Smith
@superdimsum J'aime le concept, pas trop les manger réellement. Leur goût m'évoque l'odeur des sacs à main de mamies. Tu vois ce que je veux dire ?

Absolument. Quand ma grand-mère venait nous rendre visite, elle me demandait toujours d'aller dans son sac à main lui chercher ses lunettes, un mouchoir ou « cinquante pence pour t'acheter une douceur » et il y flottait une légère odeur de fleur, de poudre et de vieux, exactement comme un sachet de bonbons à la violette.

 superdimsum miam-miam
@irresistibly_geek De toute façon, une fois qu'on a goûté au gâteau aux châtaignes d'eau, le carrot cake, c'est pour les petits joueurs.

irresistibly_geek Jeane Smith
@superdimsum Arrête ! J'ai trop envie de tester. Et c'est quoi le truc rouge dans les petits pains chinois ? *Muy délicieux.*

 superdimsum miam-miam
@irresistibly_geek De la pâte de haricots rouges. Pas facile, mais on peut finir par y prendre goût.

 irresistibly_geek Jeane Smith
@superdimsum Ah, moi j'y ai pris goût, pas de doute.

Après quoi, nous avons évoqué notre aversion commune pour le lait « sauf dans le thé, bien entendu », ce qui nous a menés vers une discussion sur le yaourt et le fromage blanc, dont une amie de Jeane, du nom de Patti, jurait ses grands dieux qu'il servait pour les films gore, une fois teint en rouge.

Une heure s'était écoulée, Jeane et ses potes échangeaient maintenant à propos d'un groupe dont ils iraient tous voir le concert le week-end suivant. Je n'en avais jamais entendu parler, mais j'étais à peu près certain qu'il s'agissait d'un genre de musique que je n'écoutais pas, soit des chansons tout en minauderie guillerette qui parlaient de se tenir la main au salon de thé, soit des morceaux si stridents et discordants qu'ils faisaient saigner les oreilles.

Et puis j'avais quelques doutes concernant l'étiquette à suivre sur Twitter. Fallait-il dire au revoir avant de se déconnecter ? Ou bien simplement s'en aller, comme ça, parce qu'ils continuaient de dégoiser sur les fameux Fuck Puppets et qu'ils ne remarqueraient même pas mon absence ?

Pour finir, j'ai été sauvé par le gong. Ou plutôt par ma mère, qui m'a appelé depuis le bas de l'escalier pour me signaler que j'avais passé trop de temps sur l'ordinateur, ou bien me parler du DVD qu'ils voulaient que je regarde avec eux, voire des dangers liés à l'abus de dimsum froids juste avant de se coucher. Je n'arrivais pas trop à savoir.

Je lui ai envoyé un SMS pour l'informer que je ne tarderais pas à descendre, ce qui la rendait dingue, en général, puis j'ai été assez épaté de découvrir que mes quelques tweets de la soirée m'avaient valu plus de cinquante nouveaux followers, y compris Jeane en personne. J'imagine que l'événement était considérable.

Jeane avait peut-être plus d'un demi-million de followers, mais elle-même ne suivait qu'à peine un millier de comptes, j'étais donc spécial. Il y en avait seulement un sur cinq cents, des comme moi, apparemment.

Ma voix intérieure de méchant a ricané triomphalement : « Haha ! Je l'ai eue ! » J'ai essayé de l'ignorer. Je n'avais eu personne ; simplement échangé quelques tweets avec une fille qui s'avérait plus sympa en ligne qu'en réalité. Rien d'autre. J'ai demandé à suivre Jeane à mon tour, puis j'ai éteint l'ordinateur pour descendre voir à quoi rimaient tous ces hurlements.

5

J'ai très attentivement observé Barney et Scarlett les jours suivants. Et sans qu'ils remarquent quoi que ce soit, en plus, vu que je me suis montrée très, très discrète. Barney et Scarlett, pendant ce temps, ont fait preuve d'une absence de discrétion à toute épreuve.

Maintenant que je savais quoi chercher, je repérais des confirmations de leur tromperie partout. C'était un peu comme quand on apprend un nouveau mot et qu'à la fin de la journée, on a entendu deux ou trois personnes différentes prononcer ce mot auparavant inconnu, parce qu'en fait il existait depuis toujours sauf qu'on n'y avait pas fait attention. (D'ailleurs, puis-je simplement signaler que si Barney et Scarlett étaient un mot, ils seraient un truc bancal qui, une fois prononcé à voix haute, semble clocher quelque part, comme *grumeleux* ou *démantibulé* ?) Bref, je m'égare : je parlais des preuves AUTHENTIQUES des crimes de Barney et Scarlett.

Par exemple, Scarlett réagissait à chacune des modifications du statut Facebook de Barney, pourtant sacrément chiantes. « Envie de manger une pomme. Plutôt une rouge ou une verte ? » tapait-il et, dans les cinq minutes, Scarlett commentait d'un « ptdr ». Même pas en majuscules, elle n'utilisait que les minuscules, comme si elle était trop débile pour localiser la touche shift sur son clavier. Elle aimait aussi beaucoup « mdr » et « lol », elle était donc tellement idiote qu'on était en droit de se demander comment elle réussissait à venir jusqu'au lycée sans se faire renverser par une voiture.

D'autres signes suggéraient que Barney ne se contentait pas de guider Scarlett dans le champ de mines des mathématiques niveau première. Ils étaient censés avoir une heure de soutien ensemble les mardi et jeudi après les cours, mais j'ai remarqué que ces jours-là, Barney restait absolument introuvable toute la soirée. Il n'apparaissait jamais sur Twitter, Facebook, Google Chat et ne répondait absolument pas à son téléphone.

Lorsque je l'ai questionné le mercredi matin, l'air de rien (« Tu filtrais mes appels hier soir ou quoi ? »), Barney a nié de façon tortueuse, bafouillant et bégayant une histoire de cours de physique terminé en avance, une permission de sortie signée par le CPE et un mystérieux réalignement des planètes, le tout conspirant à lui faire oublier son portable dans son casier. Je n'en croyais pas un mot.

Comme je ne croyais pas une seconde aux efforts déployés par Barney et Scarlett pour s'ignorer. Il lui donnait des cours de soutien, alors quel besoin avait-il de faire comme s'il ne la voyait pas dans la queue de la cantine ? Surtout qu'il se tenait derrière elle et qu'il avait carrément l'air de sniffer ses cheveux, à un moment donné.

Je me suis mordu la langue pour ne rien dire – en général, je parlais d'abord, je tweetais ensuite, je réfléchissais après. Les preuves s'accumulaient contre eux, mais dès que je n'étais pas en cours ou à scruter les statuts de Barney, suivis des inévitables mdr de Scarlett, je commençais à douter. Parce que, franchement, Barney et Scarlett ? Ça n'avait aucun sens.

Ils défiaient toutes les lois de Dieu et des hommes. J'avais formé Barney à mon image : il était de mon côté, du côté des geeks, de tout ce qui était pur et bon. Scarlett était du côté obscur de bout en bout.

C'était la conclusion à laquelle j'en étais arrivée le mercredi à l'heure du déjeuner, assise dans mon petit coin tranquille préféré, derrière le labo de langues, alors que je tricotais furieusement en écoutant un podcast sur le commerce équitable du café, m'épargnant ainsi la lecture imposée sur ce thème pour le cours d'entrepreneuriat. Je commençais à maîtriser le point mousse avec aiguilles rondes quand j'ai senti une ombre me cacher la lumière.

— Va-t'en, ai-je murmuré sans lever les yeux.

Cela aurait été inutile : je voyais très bien des pieds de garçon devant moi et le seul garçon à qui j'adressais la parole au lycée, c'était Barney… qui jamais ne s'aviserait de porter une paire de Converse blanc cassé comme tous ses congénères de première ou terminale. Autrement dit, ce n'était pas quelqu'un à qui j'avais envie de parler.

— Tu es devant la lumière et je suis dans mon coin préféré, alors va-t'en, ai-je insisté.

— Tu es la personne la plus antipathique que je connaisse, a déclaré une voix que j'ai identifiée malgré le débat passionné à propos des agriculteurs vivant du commerce équitable au Pérou (eh oui, au Pérou) qui résonnait dans mes oreilles.

J'ai lâché un soupir d'exaspération vers Michael Lee.

— Pourquoi faire preuve d'une telle hostilité ? a-t-il ajouté.

— Pourquoi me caches-tu encore la lumière ? ai-je rétorqué en posant mon tricot pour pouvoir ôter mes écouteurs.

Il continuait de faire barrage aux faibles rayons du soleil de fin septembre sans montrer aucune intention de se décaler. Visiblement, cela ne se réglerait que lorsqu'il aurait dit ce qu'il avait à dire.

— Qu'est-ce que tu veux ?

J'étais à peu près certaine de savoir la réponse et une partie de moi souhaitait la même chose. C'est vrai, Barney et Scarlett (ou les Barnett, les aurait-on rebaptisés, s'ils avaient été des célébrités) obnubilaient mon esprit, ça tournait et retournait dans ma tête et je n'avais personne avec qui en discuter. J'avais des amis. Je n'étais pas une pauvre fille esseulée, mais je n'étais pas du genre à trop partager dès lors qu'il s'agissait de trucs sérieux. En revanche, pour ce qui était de partager un max de trucs ultra-futiles, j'étais toujours la première.

Avant, c'était à ma sœur que je me confiais, mais par Skype, c'était différent, surtout qu'elle travaillait quatre-vingts heures par semaine et semblait atteinte de fatigue chronique. Ma frustration de n'avoir pas de confident en ce moment a dû se lire sur mon visage et accentuer encore ma mine renfrognée, parce que Michael s'est empressé de reculer d'un pas en répondant :

— Rien, je passais dans le coin, je t'ai vue et je suis venu te dire bonjour.

— Tu peux m'expliquer pourquoi, exactement ? ai-je demandé très froidement. Il t'a suffi d'une seule et désagréable conversation au vide-grenier pour en conclure qu'on avait maintenant des choses à se dire ? Détrompe-toi. Nous n'avons absolument rien à nous dire, alors, tire-toi de là.

Michael a plissé les yeux. Il était ridiculement joli pour un garçon. C'était une des raisons qui me poussaient à me montrer aussi dure avec lui – il était tellement habitué à ce que les filles se pâment en sa présence (une fois, j'ai même vu une fille de seconde qui le suivait du regard se prendre un arbre). Je ne voulais pas qu'il croie que j'étais comme elles. C'est ça, le truc, avec les apollons : ils partent du principe qu'on se languit pour leurs beaux yeux et qu'on ne sera satisfaites que lorsqu'on aura porté leur enfant, quelle que soit leur personnalité, si horrible soit-elle.

À l'exception de ses yeux plissés, Michael n'a montré aucune autre réaction à ce que je venais de dire. J'en ai conclu que nous avions terminé, j'ai récupéré mes aiguilles et j'ai compté mes rangs.

— Écoute, j'essayais simplement d'être sympa avec toi, a-t-il affirmé, soudain.

— Ça fait partie d'un programme d'intégration à la con ? Les délégués doivent apprendre à connaître leurs camarades, c'est ça ?

— C'est drôle, parce que je commence à mieux saisir toute cette histoire entre Barney et Scarlett, a-t-il lancé, l'air de rien.

Après ça, il a eu l'audace de s'asseoir juste à côté de moi sur le muret. J'ai fait mon possible pour l'ignorer.

— Si je sortais avec toi, moi aussi, je chercherais une issue, a-t-il ajouté.

— Et si j'avais l'incroyable malchance de sortir avec toi, mon issue serait sûrement de m'élancer au beau milieu de la circulation à contresens, ai-je rétorqué. Alors pourquoi tu n'irais pas partager tes petits délires paranoïaques avec quelqu'un que ça intéresserait vraiment ?

Michael est descendu du muret, me heurtant au passage, ce qui m'a fait perdre une bonne vingtaine de mailles, et il a marmonné quelque chose dans sa barbe qui ressemblait au mot « garce » répété dix fois très, très vite. Je ne me suis pas départie de mon sourire tranquille, rien que pour le faire enrager un peu plus. Je ne sais pas trop pourquoi, mais soudain, ma nouvelle vocation dans la vie semblait être de rabattre le caquet de Michael Lee.

Je l'ai regardé traverser à grands pas la malheureuse tache d'herbe où s'installaient souvent les fumeurs de shit et lorsqu'il a disparu à l'angle, près des poubelles, je me suis levée, j'ai rangé mes aiguilles et mon iPod dans mon sac et je suis partie en direction de mon cours d'anglais.

Scarlett était assise au fond, avec sa petite bande de copines. Elles se croyaient toutes à la pointe de la pointe parce qu'elles s'habillaient chez American Apparel et qu'elles allaient à des concerts les soirs de semaine. Certes, elles n'étaient pas le mal incarné, mais franchement, quelle conversation pouvaient bien avoir des filles qui portaient toutes les quatre exactement les mêmes fringues, écoutaient exactement la même musique et avaient la même opinion sur tout ? À part Scarlett qui, elle, n'avait jamais d'opinion, visiblement, c'était une option non disponible sur ce modèle de blonde.

Je me retrouvais toujours assise devant parce que j'arrivais en retard à tous les cours. En plus, c'était plus facile pour surveiller les profs et les admonester vertement s'ils essayaient de nous refiler du travail personnel supplémentaire. Tout en tirant ma chaise, je me suis assurée d'attirer l'œil de Scarlett pour lui retourner un regard vide de toute expression. Toujours beaucoup plus efficace qu'un regard noir – cela permettait de faire savoir au destinataire qu'il ne méritait même pas l'effort de contracter les muscles du visage.

Scarlett est devenue aussi écarlate que son nom débile et a secoué la tête pour faire retomber ses mèches devant sa figure (un mouvement forcément appris auprès de Barney). Mlle Ferguson a fermé la porte de la classe, nous a à tous adressé un grand sourire et a annoncé que nous allions discuter ensemble de deux romans au programme : *Gatsby le Magnifique* et *La Source vive*.

Cela a provoqué un gémissement collectif dont j'ai profité pour récupérer mon iPhone dans ma poche. Les chances pour qu'un authentique et rigoureux débat littéraire ait lieu étaient assez maigres et, si je me débrouillais bien, je parviendrais à arranger les livres sur mon bureau pour pouvoir tweeter sans me faire remarquer. Mlle Ferguson était cool, mais pas à ce point.

J'ai laissé les bavardages bourdonner autour de moi. Ce n'était pas un débat, juste une resucée de l'intrigue des deux bouquins. Cela dit, j'ai tout de même entendu quelqu'un lâcher une remarque pénétrante :

— Cette Daisy Miller, ce qu'elle se la pète.

Presque digne d'un tweet, mais je suivais une règle tacite selon laquelle sur Internet, je ne m'en prenais jamais à des personnes que je connaissais en vrai. Nous avions une autre règle tacite, en classe, selon laquelle les opinions de tous méritaient d'être entendues, si débiles et mal renseignées soient-elles.

— Alors, Scarlett, quel livre as-tu préféré ? a gentiment demandé Mlle Ferguson.

Tous les profs la traitaient comme si elle était en verre filé.

Un murmure flûté a émané du fond de la salle, un peu comme une brise qui sifflerait autour des pieds de chaise.

— Excuse-moi, Scarlett, je n'ai pas bien entendu, a dit Mlle Ferguson, dont la mâchoire a continué de remuer après la fin de sa phrase comme si elle serrait les dents.

— Eh bien, euh, hum, je n'ai pas trop compris ce que le type dans *Gatsby le Magnifique*, pas Gatsby, l'autre, hum, ce qu'il trouve à Daisy.

Je me suis retournée pour observer Scarlett, qui jetait des regards suppliants à ses copines, jusqu'à ce que l'une d'entre elles, Heidi ou Hilda ou je ne sais plus son nom, finisse par lui souffler quelque chose.

— Ah, oui, eh ben, Daisy, on ne dirait même pas qu'elle est vraiment belle.

J'ai distinctement entendu la petite inspiration que cela a provoqué chez Mlle Ferguson (autre raison pour laquelle j'aime m'asseoir à l'avant : ça permet de flairer les faiblesses des profs) et elle a croisé mon regard alors que je grimaçais à la débilité extrême de Scarlett.

— Jeane, m'a interrogée Mlle Ferguson d'un ton un tout petit peu désespéré, pourquoi crois-tu que Nick Carraway est amoureux de Daisy ?

— Je ne dirais pas qu'il est forcément amoureux d'elle, ai-je répondu avec lenteur sans quitter des yeux Scarlett, qui s'est agitée sur son siège d'un air piteux. Il l'idéalise. Il imagine qu'elle est la femme parfaite, alors qu'il est évident que ce n'est pas le cas. Je crois que ce que Fitzgerald veut montrer, c'est que personne ne sait comment sont les autres. Pas vraiment. Chacun finit par projeter ses propres délires sur les autres. Donc c'est vrai, on peut dire que Daisy n'a pas demandé toute cette adoration, mais elle en profite quand même, si tu vois ce que je veux dire ?

Scarlett me dévisageait d'un air ébahi, il était assez clair qu'elle ne voyait pas du tout. Elle était l'incompréhension incarnée.

— D'accord, a-t-elle lâché en contemplant ses mains. D'accord.

Elle parlait d'une voix un peu étranglée, j'ai cru qu'elle allait se mettre à pleurer.

— Mais je ne comprends pas vraiment ce que tu veux dire, a-t-elle ajouté.

— Mais tu l'as lu, *Gastby le Magnifique*, Scarlett ? l'ai-je interrogée. Parce que l'amour impossible de Nick pour Daisy est à peu près la pierre angulaire du roman, non ?

Un silence de mort s'est abattu sur la salle. Même Mlle Ferguson a paru retenir son souffle, au lieu d'intervenir pour me demander de me taire.

— Je le sais bien, a répliqué Scarlett avec une certaine mauvaise humeur – et c'était la première fois en six ans que je la voyais faire preuve d'un peu de cran. C'est juste que… En fait, je mélange toujours avec *La Source vive* parce que bon, ça se ressemble, quand même.

Un murmure d'assentiment généralisé a parcouru la classe. J'ai eu très envie de me cogner la tête sur le bureau.

Aussi, pour ma défense, quand j'ai asséné…

— Le thème de *Gastby le Magnifique*, c'est la mort du rêve américain alors que *La Source vive* parle de la théorie de l'objectivisme et de la force de l'individu. Je ne vois pas comment on peut trouver des ressemblances là-dedans, à moins d'être complètement demeuré.

… Je visais toute la classe, en réalité, et pas seulement Scarlett.

Scarlett s'est pliée en deux, son visage s'est retrouvé entièrement caché par ses cheveux et elle a fondu en larmes, les épaules secouées de soubresauts.

— Oh, Scarlett, je ne crois pas que la mauvaise humeur de Jeane en mérite autant, a sèchement déclaré Mlle Ferguson pendant que Heidi/Hilda et une autre se précipitaient au cou de Scarlett pour la cajoler en couinant.

Un sourire méprisant est apparu sur mes lèvres et Scarlett s'est levée pour quitter la salle à toutes jambes, ricochant d'un bureau à l'autre.

— Jeane, viens me voir à la fin de l'heure, a soupiré Mlle Ferguson, avant de nous imposer un devoir de trente minutes sur les thèmes de la perte et du désir dans *Gatsby le Magnifique*.

Je sentais les vingt-huit paires d'yeux viser mes omoplates de leur rayon laser.

— C'était vraiment gratuit, m'a informée Mlle Ferguson après le départ des autres élèves, y compris Scarlett, le nez encore rougi. J'ai déjà bien du mal à faire participer Scarlett, alors si en plus tu lui sautes à la gorge dès qu'elle prend la parole…

— La fin de ma phrase concernait la classe entière, ai-je souligné.

Mlle Ferguson a posé le menton dans sa main en levant les yeux au ciel.

En général, quand elle faisait ce genre de geste, c'était plus en me regardant d'un air de conspiratrice, comme pour dire : « C'est pas vrai, qu'est-ce qu'on fait là ? »

Mlle Ferguson, ou plutôt Allison, ainsi que je l'appelais lorsque nous nous voyions ailleurs qu'au lycée, était presque une amie. J'assistais à ses concerts et à ses expos à Hoxton et nous nous suivions mutuellement sur Twitter. Cela dit, ce qui se passait en dehors des cours restait en dehors des cours. Je savais même qu'elle jouait dans un groupe, les Fuck Puppets, un secret que j'emporterais dans ma tombe, et qui devait faire partie des raisons pour lesquelles elle avait tant de mal à me remettre à ma place, ce que je méritais un peu quand même.

— Je n'aurais pas dû dire « demeuré », ai-je concédé. Parce que c'est insultant et, hum, du racisme anti-handicapés, mais comment peut-on mélanger *Gatsby le Magnifique* et *La Source vive* quand on a lu les deux ? C'est un peu comme confondre des singes avec des jonquilles, des haricots blancs sauce tomate avec des bonbons Pez, ou bien…

— C'est bon, j'ai compris l'idée, m'a interrompue Mlle Ferguson qui a croisé les bras et tenté de me faire baisser les yeux.

J'ai obtempéré, pour prendre un air un peu contrit.

— J'attends beaucoup plus de ta part. Ce n'est pas digne de toi, a-t-elle affirmé.

Je déteste quand les gens vous servent le speech « Je ne suis pas en colère, juste déçue ». C'est tellement prévisible et, pour être tout à fait franche, j'attendais beaucoup mieux de la part d'Allison, justement. Mais peu importait, pour l'instant.

— Je suis désolée, ai-je dit, mais mon habituel ton laconique a donné à la phrase une tournure aussi peu sincère que l'était le fond de ma pensée.

— Ça ne sert à rien de t'excuser auprès de moi. C'est à Scarlett que tu dois t'adresser. Devant moi. Et Jeane, je te préviens : je veux des excuses sans ambiguïté, ne joue pas sur les mots pour laisser entendre autre chose. Compris ?

Elle me connaissait trop bien.

— D'accord ?

Croyant qu'on en avait terminé, j'ai fourré mes exemplaires cornés de *Gatsby* et *La Source vive* dans mon sac, créé par mes soins et brodé de la devise « Je Geek donc je suis ». Mais Allison a toussé d'un air gêné.

— Tout va bien, n'est-ce pas ? Le fait de vivre toute seule… Parce que s'il y a quoi que ce soit dont tu voudrais discuter, tu sais que je suis…

— Non, non, me suis-je empressée de répondre en me levant. Tout va très bien. Mieux que bien. Au poil.

Allison a entrepris de me raccompagner à la porte.

— Nous pouvons bavarder *en dehors* des cours, m'a-t-elle soufflé d'un air entendu. Si tu veux.

— Je dois y aller. Je vais être en retard.

Et ce n'était même pas pour qu'elle me lâche les baskets, j'étais bel et bien horriblement en retard et je n'avais pas réussi à écouter tous les podcasts pour le cours, parce que Michael Lee m'avait interrompue à l'heure du déjeuner.

J'ai essayé de me faire oublier durant les quarante minutes suivantes, mais la leçon a commencé à prendre un tour alarmant quand M. Latymer a décidé de me bombarder de questions sur les retombées positives de l'agriculture équitable dans les pays en développement. Je n'ai eu d'autre solution que de me lancer dans une grande tirade d'écorchée vive sur les effets négatifs de l'invasion des chaînes multinationales de cafés dans les rues commerçantes du Royaume-Uni.

Au final, la majorité de la classe a préféré débattre sur qui proposait le meilleur Frappuccino (Starbucks ou Caffè Nero ?) plutôt que sur l'agriculture équitable. La discussion s'est très vite enflammée et j'ai pu me détendre et tweeter tout mon soûl pendant que Heidi/Hilda menaçait de coller une beigne à Hardeep lorsqu'il a tenté d'introduire les Frescatos de Costa Coffee dans le débat.

La sonnerie a retenti comme M. Latymer essayait de ramener l'ordre et j'ai pu m'éclipser tranquillement au milieu d'une pluie de retenues et de remarques du genre « Je me fous qu'il y ait cinq cents calories dans le Double Chocolat Frappé au lait écrémé. T'es vraiment obligée de me gâcher le plaisir ? ».

Il ne me restait plus qu'à récupérer mon panier et mes sacoches de vélo dans mon casier et je serais enfin libre de quitter ce bouge qui puait l'échec et le désinfectant bon marché, jusqu'au lendemain, 8 h 40.

— Jeane, a articulé une voix sinistre comme j'avais la tête dans mon casier.

Pendant une fraction de seconde, j'ai cru qu'il s'agissait de Michael Lee et, dans mon affolement, je me suis cognée en sortant de mon trou métallique, pour finalement découvrir Barney.

— Oh, c'est toi. Je croyais que c'était quelqu'un d'autre.

Barney n'a rien répondu, mais il remuait furieusement sa bouche, un peu comme s'il mâchait un énorme chewing-gum – chose qu'il ne ferait jamais, car il souffrait d'une peur irrationnelle de les avaler et d'obstruer ainsi à jamais ses intestins. De toute évidence, j'allais devoir patienter avant que sa bouche articule d'authentiques mots, aussi ai-je continué à chercher mon baume pour les lèvres.

— Comment as-tu pu faire ça ? a enfin demandé Barney.

— Comment ai-je pu faire quoi ?

J'avais entre-temps atteint les profondeurs du casier, où s'empilaient des Tupperware qui traînaient là depuis des semaines.

— Scarlett a été obligée de partir en plein milieu du cours de maths, tellement elle pleurait.

J'ai ricané toute seule.

— Elle pleure tout le temps pour une raison ou une autre. Sans rire, cette fille est une vraie chiffe molle, encore plus molle que… qu'un truc super-mou.

— Tu l'as traitée de demeurée, ce qui est grave à plus d'un titre.

Barney avait l'air carrément furax. Presque aussi furax que la fois où j'avais débranché sa Xbox en trébuchant sur le fil, alors qu'il était en pleine partie de Red Dead Redemption.

Ayant enfin mis la main sur mon baume, j'ai extirpé la tête de mon casier avec prudence.

— Ce n'est pas elle que j'ai traitée de demeurée. Ça visait toute la classe et j'ai promis à Alli… Mlle Ferguson que je m'excuserais, alors pas la peine de me brailler dessus comme ça.

— Tu as dépassé les bornes, a persisté Barney, tout rouge. Dire des méchancetés sur les gens, ce n'est pas cool, c'est juste méchant. Ce n'est pas sa faute si elle n'est pas douée avec les mots et si elle n'aime pas prendre la parole. Est-ce que tu imagines à quel point tu es terrifiante ? Déjà qu'il faut beaucoup de courage pour participer à une discussion en cours, et toi tu…

— Barney, je sais, ai-je dit avec douceur.

Si j'avais eu des doutes sur ce qu'il y avait à savoir, il ne m'en restait plus aucun. Barney défendait l'honneur de Scarlett et son droit de proférer des inepties en classe comme si sa vie en dépendait.

— Je suis au courant pour Scarlett et toi, ai-je ajouté.

Pendant un instant, Barney est resté bouche bée de surprise. Puis il a haussé les épaules.

— Il n'y a pas grand-chose à savoir.

— Tu es certain de ne pas vouloir reformuler ? ai-je raillé, parce que je ne pouvais pas rester gentille très longtemps. N'essaye même pas de prétendre qu'il ne se passe rien entre vous.

Il a soupiré.

— Il ne s'est rien passé, on s'apprécie. Beaucoup. Mais c'est compliqué, parce qu'elle sort avec Michael et puis, il y a toi.

— Quoi, moi ?

— Elle a super peur de toi.

— Comme si j'allais poser un doigt sur elle, me suis-je moquée.

— Ce n'est pas de ça qu'elle s'inquiète. C'est pour ça que je ne t'en ai pas parlé. Enfin si, j'ai essayé, je voulais, mais chaque fois je me suis dégonflé, a avoué Barney qui pour une fois ne baissait pas la tête, ne se mordait pas les lèvres, ne se cachait pas derrière sa frange, mais me regardait droit dans les yeux. Tu es très intimidante.

— Intimidante ? Qu'est-ce que j'ai d'intimidant ? ai-je voulu savoir, les mains sur les hanches.

Barney avait raison, en général mon visage alternait entre deux expressions : normale ou en colère.

— C'est comme si je n'avais pas ma place, a-t-il expliqué. Tu as toujours dix temps d'avance et moi je suis à la traîne. Comme si tout ce que je pouvais dire ou faire n'était jamais assez cool ou intelligent pour toi.

— Je ne m'attends pas à ce que tu traînes derrière moi, ai-je bafouillé, en désespoir de cause.

C'était maintenant le tour de Barney de s'adosser aux casiers, tranquille et détendu, parce que son grand secret était révélé et que ce n'était pas la fin du monde. Alors que moi, j'avais les narines frémissantes et l'impression que mes yeux s'apprêtaient à jaillir de mes orbites.

— J'essaye de t'inclure dans tout ce que je fais, ai-je repris.

— Ouais, mais moi je n'ai pas envie d'enrouler ta laine pendant des marathons de tricot sponsorisés, ni d'arpenter toutes les rues de Hoxton pour que tu fasses des photos pour tes cahiers de tendances. Et honnêtement, je ne comprends rien au roller derby, mais tu n'entends jamais quand on te dit non.

Je n'y croyais pas ! J'avais laissé Barney entrer dans ma vie. J'avais misé sur lui, j'avais décidé qu'il était différent des autres crétins qui trimbalaient leur carcasse dans les couloirs du lycée comme s'ils venaient à peine d'apprendre à marcher sur deux jambes et lui me récompensait en choisissant Scarlett. Scarlett ? Une fille si idiote qu'elle était pour ainsi dire en état de mort cérébrale.

À l'instant où j'ai commencé à lui hurler dessus, Barney a perdu sa posture nonchalamment avachie. Il a tenté de répliquer, mais je n'ai fait que crier plus fort, pour couvrir de ma voix ses âneries.

Je me fichais bien qu'il reste quelques retardataires à s'affairer autour de nous, ou qu'ils cessent même de s'affairer pour se planter là à nous regarder ostensiblement, voire à nous montrer du doigt en ricanant tandis que j'écorchais vif ce traître indigne de Barney de ma langue acérée.

— Avant moi, tu n'étais rien, ai-je finalement braillé à Barney, qui se faisait maintenant tout petit. Et tu ne seras plus rien, juste un intello boutonneux et asocial adepte de World of Warcraft. Encore heureux que Scarlett ne fasse pas vraiment partie du monde des humains, mais plutôt de celui des amibes, pas vrai ?

Sur ce, je lui ai donné un tel coup d'épaule qu'il a vacillé sur ses jambes et je suis partie au pas de charge. Je savais que c'était nul, que ce n'était pas la réaction adéquate étant donné les circonstances, mais je composais déjà en esprit le post de blog que je réserverais à Barney et à son comportement ô combien perfide, déloyal, moralement répréhensible, à l'instant où je serais de retour chez moi.

~ 6 ~

J'ai mis dix bonnes minutes à m'arrêter de trembler, physiquement, après mon échange musclé avec Jeane. C'était ma faute, ai-je conclu, durant mon heure libre, que je passais au labo de chimie. Au lieu de prendre des notes sur les formules moléculaires, je ne pouvais m'empêcher de réfléchir à tout ce que j'aurais pu répliquer pour lui effacer son petit air supérieur, à cette mocheté. J'aurais dû garder à l'esprit l'horreur de notre première rencontre au vide-grenier. Je connaissais, pourtant, sa réputation bien méritée de fille la plus impolie du lycée et j'étais bien conscient que tout le monde faisait semblant d'être quelqu'un d'autre sur Internet, donc j'aurais dû me douter que l'amabilité de Jeane n'était accessible qu'en Wi-Fi. « *Rien, je passais dans le coin, je t'ai vue et je suis venu te dire bonjour.* » Chaque fois que je repensais à cet instant et au visage fielleux de Jeane, je me sentais mourir un peu.

À la sonnerie, je me dirigeais vers la salle informatique quand je suis tombé sur la meilleure amie de Scarlett, Heidi, qui traversait le couloir tout affolée, munie d'une poignée de barres chocolatées, d'une canette de Coca Light et d'un paquet de mouchoirs.

— Non, mais sérieux, là, c'est grave, a-t-elle annoncé.

Cela dit, j'aurais pu deviner qu'il y avait un problème sans qu'elle me précise quoi que ce soit, puisqu'elle avait dans les mains tous les éléments nécessaires à l'apaisement des nerfs de l'adolescente moyenne. Il ne lui manquait que la glace – d'ailleurs le bureau des élèves étudiait la possibilité de l'installation d'un distributeur automatique de minipots de Ben & Jerry's au sein du lycée.

— Qu'est-ce qui est grave ? ai-je demandé, me résignant à être en retard en cours, vu le temps et le nombre de « Non, mais sérieux » qu'il fallait à Heidi avant d'arriver au fait.

Elle m'a regardé en levant les yeux au ciel.

— Scarlett est, genre, littéralement en morceaux. Pour de bon.

— Elle n'est pas *littéralement* en morceaux, ai-je rectifié.

Ça m'énervait que Scarlett, Heidi et toute leur bande utilisent le mot « littéralement » à mauvais escient au point qu'il perdait littéralement tout son sens.

— Qu'est-ce qui s'est passé ? ai-je demandé.

— Jeane Smith l'a fait pleurer. Attends, elle l'a littéralement hachée menu et, maintenant, Scarlett fait de l'hyperventilation dans les toilettes. En plus, le seul sac en papier qu'on lui ait trouvé pour calmer sa respiration sentait le sandwich au jambon et aux œufs, du coup, elle s'est mise à vomir aussi et là, ç'a été la cata.

Heidi s'est tue, mais je savais que cela ne durerait que le temps pour elle de reprendre un peu d'oxygène et qu'elle se remettrait à jacasser si je n'en profitais pas.

— Pourquoi Jeane l'a fait pleurer ? Est-ce qu'elles se sont disputées à cause de…

Je me suis interrompu parce que je ne voulais pas mentionner Barney, mais Heidi, remarquant un blanc dans la conversation, a vite repris la main.

— Tu y crois, toi, si je te dis que Jeane s'en est prise à elle à propos des textes qu'on étudie en cours ? Non, mais attends, sérieux. Après ça, Jeane a *carrément* traité Scarlett de demeurée.

— Bon, et maintenant, Scarlett a arrêté de pleurer ?

J'ai senti pâlir mon auréole de petit ami parfait puisque savoir Scarlett en larmes dans les toilettes des filles ne me donnait pas la moindre envie de me précipiter à ses côtés. J'ai juste pensé : *Quoi encore ?* Cela dit, traiter quelqu'un de demeuré ne semblait pas trop du style de Jeane. C'était un coup bas, même de sa part.

— Et toi, tu ne devrais pas être en cours à cette heure-ci ? ai-je ajouté.

— Les circonstances sont plus qu'atténuantes, a fait valoir Heidi en agitant les épaules pour marquer son agacement. T'as pas intérêt à me dénoncer. Scarlett a *besoin* de moi.

— Bon, on n'a qu'à faire comme si on n'avait jamais eu cette conversation. Dis à Scarlett que je la verrai à la sortie et que j'espère qu'elle va bien.

— Si tu étais un petit ami digne de ce nom, tu viendrais avec moi le constater par toi-même, a décrété Heidi en me faisant les gros yeux sous ses tartines de mascara. Je t'ai dit qu'elle était littéralement en petits morceaux ?

— Oui, oui, mais Scarlett se trouve dans les toilettes des *filles* et je suis déjà tellement en retard pour mon cours d'informatique que je vais être obligé de passer chercher un mot avant d'y aller, alors je me montrerai très attentionné ce soir quand je la raccompagnerai chez elle, OK ?

— C'est toi qui vois.

Heidi s'éloignait déjà tout en essayant de faire redescendre sa minijupe qui était remontée d'un cran. Deux ans plus tôt, pendant l'été, j'avais cru qu'il pouvait se passer quelque chose entre Heidi et moi. On n'arrêtait pas de se rouler des pelles lors de soirées, mais à part ça, on n'avait rien à se dire, tous les deux, et puis après j'ai fait la connaissance de Hannah et toutes les autres m'ont paru bien fades en comparaison.

Je gardais un souvenir vivace de Hannah, assise sur un escalier, lors d'une fête cet été-là, ses cheveux blonds brillaient à l'éclat tamisé des bougies et elle me parlait de son poème préféré de Sylvia Plath ; sa voix était tout étranglée et elle avait fini par essuyer une larme qui avait lentement roulé sur sa joue. Après quoi elle avait éclaté de rire et dit : « Vraiment, je suis à fond dans le cliché de l'ado tourmentée ! Je pleure sur Sylvia Plath en soirée ! »

Là, j'ai repensé à Scarlett en train de pleurer toutes les larmes de son corps dans les toilettes à cause d'une fille deux fois plus petite qu'elle et deux fois plus moche et, franchement, comment la comparer à Hannah, émue aux larmes par un texte qui lui tenait à cœur… Du coup, j'étais plutôt content d'aller en informatique pour découvrir la théorie des bases de données – qui m'a semblé beaucoup plus simple que la gent féminine.

Lorsque la sonnerie a retenti à la fin des cours, je me suis dirigé vers le parking des enseignants, où, en tant que président des délégués, j'étais autorisé à garer mon Austin Allegro rouillée et rafistolée à base de Chatterton et de chewing-gum, héritée de ma grand-mère. Scarlett aurait dû s'y trouver, mais elle n'était pas là.

Elle n'était quand même pas *encore* en train de pleurer ?

J'ai sorti mon téléphone, sur lequel m'attendaient dix-sept messages, dont la plupart avaient trait au débat dans lequel le club de rhétorique affronterait bientôt l'école privée du coin ou bien au match de foot de dimanche matin, voire à la fête de samedi soir. Nulle trace de Scarlett parmi les nombreuses personnes qui m'avaient contacté parce qu'elles avaient besoin de moi d'une manière ou d'une autre. Même ma mère réclamait que je passe lui acheter des oignons rouges et de l'ail en rentrant.

Je suis reparti en direction du lycée pour localiser Scarlett avec le sentiment d'être totalement exploité. Point de troupeau de copines anxieuses, canette de Coca Light à la main, en train d'envoyer des textos frénétiques aux alentours des vestiaires des filles, mais j'ai fini par retrouver Scarlett dans la salle commune des première. La pièce faisait la moitié de la taille de celle des terminale et il y flottait un léger relent de poisson et de vieux sacs de sport, raison pour laquelle la plupart des première préféraient encore rester dehors à se geler, qu'il pleuve, qu'il neige ou qu'il vente. Mais voilà que j'y trouvais Scarlett, blottie près de la fenêtre et, assis à côté d'elle, un bras autour de ses épaules, Barney.

Tous deux ont levé la tête quand je suis entré, Scarlett venait d'écraser ce qui devait *quand même* être sa dernière larme, Barney de lui souffler quelque chose à l'oreille. Et le plus bizarre dans tout ça, bien plus que Scarlett et Barney serrés l'un contre l'autre dans une salle puante, c'est que j'ai eu l'impression d'être en tort, rien qu'à me tenir sur le seuil en débarquant comme un intrus dans cette scène.

— Tu es prête, Scar ?

J'avais même du mal à articuler son nom.

— Je t'ai cherchée partout, ai-je précisé.

Elle a froncé les sourcils.

— En fait, j'ai des trucs à faire, alors je n'ai pas besoin que tu me raccompagnes, mais merci.

Elle n'a rien ajouté. Au lieu de ça, elle a posé sur moi un regard lourd de sous-entendus, ce dont je ne la savais pas capable.

Cela dit, ce n'était rien à côté de celui dont m'a gratifié Barney. Je ne lui avais adressé la parole qu'à deux reprises

– la première, je l'avais salué à un concert et la seconde, en tant que délégué, je l'avais consigné pour avoir envoyé des SMS en plein cours de maths – et les deux fois, il avait bafouillé, rougi et s'était mis à fixer le sol. Et aujourd'hui, il me regardait comme s'il avait tous les droits d'être assis avec Scarlett, si proche que leurs corps étaient en contact du genou jusqu'à l'épaule. Il m'a souri un peu sèchement.

— En fait, Scarlett et moi avons une conversation privée.

— Bien, ai-je lâché, comme si je n'étais pas dérangé par cette situation tout à fait dérangeante.

Qu'ils ne comptent pas sur moi pour perdre mon sang-froid et donner libre cours à ma colère dans un torrent de mots que je regretterais plus tard. *Sois le plus grand même quand on essaye de te rabaisser*, disait toujours mon père. Je pouvais faire ça. Du moins essayer.

— Bon, je te vois demain, j'imagine, ai-je conclu.

— Oui, ou je t'envoie un texto, a répondu mollement Scarlett alors que nous pensions bien tous les trois que cela ne risquait pas d'arriver.

En rentrant chez moi, je savais sans le moindre doute que je devais mettre un terme à cette histoire avec Scarlett le plus vite possible. En toute logique, c'était à elle de me larguer, mais, au lieu de ça, elle se montrait indifférente, peu fiable et traînait ostensiblement avec le rouquin intello qui l'aidait en maths, rien que pour me forcer à jouer au méchant flic. Le truc, c'est que je n'avais jamais eu à jeter quelqu'un. OK, j'avais déjà rompu avec des filles avant ça, mais il s'agissait en général de décisions mutuelles, nous ne nous plaisions plus. Et puis il y avait eu Hannah et là, c'était plutôt genre : « Tu sais que je t'aime, n'est-ce pas, mais mon père travaille pour le ministère des Affaires étrangères et du coup, il m'envoie en internat au fin fond des Cornouailles parce qu'il est muté dans un coin où ils ont de bonnes chances, avec ma mère, de se faire kidnapper par des forces rebelles. Et je ne déconne pas. »

Nous avions évoqué une relation à distance, des conversations par Skype tous les soirs, mais, au final, Hannah était tellement effondrée à propos de ses parents que je n'ai pas voulu devenir un sujet d'inquiétude supplémentaire pour elle. La rupture a été atroce. Je ne mentirai pas : j'ai pleuré. Hannah a pleuré. Même nos mères ont pleuré. J'ai toujours dans mon portefeuille un petit Post-it que Hannah m'a donné juste avant son départ et sur lequel elle a écrit : « Même quand je serai une vieille dame aux cheveux gris, tu resteras toujours pour moi Celui que j'ai laissé. »

Le simple fait de penser à Hannah, la seule fille à m'avoir jamais fait pleurer, à l'exception de Sun Li en maternelle (qui avait repoussé mes avances amoureuses seulement après que je lui avais offert un tube de Smarties), m'a distrait au point que j'ai manqué de rentrer dans la voiture juste devant moi, arrêtée au feu rouge.

D'une manière ou d'une autre, j'ai réussi à arriver chez moi sans renverser le moindre piéton errant. Après quoi, j'ai dû repartir, à pied, chercher l'ail et les oignons, ma mère m'ayant accusé de me défiler devant mes responsabilités. Il a fallu que j'attende qu'elle en soit à préparer ses lasagnes pour pouvoir monter dans ma chambre ruminer correctement.

Passé les cinq premières minutes à me lamenter sur mon sort, j'ai décrété que ça suffisait comme ça, ruminer, c'était chiant. J'ai allumé mon ordinateur, mais je ne voulais pas aller sur Facebook parce qu'en moins de temps qu'il ne m'en faudrait pour le dire, je me retrouverais à cyber-espionner Scarlett, alors j'ai dévié vers Twitter pile au même moment que Jeane Smith, qui tenait à annoncer au monde entier la parution d'un nouveau post sur son blog. Déjà en pleine torpeur internétique, j'ai cliqué sur le lien sans même m'en rendre compte ; je me suis appuyé contre mon dossier et j'ai failli tomber de ma chaise.

Barney est parti, il a attrapé la maladie des garçons.

Quand je me suis lancée dans ce blog, je me suis solennellement juré de ne jamais bloguer à propos des gens que je connais. De ne pas dire de saloperies sur eux. Et s'il leur arrivait de faire des trucs méchants, minables, de ne pas leur faire de procès. Pas sur ce blog. Non, monsieur. Jusqu'à aujourd'hui. Car vous allez tout savoir à propos du Garçon. Les lecteurs réguliers le connaissent bien, je le mentionne souvent. Il est à la fois petit ami, alter ego, embrasseur officiel. Du moins, il *était* tout ça et je l'ai toujours appelé Le Garçon pour protéger sa vie privée et en fait, le protéger lui, mais il n'est désormais plus digne de ma haute considération ni de ma protection.

IL S'APPELLE BARNEY, C'EST UN RATÉ COMPLET, UN SALAUD DE TRAÎTRE ! Pire, je l'avais formé pour un être un petit ami sensible, à la personnalité équilibrée, garanti 0 % machisme (je lui avais même offert un tee-shirt « Voilà à quoi ressemble un féministe »), mais tous mes efforts étaient vains puisqu'il s'est révélé être le PLUS TRAÎTRE D'ENTRE TOUS. Et voilà que j'enfreins toutes les règles de mon blog en UTILISANT DES MAJUSCULES POUR CRIER UN PEU ET JE DÉTESTE LES MAJUSCULES !

Avant de faire ma connaissance, Barney était à peu près un embryon culturel. Il n'était allé nulle part, n'avait aucune expérience de rien, n'avait jamais eu la moindre aventure en solitaire, jusqu'à ce que je lui fasse une petite place dans ma vie. Je lui ai présenté des gens, fait découvrir des lieux, des saveurs, des sons qui ont élargi ses horizons (ce qui n'était pas très difficile puisque jusque-là, son horizon se résumait à l'écran télé branché à sa Xbox).

Avant moi, Barney ignorait jusqu'à l'existence du roller derby. Il n'avait jamais mangé de sushis, ni goûté au chocolat assorti d'une pointe de piment. Il n'avait jamais mis les pieds dans un vide-grenier, ni écouté Vampire Weekend ou le Velvet Underground et pleuré sur « Pale Blue Eyes ». Jamais vu un film d'auteur. Ni passé une nuit blanche avant de grimper au sommet d'une très haute colline pour voir le soleil se lever. Sa mère lui achetait ses fringues et, pire que tout, il téléchargeait sa musique *sans jamais la payer*.

Il a pompé ma coolitude comme on recharge la batterie à plat d'une voiture et qu'obtiens-je en retour ? Le voilà qui soupire après une autre. Qu'il a des pensées impures pour une autre. Qu'il regrette d'être avec moi et pas avec cette autre.

Les liens amoureux se font et se défont sans cesse et certes, Barney et moi, ce n'est pas *Roméo et Juliette, le retour* (quoique je suis à peu près certaine que sa mère adorerait me voir avaler du poison et mourir, en fait), si Barney préfère tomber amoureux d'une autre, je n'y peux pas grand-chose.

Mais la vérité est que cela dure depuis *des semaines* et que j'ai été forcée de l'apprendre de la bouche *de l'un d'entre eux*. Vous voyez ce que je veux dire, d'un anti-geek. Et encore, j'ai refusé d'y croire, parce que Barney ne me ferait jamais une chose pareille : je lui avais fait écouter Sleater-Kinney et Bikini Kill, j'avais ajouté les blogs féministes dans ses favoris Google, bref, je lui avais montré, d'un million de manières différentes, qu'il devait être cool et me traiter avec respect pour se faire pardonner des siècles et des siècles de domination patriarcale et le fait que les garçons se croient supérieurs aux filles simplement parce qu'ils ont un bout de chair qui leur pend entre les jambes.

Ce qu'il a fait était à l'extrême opposé du cool. Même s'il n'y a pas eu tromperie physique (autrement dit, même s'ils ne se sont pas tenu la main, s'ils ne se sont pas embrassés et autres trucs à l'eau de rose), il y a eu tromperie émotionnelle. Si Barney avait refermé l'espace qu'il avait choisi de me louer dans son cœur, alors il aurait au moins dû avoir la décence de m'en tenir informée. Non ? Bien sûr que oui !

L'autre détail qui m'a propulsée vers une rage aveugle et absolue, c'est que même le plus geek des garçons, avec sa frange qui lui retombe sur les yeux, son besoin compulsif de tripoter des médiators, des CD compilés et des carnets Moleskine, trouvera toujours le moyen de larguer une de ses semblables en faveur de la solution de facilité, surtout si cette dernière est une blonde à jean slim taille 34 dépourvue de la moindre personnalité.

Je ne suis pas en train de dire que toutes les blondes taille 34 n'ont aucune personnalité, évidemment, hé-ho, je vous rappelle ma passion dévorante pour Lady Gaga ? Je ne tiens pas non plus à casser du sucre sur le dos des filles en général, ni même de celle-ci en particulier. En réalité, je pose la question : Quand le fait d'être indépendante, forte, de ne pas faire comme tout le monde, d'oser être différente et courageuse dans mes opinions, mes choix vestimentaires et capillaires, quand cela suffira-t-il ?

Ces qualités ne sont-elles pas admirables ? Oui, dès lors que le garçon n'a aucune confiance en lui, aucune capacité à se faire remarquer, jusqu'à ce qu'une fille comme moi le tire vers la lumière des projecteurs. J'aimais beaucoup Barney. J'aimais bien qu'il fasse partie de ma vie et j'essaie de faire preuve de philosophie, même si c'est difficile, quand on a encore dans la gorge le goût de la colère et de la déception, un goût qui me rappelle la fois où j'ai léché des piles – pitié, ne me demandez pas comment j'en étais arrivée là.

Disons que si je suis si déchaînée, c'est parce que je ne peux rien y faire. Barney est à ce point aveuglé par l'amour qu'il ne voit plus en moi que tout ce qui me différencie de cette autre fille.

En fait, je pourrais réagir de tas de manières. Dont soixante-cinq me vaudraient une arrestation, quarante-sept terniraient mon image, donc il ne me reste plus qu'à déclarer, ici et maintenant, que Barney ne m'a jamais méritée et qu'il est un traître à la cause geek.

Et non, le fait de révéler l'identité de Barney et de transformer la douleur en mots ne m'a absolument pas consolée.

Mon premier réflexe a été de m'énerver d'apparaître ainsi sous la forme d'une allusion désobligeante aux anti-geeks, comme si c'était mal. Ensuite, je me suis interrogé sur ce besoin de mettre sur la table la totalité de ses réflexions et de ses sentiments, à destination de parfaits inconnus. Et seulement après, j'ai eu une pensée pour Jeane.

Jusque-là, je l'avais considérée comme la petite amie autoritaire de Barney qui faisait de la vie de ce garçon un tel enfer qu'il avait été forcé de venir renifler du côté de Scarlett, mais maintenant je comprenais qu'ils avaient formé un véritable couple, tous les deux. Elle n'en était pas moins autoritaire, loin de là, et apparemment leur dynamique semblait consister surtout, pour Jeane, à faire bénéficier Barney d'un cours accéléré en coolitude à sa sauce, plutôt naze, mais, quoi qu'il en soit, ils partageaient quelque chose : de l'amitié, de l'affection, un goût de chiottes en musique.

J'aimerais toutefois reconnaître à Jeane un certain mérite : quand elle était blessée, en colère, elle n'était pas du genre à se lancer dans une tirade à base de « laisse tomber » ou de « il me plaisait pas, ce mec, de toute façon », elle ne craignait pas d'exprimer le fond de sa pensée, malgré les dégâts que cela pouvait causer. C'était une attitude que je respectais, moi qui m'inquiétais en permanence de ce que les gens pensaient de moi, redoutant qu'ils se mettent à me détester ou qu'ils perdent tout respect pour moi, si jamais je me montrais imparfait. Il n'est pas toujours facile d'être parfait.

De retour sur Twitter, contrairement à ce que j'aurais cru, Jeane n'était pas entourée de sa cour, elle repoussait toutes les questions indiscrètes.

irresistibly_geek Jeane Smith
Tout est dans le blog. Je n'ai rien à ajouter, sauf si vous voulez m'envoyer des chocolats ou des images de chiens déguisés.

Je compatissais avec ce qu'elle était en train de vivre, puisque j'étais à peu près dans la même situation. Aussi, maintenant que j'y réfléchissais un peu, Jeane n'avait personne avec qui traîner au lycée, en dehors de Barney. En plus, comment résister à des images de chiens déguisés ? J'avais encore mieux en stock, cela dit.

superdimsum miam-miam
@irresistibly_geek Des chiens surfeurs, c'est tellement mieux que les chiens déguisés.

J'ai ajouté le lien vers le site de compétition annuelle de surf canin en Californie, que j'avais sauvegardé parmi mes marque-pages pour les moments où j'avais besoin de rire.

Après ça, je suis descendu, parce qu'il était l'heure de manger et d'avoir une discussion familiale très animée sur Al-Qaïda, sur la possibilité de cloner ma petite sœur pour que la fausse Alice aille à l'école pendant que la vraie resterait à la maison devant la télé et sur la raison pour laquelle Melly et Alice étaient toutes les deux trop petites pour avoir des portables. Je me suis éclipsé au moment où Melly fondait en larmes parce qu'elle était apparemment la seule fille de sa classe de CE1 à ne pas avoir d'iPhone.

J'ai foncé directement sur mon ordi, parce que j'avais des devoirs d'informatique qui n'allaient sûrement pas se faire tout seuls, et j'ai constaté, ébahi, que m'y attendaient plus d'une centaine d'e-mails. Je me demandais si mes filtres anti-spam n'avaient pas lâché jusqu'à ce que je remarque qu'il s'agissait de notifications de comptes Twitter souhaitant me suivre, bien que je ne voie pas trop pourquoi.

C'est quand j'ai jeté un coup d'œil à Twitter que j'ai compris. Jeane avait retweeté mon message, elle m'avait également répondu.

 irresistibly_geek Jeane Smith
@superdimsum Doux Jésus. J'ai vu la lumière. Il n'y a rien de plus hilarant qu'un carlin sur une planche de surf.

Après quoi, elle a tweeté à destination des masses :

 irresistibly_geek Jeane Smith
Merci pr les liens rigolos. J'attends le chocolat. Trop les nerfs pour tweeter. Vais ajouter qqs chansons à ma playlist rupture sur Spotify.

J'ai voulu faire le tri parmi les notes que j'avais prises en cours d'informatique, mais j'ai eu beaucoup de mal, parce que je n'avais pas la tête à la théorie des bases de données. Je ne pensais même pas à Scarlett ni à ce que j'allais faire de toute cette désolante situation. Non, je ne cessais de cliquer sur « rafraîchir » mon fil Twitter en faisant semblant de croire que ça n'avait aucun rapport avec Jeane Smith.

~ 7 ~

J'ai eu du mal à m'endormir, pas seulement parce que la rage bourdonnait dans mon corps tout entier, mais aussi parce que j'ai dû remettre mon rapport de tendances mensuel à une agence de publicité pour 8 heures du matin, heure de Tokyo.

J'ai dû sombrer quand même, car, tout à coup, j'ai été réveillée par la triple menace du réveil, de l'iPhone et de l'ordinateur qui ont tous gaiement retenti à 7 h 43 GMT. Avant même de m'asseoir dans mon lit, je vérifiais toujours mes e-mails et j'ai trouvé, blotti dans ma boîte de réception, un message de Bethan.

Je viens de lire ton blog, petite sœur. Rappelle-moi de ne jamais t'énerver.

Ça va ? On se skype quand tu rentres du lycée. Je t'aime fort. Bisous. Bethan.

C'était une des meilleures manières de commencer la journée, sauf que cela me remémorait d'un coup tout ce qui s'était passé la veille. Je ne pouvais pas relire mon blog avant d'avoir pris ma douche (quand est-ce que quelqu'un inventerait une tablette absolument waterproof ?), mais j'ai réussi à le faire pendant que je me brossais les dents et j'ai enchaîné avec la lecture des commentaires. Quatre-vingt-dix pour cent étaient dans le camp du « Vas-y ma fille, donne-lui une bonne leçon ». Comme toujours, les dix pour cent restants me traitaient de sale féministe lesbienne qui détestait les hommes et avait besoin de se faire sauter, voire corriger. J'ai relu le post pour la troisième fois et je me suis demandé, effectivement, si je n'étais peut-être pas allée un peu trop loin. C'était une habitude dont j'avais beaucoup de mal à me débarrasser.

Tout en immortalisant mon ensemble du matin (grosses boots de bikeuse, collants orange vif, bermuda à carreaux, tee-shirt vert à manches longues et petit chemisier très gai et fleuri à manches courtes par-dessus), j'ai envisagé la suppression du post. Ça m'a duré le temps qu'il m'a fallu pour fourrer des tartelettes aux framboises dans le grille-pain et me brûler la langue parce que je n'avais pas la patience d'attendre qu'elles refroidissent.

Et puis j'ai décidé que je n'allais rien effacer du tout. C'est vrai, j'avais réglé mes comptes avec Barney, mais il l'avait mérité et tout ce que j'avais écrit dans ce post était vraiment ce que je ressentais. C'étaient mes sentiments et j'avais le droit de les exprimer comme je l'entendais. Les gens avaient tellement peur de dire la vérité parce que la vérité, c'est chaotique, compliqué et franchement pas cool, mais tant pis, le pas cool, c'est à ça que je carbure. Enfin, si toutefois j'utilisais ce genre de vieilles expressions moisies, ce qui n'est carrément pas mon style.

Je n'allais rien effacer, mais je pouvais tout de même arranger les choses.

Je me suis rendue d'un pas décidé jusque chez Barney et j'ai sonné à la porte, alors que je savais pertinemment que c'était sa mère qui m'ouvrirait, c'est dire à quel point je me sentais désolée.

Cette femme me déteste. Elle me déteste vraiment. Elle a ouvert, m'a regardée et a dit :

— Ah, c'est toi.

Et dans cette phrase j'ai pu entendre : « De quel marais putride débarques-tu donc et pourquoi ne laisses-tu pas mon fils tranquille, espèce d'horrible traînée mal fagotée ? »

— Je pensais que Barney et moi nous pourrions aller en cours ensemble, ai-je dit malgré son regard, ostensiblement malveillant.

Que je lui ai rendu sans ciller.

— Il est déjà parti, a-t-elle fini par lâcher, alors que ce n'était pas vrai de toute évidence, puisque sa parka était suspendue dans l'entrée.

Même moi, j'étais incapable de traiter la mère de Barney de menteuse en face, mais à cet instant précis, il a descendu l'escalier, dont il a raté les deux dernières marches après m'avoir aperçue sur le seuil.

— Oh, je te croyais déjà parti, a commenté sa mère sans faire le moindre effort pour paraître sincère.

Je fus forcée d'admirer sa grossièreté manifeste.

— Jeane est là, l'a-t-elle informé inutilement.

— Qu'est-ce que tu me veux ? a-t-il demandé en se relevant, avant d'attraper sac et parka. T'es gonflée, quand même.

— Je sais, ai-je dit en m'écartant pour le laisser passer.

Il a contourné sa mère qui a tenté au passage de l'embrasser, en vain.

— Bonne journée, madame, j'ai été ravie de vous revoir, ai-je roucoulé, exprès pour l'énerver.

Après quoi, j'ai enfourché Mary, mon vélo (ainsi baptisé d'après Mary Kingsley, fameuse exploratrice du XIXᵉ siècle) et j'ai rattrapé Barney, qui filait à toutes jambes.

— Tu ne peux pas m'échapper aussi facilement, ai-je déclaré en quittant le trottoir pour rejoindre la chaussée. Je me doute que tu m'en veux à mort, même si je ne sais pas trop si c'est à cause de ce que je t'ai dit hier ou parce que tu as lu mon blog ou…

— Ou parce que tu ne m'écoutes jamais, vu que tu t'arranges toujours pour tout ramener à toi, a répliqué Barney en secouant la tête d'un air dégoûté. J'ai tellement de raisons d'être en colère contre toi que j'ai beaucoup de mal à en choisir une.

— Eh bien, si ça peut t'aider, sache que je suis désolée pour tout ça, l'ai-je assuré avant de m'interrompre pour emprunter un sens interdit. C'est très dur de bien écouter les autres quand on parle autant que moi.

— Tu vas retirer le post de ton blog ?

Il ne semblait pas prêt à me pardonner, mais au moins il acceptait de m'adresser la parole.

— Non, je ne peux pas faire ça. J'ai le droit d'avoir ces sentiments et de les raconter sur mon blog, mais je veux bien supprimer ton nom, ai-je concédé. Je ne m'autocensure jamais. C'est déjà énorme, comme effort de ma part.

— Oui, enfin, ce que tu as écrit dépasse carrément les bornes.

— Un peu comme ce que tu as fait, quoi, ai-je souligné. Je l'ai appris par Michael Lee. *Michael Lee*, putain. Si tu m'en avais parlé dès le départ, OK, tu aurais passé un sale quart d'heure, mais je ne me serais pas transformée en harpie hurlante. Pour ça, je te demande pardon.

— C'est bon, j'avais compris, a aboyé Barney.

J'ai été obligée de ralentir, car, à l'approche du lycée, la circulation était complètement bloquée, à cause des feignants qui réclamaient à leurs parents de les emmener en voiture. Dire que les mêmes oseraient ensuite se plaindre du réchauffement climatique.

— J'accepte tes excuses, a-t-il conclu.

Une partie de moi avait très envie de rappeler à Barney que je méritais également des excuses de sa part, mais cela ne ferait que nous mener à une nouvelle dispute. De plus, une autre partie de moi se trouvait extrêmement soulagée de ne plus jamais devoir l'embrasser sur la bouche en comptant cinquante éléphants. Barney ferait un meilleur ami que petit ami, donc mieux valait faire profil ultra-bas.

— Bon, est-ce que tout est réglé entre nous ? ai-je demandé.

Il s'est arrêté.

— Si je te réponds non, tu vas continuer à me harceler et à me soûler jusqu'à ce que je change d'avis, j'imagine ?

— Je n'utiliserais pas le terme de harcèlement à proprement parler.

J'ai dû m'avouer vaincue et descendre de vélo, il y avait trop de voitures immobilisées pour que je parvienne à me faufiler entre elles.

— Disons que je n'aurai de cesse de te faire reconnaître tes torts. Tu as besoin de moi dans ta vie parce que je suis une super bonne copine. Je te préparerai des compiles sur CD, des cupcakes, je te trouverai des comics géniaux chez les bouquinistes et… et je serai même sympa avec Scarlett. Je serai celle à l'aune de laquelle on mesurera et jugera tous tes autres amis, qui ne m'arriveront jamais à la cheville, en matière d'amitié. Qu'est-ce que tu en dis, Barnster ?

— Depuis quand tu m'appelles Barnster ? a-t-il demandé d'un ton peu amène, mais il hésitait, je le voyais dans ses yeux.

— C'est le genre de surnom qu'on peut se donner entre amis.

J'ai tenté le petit sourire espiègle, bien qu'il n'y ait pas vraiment de quoi se réjouir. J'étais encore en colère contre Barney, pas parce qu'il avait craqué pour Scarlett, mais à cause de son comportement de con dans cette affaire. Mais bon, j'allais devoir m'en remettre parce que, quand il ne jouait pas au con, Barney était quelqu'un de bien.

— Tu peux me choisir un surnom, si tu veux, lui ai-je suggéré.

— Qu'est-ce que tu penses de Rage Against the Jeane ?

Nous étions arrivés au portail du lycée, Barney marchait maintenant à ma hauteur, je lui ai donné un petit coup de coude.

— Ce n'est pas un surnom, plutôt un mauvais jeu de mots et on ne peut pas dire que ça soit facile à prononcer, si ?

Barney avait envie de sourire – ses lèvres s'agitaient et se contractaient comme sous l'effet d'un tic bizarre.

— Pourquoi est-il impossible de rester fâché contre toi ? a-t-il remarqué avec un haussement d'épaules. OK, on reste amis, mais tu es à l'essai. Et ne t'avise pas d'écrire quoi que ce soit sur moi dans ton blog.

— Et je te promets d'être sympa avec Scarlett, ai-je juré, magnanime. Je ne ferai aucun commentaire narquois, je ne lui dirai rien qui soit susceptible de la faire pleurnicher, encore moins fondre en larmes pour de bon. Honnêtement. Je vous souhaite d'être heureux. Les gens méritent d'être heureux.

Barney m'a accompagnée jusqu'à l'abri à vélos et m'a attendue, le temps que j'attache le cadenas autour des roues de Mary.

— Nous ne sommes pas ensemble, tu sais, a-t-il avoué d'un air morose, les mains enfoncées dans les poches de sa parka. Elle a peur de rompre avec Michael.

J'ai ricané.

— On aurait pu croire qu'elle serait ravie d'être débarrassée de cet abruti de mâle dominant.

Barney a hoché vigoureusement la tête.

— Exactement. Mais Scar déteste les confrontations, elle n'aime pas blesser les gens et elle est terrifiée à l'idée de s'attirer les foudres de toutes les filles du lycée. On ne peut pas larguer Michael Lee sans s'exposer à certaines répercussions.

J'ai tourné la tête pour que Barney ne me voie pas lever les yeux au ciel d'une force telle que j'ai bien cru qu'une de mes rétines venait de se détacher. J'ai tenté d'émettre quelques bruits compatissants, mais Barney m'a regardée d'un air sceptique, comme s'il n'y croyait pas une seconde.

— Oh, Jeane, t'es vraiment une peste, a-t-il dit en me souriant vraiment pour la première fois depuis des jours. C'est ce que je préfère chez toi.

J'ai commencé à pister Scarlett à l'heure du déjeuner. Avec ses chieuses de copines, elles allaient toujours chercher à manger au bar à salades de chez Sainsbury's, alors je les ai suivies de loin, prenant simplement le temps de m'acheter un sachet de chips et des Haribo au passage, puis, comme elles, je suis repartie en direction du lycée, attendant ma chance de coincer Scarlett seule à seule. Apparemment, aucune des quatre ne fonctionnait sans les trois autres.

Coup de bol, Scarlett, qui avait une urgence capillaire et une heure de libre, a été bien obligée de quitter le lycée en solo, j'ai donc sauté sur l'occasion, puisque j'étais exclue de cours d'arts plastiques pour une semaine, après avoir affirmé à Mme Spiers que je préférerais encore me crever les yeux avec un pinceau que de dessiner un paysage ou quoi que ce soit en lien avec la nature.

J'ai laissé Scarlett acheter son machin pour les cheveux d'abord, parce que je suis comme ça, moi – sympa –, puis je suis arrivée à sa hauteur alors qu'elle déambulait dans la rue. Elle a tourné la tête, m'a aperçue et là, ses yeux se sont écarquillés de terreur, son visage est devenu livide. C'était le moment idéal pour me lancer dans mon speech d'excuses.

— Bon, écoute. Je suis désolée, d'accord. Je te demande pardon pour ce qui s'est passé en cours, même si je n'ai jamais voulu te traiter, toi, de demeurée. Ça s'adressait à toute la classe, mais je n'aurais jamais dû utiliser ce terme, pour commencer. Et je n'aurais pas dû, non plus, m'en prendre à toi à propos des lectures imposées alors que je cherchais simplement à me venger à cause de toute cette histoire avec Barney, OK ?

Ces excuses n'avaient rien d'élégant, mais elles venaient du cœur, ce qui devait forcément compter, quelque part. Scarlett n'a pas paru convaincue. Elle a essayé de me contourner, mais, d'un rapide pas de côté, j'ai réussi à me placer pile face à elle. Je ne crois pas avoir jamais vu quelqu'un d'aussi terrifié, même pas ma copine Pam Slambam (trop subtil, le pseudo) lors du fameux match de roller derby où elle s'était retrouvée seule membre de son équipe à ne pas être sur le banc des pénalités, à l'instant où elle avait pris conscience qu'elle allait bientôt être éjectée de la piste par quatre blockeuses.

— S'il te plaît, laisse-moi tranquille, a supplié Scarlett dans un souffle peiné.

— Impossible, tant que tu n'as pas au moins accepté mes excuses. Je ne m'attends pas à ce que tu me pardonnes, mais je t'ai dit que j'étais désolée et je suis sincère.

Scarlett a secoué la tête.

— Si tu le dis, a-t-elle réussi à articuler.

Ça ne semblait pas une phrase prononcée à la légère, manière de m'envoyer me faire voir. C'était plutôt comme la chose la plus courageuse qui ait jamais franchi ses lèvres. Cette fille était tellement molle que j'avais envie de l'écraser entre mes mains.

— Alors, est-ce que ça signifie que tu acceptes mes excuses ? ai-je insisté.

Elle a haussé les épaules en faisant une moue, on l'aurait cru en proie aux supplices les plus atroces.

Tout ça risquait de s'éterniser. Or je n'avais pas l'éternité devant moi. J'étais trop occupée pour ça. Et cette idiote de Scarlett ne se rendait même pas compte que tout dépendait d'elle, j'allais donc devoir le lui expliquer… et aussi courir pour la rattraper, puisqu'elle venait de traverser la rue à toute vitesse.

— Écoute, Scarlett… Tu veux bien m'écouter, juste ?

Je l'ai saisie par le bras et elle s'est figée sur-le-champ, comme si ma main avait un pouvoir paralysant – ce qui, soit dit en passant, serait vraiment trop cool.

— OK, j'écoute, a-t-elle marmonné.

— Scarlett ! Tu me considères peut-être comme une fille mal habillée, une grande gueule qui prend les autres de haut et qui t'a fait pleurer à deux reprises, tu es persuadée que si je disparaissais d'un coup, tu t'en porterais automatiquement mieux, mais tu sais quoi ?

— Quoi ?

J'avais toute son attention, maintenant.

— Mon bonheur à venir est entre tes mains, lui ai-je annoncé en prenant les mains en question, toutes molles et toutes blanches, et en les secouant un peu pour souligner toute l'urgence de la situation. Barney est quelqu'un que j'aime beaucoup, que tu aimes beaucoup aussi.

— D'ailleurs, à ce propos… a-t-elle commencé en essayant de dégager ses doigts, mais je m'agrippais à elle comme si ma vie en dépendait. Ce n'est pas ce que tu…

— Tu l'apprécies sûrement beaucoup plus que moi et lui t'apprécie sûrement beaucoup plus qu'il ne m'apprécie moi, surtout maintenant qu'il est fâché, mais en tant que couple, nous étions un désastre, alors vous avez ma bénédiction, tous les deux.

— Oh. D'accord. Eh bien, si je m'attendais à ça…

— Je préfère avoir Barney comme ami que comme petit ami, mais ça n'arrivera que si ça te convient.

J'avais bien du mal à accepter le fait qu'une fille aussi tarte que Scarlett ait son mot à dire quant à mon destin. Ça me restait en travers de la gorge comme un morceau de poulet sec, mais c'était le genre de personne à qui il fallait parler sans détour. D'ailleurs, j'aurais peut-être dû lui préparer des fiches, histoire de rendre cet exercice encore plus humiliant qu'il ne l'était déjà.

— Si vous sortez ensemble, Barney ne voudra plus me voir à moins d'avoir ton feu vert.

J'ai marqué un temps d'arrêt.

— Ce n'est pas très juste, quand on y pense, ai-je repris, parce que les gens n'appartiennent à personne, ils devraient pouvoir faire ce qu'ils veulent, être amis avec qui ils veulent, quoi qu'en dise leur moitié, mais tout le monde n'est pas aussi éclairé que moi.

Scarlett, pour sa part, ne l'était pas. Ce qui pouvait expliquer son froncement de sourcils. C'était quelqu'un de très difficile à cerner, quand elle ne tremblait pas de peur.

— Mais Barney et moi on ne sort pas ensemble, a-t-elle répondu. Enfin, pas pour l'instant.

— Tu préfères Michael Lee à Barney ? ai-je demandé, incrédule. Mais alors à quoi tu joues, merde ?

N'importe quelle personne dotée de deux neurones en état de marche qui passerait dix minutes en compagnie de Barney le préférerait infiniment à Michael Lee.

— Non, non ! Tu ne comprends pas, a-t-elle protesté.

Nous étions en train de bloquer le passage à deux mères de famille qui nous menaçaient de leur grosse poussette en pestant. Scarlett a soupiré, je me suis écartée sur la droite, pile au moment où les mères ont décidé d'aller dans cette direction, et j'ai failli me prendre les pieds dans les roues. Scarlett m'a rattrapée au vol et, de fil en aiguille, il s'est passé un truc super étrange : Scarlett Thomas et moi-même nous sommes retrouvées à discuter garçons, assises sur un muret. Enfin, elle parlait de deux garçons en particulier pendant que je l'écoutais, contrainte et forcée. Barney me revaudrait ça, et plutôt deux fois qu'une.

— ... Et j'aime vraiment beaucoup Barney, vraiment, *vraiment* beaucoup, parce qu'il me comprend. On ne croirait pas, comme ça, mais depuis qu'on a passé du temps ensemble, je le trouve super mignon en fait. Le problème, c'est que je suis avec Michael et je ne sais pas comment ne pas être avec Michael, tu vois ?

— C'est simple. Tu le largues, voilà tout. Tu lui dis « Je te largue », enfin, peut-être en arrangeant les choses de façon un peu moins brutale, lui ai-je conseillé. Genre « Tu es quelqu'un de bien, mais je propose qu'on arrête les frais ».

— Je suis incapable de dire ça ! s'est-elle étranglée. C'est beaucoup trop méchant. Mais de toute manière, quoi que je dise, ça finira par une dispute, il va se fâcher et moi, quand les gens sont fâchés, je pleure. J'aimerais bien éviter ça, mais je n'y peux rien.

Ça m'a agacée, rien qu'un petit peu.

— C'est impossible de ne jamais contrarier personne dans la vie, ai-je souligné. Moi, en général, il ne se passe pas une heure sans que quelqu'un ait envie de me tuer. Mais finalement, ces dix minutes de souffrance te permettent d'accéder au meilleur.

— Hum, je n'avais pas vu les choses sous cet angle, a réfléchi Scarlett, avant de prendre à nouveau un air chiffonné.

Il faudrait qu'elle arrête de froncer, plisser, contorsionner son visage comme ça, elle serait beaucoup plus jolie.

— En plus, Michael ne risque pas de me crier dessus, il est bien trop gentil pour ça, mais il soupire et il me jette de ces regards, comme si j'étais nulle, a-t-elle repris. D'ailleurs, je suis nulle parce que je m'étais imaginé qu'il suffisait de ne pas me montrer très motivée pour qu'il me laisse tomber, mais il ne l'a pas fait. Il soupire, c'est tout. C'est vraiment stressant.

Cette fois, le tact, c'était terminé.

— Non, mais merde, Scarlett, ça suffit d'être aussi pathétique ! ai-je rétorqué.

Je faisais preuve de cruauté par gentillesse, parce que, si elle était capable d'affronter ma colère, alors elle n'aurait aucun mal à braver les soupirs de Michael Lee, qui avaient tout du pur travail d'amateur.

— Tu as une incroyable occasion de toucher au bonheur. Tu adores Barney, il t'adore aussi et la seule chose qui vous empêche d'être heureux, c'est ton manque de cran.

— Oui, mais…

— Alors voilà ce qui va se passer. Tu vas retourner au lycée, trouver Michael Lee et lui annoncer qu'il ne te rend pas heureuse, mais que Barney, oui. Tu lui dis que tu dois suivre la voie du bonheur. Tu notes ? Suis la voie du bonheur ! N'y pense pas comme à une rupture, mais plutôt comme un moyen de changer le cours de ta vie, tu vois ?

— Je vois ! a répondu Scarlett en hochant la tête de manière saccadée. Et ce n'est pas la faute de Michael s'il est un peu chiant et s'il ne me rend pas heureuse, mais ce n'est pas la mienne non plus.

— Voilà, tu as tout compris.

Je lui ai tapoté le bras et j'ai pris un instant pour savourer ma toute-puissance. Je ferais une super coach. Soyons honnête, je déchirerais ma race si j'étais un personnage public, genre députée ou même Premier ministre. Je pourrais faire un coup d'État et devenir dictatrice, mais une dictatrice bienveillante – voilà qui ferait un post génial pour mon blog.

— Allez, viens, on repart au lycée pour que tu puisses suivre la voie du bonheur, ai-je conclu.

Scarlett a sauté du muret, elle a même fait trois pas très décidés et puis, tout à coup, elle s'est figée.

— Hum, Jeane, tu crois que je pourrais suivre la voie de mon bonheur en larguant Michael par SMS ?

— Non ! Mais tu débloques ou quoi ?

Je lui envoyé un coup de poing dans le bras, vraiment tout en douceur, ce qui ne l'a pas empêchée de faire un bond en arrière et de se masser le biceps d'un air de reproche, comme si mes poings étaient en béton armé.

— Je te rappelle que cette rupture se résumera à dix minutes de toute ta vie, ai-je assené.

— Oui, c'est pas faux…

Je voyais bien qu'elle hésitait à nouveau, alors j'ai passé tout le trajet du retour à la motiver à mort, jusqu'à la mettre dans un état de quasi-hystérie. L'enjeu n'était pas seulement de larguer Michael Lee, mais aussi de prendre le contrôle sur son destin, de ne pas rester planquée, de devenir la star de son propre film.

À l'instant où nous avons franchi le portail, Scarlett en était là :

— Il doit sortir de son cours de maths. Bon. J'y vais et je lui dis qu'il se met en travers de mon chemin vers le bonheur. C'est moi qui suis aux commandes, après tout…

— *Yes*.

Jamais je ne l'avouerais, et surtout pas à Barney, mais quand Scarlett était comme ça, très remontée, tout indignée, elle était presque marrante.

— Bonne chance ! ai-je lancé.

— Je n'en ai pas besoin, m'a-t-elle répliqué par-dessus son épaule en s'éloignant d'un pas martial dans le couloir. Ma chance, c'est moi qui la crée.

J'avais encore quelques doutes. À l'instant où elle se trouverait devant Michael Lee et ses pommettes, elle allait s'effondrer, Barney et elle ne dépasseraient jamais le stade des possibles et lui resterait fâché contre moi.

Pour me changer les idées, en cours d'entrepreneuriat, j'ai embarqué M. Latymer dans un débat animé sur les bonus des banquiers et la stratégie des multinationales pour se soustraire à l'impôt. Nous étions censés parler mondialisation, mais je n'avais pas lu les documents, alors j'avais besoin de gagner un peu de temps et puis, en prime, je trouvais toujours rigolo de le voir s'énerver, il devenait tout rouge et des postillons se mettaient à jaillir de sa bouche.

C'était à qui de nous deux déterminerait l'ampleur exacte de la réduction de la dette du pays si tous les contribuables payaient leurs impôts de manière équitable, quand je me suis rendu compte que le reste de la classe n'écoutait pas. Cependant, au lieu des murmures désintéressés qui surviennent généralement dans ces circonstances, j'entendais des gens s'esclaffer derrière moi. Pendant un instant, je me suis demandé si Rufus Bowles avait encore collé un petit mot d'insulte au dossier de ma chaise – sa meilleure trouvaille était « S'il y a Jeane y a pas de plaisir » –, mais personne n'était tourné dans ma direction. J'ai jeté un coup d'œil vers le fond de la classe et j'ai vu tous les élèves, sans exception, regarder ouvertement leur téléphone.

— Bon, Jeane, ça suffit, a décrété M. Latymer, qui a profité de mon inattention passagère pour clore notre discussion en tapant dans ses mains. Je ne veux plus entendre un seul mot de ta bouche de toute l'heure.

Mon plan avait fonctionné, parce que mes plans fonctionnent toujours. Maintenant, je pouvais m'adosser à ma chaise et demander en douce à Hardeep, à côté de qui j'étais souvent assise, car nous étions l'un comme l'autre du genre à arriver en retard en cours :

— Qu'est-ce qui se passe ?

— Scarlett a largué Michael Lee. À côté des casiers des terminale. On aurait dit une cinglée complet, elle n'arrêtait pas de lui crier dessus en parlant d'un film ou je ne sais quoi.

— Tu ne devrais pas utiliser ce terme, ai-je dit par réflexe tandis qu'intérieurement, je triomphais.

Parfois, ma toute-puissance m'effrayait moi-même.

— Dixit la fille qui l'a traitée de demeurée, a rétorqué Hardeep.

À cet instant, M. Latymer a claqué des doigts dans notre direction, geste qui promettait une retenue si nous ne nous taisions pas.

Donc, je me suis tue et, pendant qu'ils discutaient mondialisation, j'ai lu les documents sur le sujet, ce que j'aurais dû faire la veille, et j'ai même pris un peu d'avance sur le chapitre suivant.

Au final, un cours d'entrepreneuriat plutôt réussi, ai-je conclu en me dirigeant vers l'abri à vélos. Et à l'heure qu'il était, Barney devait sûrement être en train de me commander un petit panier de muffins pour me remercier de mon excellent travail sur Scarlett et ses problèmes d'estime de soi.

Franchement, ma journée n'aurait pas pu être meilleure.

C'est alors que j'ai vu Michael Lee, juste à côté de mon vélo, qui m'attendait, *moi,* et à en juger par son air super énervé, tout à coup, ma journée venait de gravement basculer.

8

Jeane Smith approchait, encore vêtue d'une de ses tenues à faire peur, réunissant des pièces qui n'avaient rien à faire ensemble et des collants orange. Comment pouvait-on trouver judicieux de fabriquer et, concernant Jeane, d'acheter des collants orange ?

Elle a manqué de se faire renverser par deux élèves de troisième qui passaient à côté d'elle en courant. Il faut dire qu'ils étaient plus grands qu'elle et je me suis demandé comment quelqu'un d'aussi petit pouvait causer autant de dégâts. Sous son apparence humaine, cette fille était un véritable boulet de démolition.

— Je sais que tu es venu me crier dessus, a-t-elle asséné d'un ton revêche une fois arrivée à proximité. Alors vas-y, dépêche, je n'ai pas que ça à faire.

Jeane Smith était bien la seule capable de me remettre à ma place comme ça. Je pourrais sauver des enfants, des chiots et des chatons d'un immeuble en flammes en dépit du danger, que ça ne suffirait pas à l'impressionner. À cette simple idée, j'ai eu envie de montrer les dents.

— Mais qu'est-ce que tu as raconté à Scarlett ? ai-je voulu savoir quand Jeane s'est approchée de son vélo pour y fixer ses sacoches.

— Je me suis excusée, a-t-elle répliqué d'un ton hautain. Après ça, on a discuté entre filles. Je ne m'attends pas à ce que tu comprennes.

— Ça, c'est sûr, je n'ai rien compris quand elle a commencé à brailler qu'elle voulait suivre la voie du bonheur et tourner dans des films. Au bout d'un moment, j'ai quand même réussi à deviner qu'elle venait de me larguer.

Jeane a souri avec sérénité. Ou plutôt suffisance.

— Écoute, si ça peut te consoler, elle voulait le faire depuis longtemps…

— Non, ça ne me console pas vraiment, ai-je grommelé.

— Tu savais qu'il se passait quelque chose entre Barney et elle…

— Ah oui, tu fais comme si tu avais toujours été au courant, maintenant ?

Je n'arrivais pas à en croire mes oreilles.

— Mais enfin, c'est moi qui te l'ai appris ! lui ai-je fait remarquer.

— Peu importe, a-t-elle répliqué avec un haussement d'épaules. Scarlett et toi vous n'étiez pas vraiment heureux, tous les deux, c'est en tout cas ce qu'elle m'a dit, alors que Barney et elle seront au comble du bonheur, bien que je ne voie pas trop quels seront leurs sujets de conversation, mais bon… Quant à toi, tu te trouveras une autre copine d'ici une semaine ou deux, alors franchement, où est le problème ?

— C'est toi le problème ! *Toi !* Tu n'avais aucun droit…

— Excuse-moi ! C'est toi qui m'as signalé qu'il fallait agir pour Barney et Scarlett, ce que j'ai fait. Tu devrais me remercier.

N'importe quoi. Elle n'avait pas hypnotisé Scarlett avec ses théories au nom du girl power et des femmes qui se serrent les coudes. J'avais lu son blog, la veille, et il était assez évident qu'elle avait jugé bon que je sois aussi malheureux qu'elle. Elle me détestait, mais je n'arrivais pas à comprendre pourquoi. Je ne lui avais rien fait, pourtant ma seule existence semblait l'énerver au possible.

— Pourquoi faudrait-il que je te remercie ? Tu n'avais vraiment pas besoin de t'en mêler, j'étais sur le coup.

J'étais sur le coup dans le sens où j'avais réussi à retarder l'inévitable rupture, mais je n'allais sûrement pas lui préciser ça, pour voir le mépris illuminer son visage.

— Si tu m'en veux autant, c'est surtout parce que c'est visiblement la première fois de ta vie que les choses ne se passent pas comme tu l'as décidé, m'a-t-elle informé. Toute cette affaire devrait te forger un peu le caractère, et de toute façon, *on est au lycée*, je te rappelle, ce n'est pas comme si Scarlett était ton unique amour, comme si vous alliez vous marier et avoir des enfants. Pas la peine d'en faire des tonnes.

— Je vais te dire, quels qu'aient été nos problèmes, à Scarlett et moi, c'étaient nos problèmes. Personne ne t'a demandé de venir fourrer ton gros nez là-dedans.

— Eh bien si, en fait, toi, a-t-elle répondu en se touchant le nez. Et mon nez n'est pas gros, il est juste bien charpenté.

J'ai eu très envie de rire, parce que c'était l'une des meilleures répliques que j'aie entendues, mais il était hors de question, absolument *hors de question*, que je lui donne cette satisfaction.

— Bon, tu vas continuer encore longtemps ? Parce que j'ai un tas de trucs à faire ce soir, a-t-elle ajouté. Scarlett avait raison, tu es assez chiant. Un peu comme un CD rayé – tu ne finis jamais.

— Mais… Mais… Mais…

Je n'arrivais pas à croire que je restais là à bafouiller et à enfiler les « Mais », sans trouver mes mots, simplement parce que Scarlett m'avait largué. Cependant, j'étais conscient que ça ne durerait pas, elle et moi, et même si ça avait été humiliant, ce n'était pas la fin du monde. Quand même, il y avait façon et façon de rompre avec quelqu'un.

— Pourquoi a-t-il fallu que tu mettes Scarlett à ce point en colère ? D'ailleurs, comment as-tu réussi à la mettre dans un tel état, maintenant que j'y pense ?

— C'est un de mes superpouvoirs, a répondu Jeane en se baissant pour ôter le cadenas de son vélo. Bon, je ne dirai pas que j'étais contente de te voir, parce que ce n'est pas vrai, mais je dois y aller, là.

Elle a enfourché son vélo. Elle s'apprêtait à partir alors que j'avais encore des tas de choses à ajouter, bien que je sois incapable de m'en souvenir en cet instant précis.

— Allez, je ne te dis pas à la prochaine, a-t-elle lancé d'une voix enjouée.

Elle s'est mise debout sur les pédales, a commencé à avancer et, à ce moment-là, j'ai attrapé l'arrière de sa selle parce que je venais de me souvenir de ce que je voulais lui dire : que c'était une petite garce imbuvable et prétentieuse…

La scène a semblé se dérouler au ralenti. Jeane est passée par-dessus le guidon. Sous mes yeux impuissants, elle a paru planer pendant un long moment, puis elle est retombée dans un gros bruit sourd, ses bras et ses jambes se sont retrouvés tordus à des angles bizarres, comme si elle s'était cassé tous les membres. *Par ma faute.*

Elle est restée là, silencieuse et inerte, ce qui, venant d'elle, aurait été un soulagement n'importe quand, sauf maintenant, alors que j'étais persuadé de l'avoir tuée. *Oh, non ! Voilà qui risque de sérieusement mettre en péril mon entretien pour Cambridge !* C'est la première chose qui m'est venue à l'esprit, et c'est seulement après que je me suis souvenu que j'avais été formé pour les premiers secours. En partie parce que mon père était catégorique : chacun devrait maîtriser des notions de secourisme, mais aussi parce que ma mère, tout aussi catégorique, trouvait que ça ferait bien sur mon dossier d'inscription à l'université.

Il fallait que je vérifie que Jeane respirait toujours, mais pour ça, je devais la retourner, or il ne fallait pas la bouger. Ou bien si ? Fallait-il que je la place en position latérale de sécurité ?

— La vache, a-t-elle marmonné tout à coup en remuant un peu.

Elle n'était pas morte, je ne serais pas accusé d'homicide involontaire. De violences avec voie de fait, peut-être, parce que ses collants étaient en lambeaux et que le sang coulait le long de ses jambes, rendant la vision de ses collants orange encore plus atroce.

— Mon portable ? Est-ce qu'il va bien ?

Jeane ne me hurlait pas dessus, c'était déjà positif, mais peut-être économisait-elle son énergie pour le moment où elle contacterait la police. J'ai ramassé son vélo – la roue avant était complètement voilée – et je l'ai mis sur sa béquille.

— Il était où, ton téléphone ? ai-je demandé d'une voix étranglée.

Elle a froncé les sourcils, ou alors elle a grimacé de douleur, c'était difficile à dire.

— Dans mes sacoches, peut-être.

J'ai récupéré son sac « Geek is the new black » pour le poser devant elle. Elle s'est assise en gémissant puis elle s'est mise à fouiller dedans, donc au moins, elle n'avait pas les bras cassés, il restait seulement à vérifier les jambes, les côtes et peut-être le crâne, à la recherche d'une commotion cérébrale parce que Jeane était trop rebelle pour porter un casque à vélo.

— Tu ferais peut-être mieux de ne pas bouger ? ai-je suggéré. Si jamais tu as une hémorragie interne.

— J'ai besoin de mon téléphone, a-t-elle insisté en tournant vers moi des yeux qui faisaient plus penser à Bambi qu'à une virago. Je ne le trouve pas.

— Tu es sûre qu'il était dans ton sac ?

Jeane a regardé autour d'elle, je me suis même baissé pour jeter un coup d'œil sous les voitures garées autour et soudain elle a poussé un cri. Je me suis précipité dans sa direction, croyant à un cri de douleur, alors qu'il s'agissait en fait du cri de la fille qui vient de retrouver son portable.

— Il était dans ma poche, a-t-elle dit avant d'embrasser le téléphone en question et de le frotter contre sa joue, ce qui lui a permis de se rendre compte qu'elle saignait un peu.

— Tu es sûre que ça va ? ai-je demandé, parce qu'à voir son comportement, je craignais un peu qu'elle ne soit en état de choc, même si ce côté déjanté lui ressemblait assez. Est-ce que tu as mal quelque part ?

— J'ai eu la respiration coupée, c'est tout.

Elle prenait ça beaucoup mieux que je ne l'aurais cru. Elle ne m'avait pas crié dessus, elle n'avait fait aucun commentaire hautement sarcastique – elle souffrait peut-être d'une hémorragie cérébrale ?

— Et j'ai un peu mal partout, a-t-elle ajouté.

— Je suis sincèrement désolé. Je ne voulais pas du tout faire ça. C'était un instant de folie passagère. Je paierai pour les réparations de ton vélo.

Jeane a jeté un coup d'œil en direction dudit vélo, puis a reporté son attention sur son portable. Je n'avais jamais vu quelqu'un taper aussi vite.

— T'inquiète, a-t-elle dit. C'est juste du matériel. Moi, je n'ai rien de cassé.

— Tu es sûre ?

— Je crois que je le sentirais si je m'étais cassé quoi que ce soit, a-t-elle râlé. Et puis le vélo, c'est rien qu'un objet, ça se remplace.

Je suis resté planté là, les bras ballants. Je n'étais pas habitué à me sentir aussi inutile et à ne pas savoir quoi faire ensuite. Fallait-il que j'aide Jeane à se lever ? Et une fois qu'elle serait sur ses jambes, devrais-je lui proposer de la ramener chez elle en voiture ? Et après ça, la supplier de ne pas porter officiellement plainte contre moi, pour que cet incident n'ait aucun impact sur mon avenir à l'université ?

— Bon, tu ferais bien de te relever…

— Oui, je finis juste mon tweet. Je n'ai pas pu en envoyer un seul de la journée, alors j'en profite, c'est un mal pour un bien.

Elle s'est ensuite mise debout, elle a baissé les yeux et c'est à ce moment-là qu'elle a hurlé.

Le son perçant, horrible, a déchiré l'air et fait s'envoler le troupeau de pigeons qui picoraient les poubelles.

— Espèce de salaud ! Regarde ce que tu as fait à mes collants ! a-t-elle crié en désignant ce qu'il en restait. Ils sont foutus !

C'était exact et à dire vrai, c'était une bonne nouvelle.

— Tu viens de dire que les objets, ça se remplace.

— Pas mes collants orange. Il m'a fallu des années pour trouver la teinte exacte qui me convienne, je les avais dénichés dans une boutique à Stockholm et c'était la dernière paire.

Elle a serré les poings, j'ai vraiment cru qu'elle allait se mettre à pleurer. Ou à me cogner.

— Ça va pas, non, de faire tomber les gens de vélo ? Tu es président des délégués, tu es censé montrer l'exemple.

— Je sais. Je t'ai dit que j'étais désolé et je m'excuse aussi pour tes collants, mais ce sont de simples collants.

J'ai à nouveau baissé les yeux vers ses jambes en me demandant pourquoi elle ne se sentait pas plus concernée par ses égratignures et ses bleus, quand, soudain, mon regard a été attiré par sa cheville gauche.

— Oh, la vache.

— Je suis ravie que tu apprécies toute la gravité de la situation, a aboyé Jeane qui, de manière assez incroyable, s'est emparée de son téléphone, une fois de plus. Je vais essayer de me dégotter une paire de collants orange sur eBay, elle sera forcément moins bien, mais c'est toi qui payes.

— Jeane !

— Quoi, encore ?

J'ai désigné d'un doigt tremblant sa cheville, qui ne ressemblait même plus à une cheville. Elle avait la taille d'un ballon de foot.

— Comment se fait-il que tu n'aies pas mal, *là* ?

— De quoi tu parles ?

Elle a baissé la tête et, à ce moment-là, j'ai vu le blanc de ses yeux et elle a basculé en arrière, j'ai dû me précipiter pour qu'elle ne se fracasse pas le crâne sur le ciment. Elle a ouvert la bouche pour dire quelque chose, mais n'a réussi à produire qu'un petit couinement.

— Ça ne te fait vraiment pas mal ?

Elle a agrippé mon bras. Ses ongles étaient vernis en rayures ondulées.

— Maintenant que tu me le fais remarquer, j'ai hyper mal, putain, a-t-elle articulé entre ses dents. Je crois que je vais vomir.

Je lui ai tapoté la main, elle était glacée, comme sous l'effet du choc. J'ai enlevé mon blouson en cuir et je l'ai déposé sur ses épaules.

— Bon, je t'emmène à l'hôpital, il faut passer une radio.

Jeane a secoué la tête d'un air catégorique.

— Non ! Je déteste les hôpitaux. Je crois que je peux sentir mes orteils. Est-ce que ce serait possible si c'était cassé ? Et si je posais la question sur Twitter ?

— Aucune idée.

Je me suis forcé à regarder à nouveau sa cheville. Elle débordait du haut de sa basket.

— Plutôt que de perdre du temps sur Twitter, tu ferais peut-être mieux d'enlever ta chaussure avant d'avoir la circulation coupée ?

— Non ! Ça fera trop mal ! a-t-elle dit en s'allongeant par terre. Je vais être obligée de rester ici *des plombes*, moi qui ai des tonnes de trucs à faire ce soir.

Maintenant que Jeane était redevenue elle-même, je me suis senti plus à l'aise. Elle faisait un de ces cinémas, pire qu'Alice, qui avait au moins l'excuse de ses cinq ans. Je ne voyais toujours pas ce que j'allais bien pouvoir faire d'elle, cela dit.

— Tu ne vas pas rester ici des heures, tu ne peux pas marcher et ton vélo est foutu, donc je vais t'emmener en voiture. À l'hôpital.

— Je n'irai pas, a-t-elle protesté. Un seul relent de détergent industriel ou la simple vision d'un vieux avec des varices, une perfusion dans le bras, suffira à me faire vomir partout sur toi.

— Arrête de jouer au bébé, ai-je dit avec sérieux.

Soudain, j'ai eu une idée :

— Mon père est médecin. Daignerais-tu le laisser t'examiner ?

L'indécision l'a fait grimacer.

— Quel genre de médecin ?

— Généraliste. Il a son propre cabinet. Vingt ans d'expérience et, si tu es bien gentille, il t'offrira une sucette sans sucre.

— Quel est l'intérêt d'une sucette si elle ne contient pas de sucre ? a-t-elle râlé. Bon, je peux consulter ton père, s'il promet de ne pas me faire mal.

J'ai rattaché son vélo pendant qu'elle insistait pour immortaliser sa jambe amochée pour envoyer la photo à ses followers, puis je l'ai aidée à se remettre sur pied avec force grimaces, ou plutôt sur son pied droit parce qu'elle ne pouvait absolument pas prendre appui sur le gauche. Ensuite, accrochée à mon bras, elle a tenté de rejoindre ma voiture à cloche-pied. Chaque fois qu'elle entrait en contact avec le sol, son souffle se coupait un peu, comme si l'impact secouait sa cheville.

— Je pourrais te porter ? ai-je proposé, sans enthousiasme. Tu ne dois pas peser si lourd.

Ses yeux se sont transformés en petites fentes porcines.

— Si jamais tu t'avises ne serait-ce que d'essayer, tu risques de te prendre un coup qui pourrait mettre en péril ta capacité à avoir un jour des enfants, a-t-elle craché. J'y arriverai toute seule.

J'ai fini par approcher ma voiture au plus près de l'abri à vélos et nous avons pris la route de chez moi sans tarder, surtout sans que j'aie vraiment réfléchi à ce que j'étais en train de faire.

Jeane a passé les cinq minutes qu'a duré le trajet scotchée à son iPhone, mais lorsque je me suis garé à côté de la Volvo de mon père dans l'allée, elle a levé la tête et a lâché un long sifflement en sourdine.

— Eh ben, mazette, a-t-elle commenté avec un peu de sarcasme dans la voix comme si le fait de vivre dans une grande maison n'avait rien de cool.

Quoi qu'il en soit, nous n'habitions pas un manoir sur une propriété de vingt hectares avec mare aux canards, lac ornemental et terrain de croquet. C'était simplement une grande maison victorienne décrépite avec un toit qui fuyait et des fenêtres à guillotine qui tremblaient sur leur châssis. Et dont le sous-sol ainsi que la majeure partie du rez-de-chaussée étaient réservés à l'activité professionnelle de mon père. Néanmoins, Jeane avait pris son petit air réprobateur.

Mon père finissait toujours tôt le jeudi soir et, lorsque j'ai aidé Jeane à franchir le seuil en sautillant, il sortait justement de son cabinet.

— Mon Dieu, mon Dieu, on dirait que vous revenez de la guerre.

Je m'attendais à ce que Jeane se lance dans un récit détaillé de la manière dont je l'avais amochée, mais elle s'est contentée de prendre appui contre le chambranle pour pouvoir lui tendre la main.

— Je m'appelle Jeane. Vous acceptez les patients sans rendez-vous ?

— Je crois que je peux faire une exception, a répondu calmement mon père, sans paraître le moins du monde dérouté par la vision de cette gamine de dix-sept ans aux cheveux gris habillée comme une folle. Michael, préviens Agatha qu'elle peut partir et ensuite assure-toi que Melly et Alice ne s'installent pas devant la télé, d'accord ?

Jeane a agité les doigts dans ma direction, je suis monté libérer la jeune fille au pair.

— Alors, vous pensez que je dois tirer un trait sur le fox-trot ? a demandé Jeane à mon père. Ça ne vous dérange pas si je live-tweete ma consultation ?

Une demi-heure plus tard, j'avais réussi à asseoir à table Melly et Alice, occupées à faire leurs devoirs, mais surtout à se chamailler pour savoir qui était la reine de Disneyland Paris, et je me lançais dans la préparation du dîner. Le jeudi soir, c'est toujours poêlée de légumes, ce qui implique énormément d'épluchage et de découpage.

Je venais de m'attaquer aux poivrons quand j'ai entendu un son lourd et des voix dans l'escalier. J'ai levé les yeux juste à temps pour voir débarquer Jeane dans la cuisine avec…

— Des béquilles ! s'est-elle exclamée gaiement.

Melly et Alice ont immédiatement cessé de se disputer pour la dévisager de leurs grands yeux interrogatifs.

— Je suis *trop* garantie d'avoir droit aux sièges dans les transports en commun ! a-t-elle conclu.

— Ce n'est pas cassé ? ai-je demandé avec nervosité.

Mon père a suivi Jeane dans la cuisine et il n'avait pas l'air de vouloir me consigner ou me soûler avec un inteeeeeeeeerminable laïus sur les bonnes manières et l'interdiction de faire tomber des plus petits que moi de leur vélo. Pas du tout : il contemplait Jeane, qui tenait dans une main un bouquet de sucettes sans sucre, avec un sourire indulgent.

— C'est juste une vilaine entorse, m'a-t-il informé en ouvrant le congélateur, dont il a tiré un sachet de petits pois surgelés, qu'on n'utilisait qu'en cas d'urgence légumes.

Il a désigné une des chaises de la cuisine et Jeane s'est assise, déposant sa jambe d'un blanc laiteux (et désormais dépourvue de lambeaux orangés) sur le siège voisin.

— Maintenez la glace là-dessus un moment et ensuite je vous ferai un bandage.

Alice a hoché la tête.

— GREC, a-t-elle commenté. Glace, repos, élévation, compression. Si les symptômes persistent, merci de consulter votre médecin. Qui tu es, toi ?

— Jeane, et toi, tu es qui ? a demandé Jeane en la regardant droit dans les yeux – c'en était trop pour Alice, qui a caché son visage dans ses mains.

— Alice, a répondu Melly à sa place. Mais ne fais pas attention à elle, elle a seulement cinq ans. Moi, j'en ai presque huit.

— Ce n'est pas vrai, est intervenu mon père. Tu as eu sept ans il y a deux mois.

— Oui, mais je n'aurai plus jamais sept ans, a insisté Melly, qui a ensuite dévisagé Jeane de la tête aux pieds. Tu es la petite amie de Michael ?

— Non, ai-je répondu très vite. Jeane est au même lycée que moi, ça suffit les questions indiscrètes.

— C'est encore Melly qui pose des questions ? a demandé ma mère, qui passait la porte à l'instant.

Elle s'est débarrassée de son sac à main, de son cartable, de son ordinateur portable, a ôté son manteau, l'a laissé sur un dossier de chaise, a embrassé mon père puis s'est enfin aperçue de la présence de Jeane qui la regardait avec intérêt.

— Bonsoir, à qui ai-je l'honneur ? a dit ma mère.

Les présentations faites, j'ai eu l'impression de voir deux chiens se tourner autour avec méfiance. C'était la première fois que je voyais Jeane moins sûre d'elle.

— Voilà, je me suis reposée, j'ai mis de la glace, a-t-elle annoncé en contemplant son pied. Est-ce qu'il ne serait pas temps de passer à la compression ?

— Pourquoi vous ne resteriez pas dîner ? a suggéré ma mère.

Les suggestions de ma mère ressemblaient souvent à un ordre.

— Eh bien, j'ai beaucoup à faire ce soir, a répondu Jeane en fixant le plan de travail où mon père préparait une marinade. Qu'est-ce que vous cuisinez ?

— Poêlée de dinde au tofu, a expliqué Alice, ajoutant avec un frisson : Moi, je ne mange jamais le tofu ; beurk.

— Passez donc un coup de fil à vos parents pour leur dire où vous êtes.

J'ai observé ma mère, horrifié. Elle me connaissait. J'étais son aîné. Son fils unique. Elle m'avait élevé, houspillé, harcelé pour que je fasse mes devoirs en temps et en heure, pour que je ne grignote pas entre les repas, nous avions même regardé des séries policières danoises sous-titrées, elle et moi, alors elle devait tout de même se douter que Jeane n'était sûrement pas une de mes amies, et encore moins quelqu'un avec qui j'apprécierais de dîner à la maison.

Au moins, Jeane et moi semblions en accord complet, pour une fois, parce qu'elle a eu l'air totalement horrifiée, surtout quand elle a vu mon père couper de gros morceaux de tofu.

— Non, ça va, a-t-elle dit. Je n'ai pas besoin d'appeler mes parents. Je serais absolument ravie de rester dîner.

9

Doux Jésus. C'est pas Dieu possible.

Les raisons pour ne pas accepter l'invitation à dîner chez Michael Lee ne manquaient pas, mais son père s'était montré vraiment gentil, non seulement il avait retiré à la pince les petits morceaux de gravier de ma chair ensanglantée, mais en plus il m'avait donné des sucettes, même si elles étaient sans sucre. Et puis ça faisait tellement longtemps que je n'avais pas eu droit à un repas maison, pas depuis que Bethan était partie aux États-Unis, au minimum. Mais la cerise sur le gâteau était encore l'expression de panique absolue qui était apparue sur le visage de Michael Lee, comme si son univers tout entier était sur le point d'imploser.

C'était ma revanche pour la cheville foulée et mes collants orange foutus, et puis ça lui servirait de leçon, une fois encore : dans la vie, on n'avait pas toujours ce qu'on voulait.

Tout a bien commencé. Je me suis super bien entendue avec Melly et Alice, alors, pendant que les légumes se fai-saient poêler, elles m'ont emmenée dans leur chambre qui débordait de bidules de princesse rose bonbon, mais aussi d'une foultitude de Lego et de toupies Beyblade, donc je n'ai même pas eu besoin de leur faire la morale sur les ravages des stéréotypes masculins-féminins. Ce qui, de toute façon, n'aurait servi à rien.

Alice et Melly étaient adorables, elles m'ont très clairement fait comprendre qu'elles me préféraient à Scarlett – je fais toujours un tabac chez les moins de dix ans. Melly a même proposé de me prêter ses collants favoris, mais ils étaient trop petits. Dommage, parce qu'ils étaient rayés vert et rose, tout à fait sublimes.

J'aurais pu passer le reste de la soirée sur le lit d'Alice à écouter les filles me distraire de leurs histoires d'école, mais il a bientôt fallu se mettre à table pour déguster la fameuse poêlée de dinde au tofu, qui s'est révélée délicieuse. C'est vrai, même le tofu était bon et puis c'était accompagné de nouilles soba, j'adore. Tout aurait été parfait si la mère de Michael m'avait laissée bâfrer tranquille.

Sa mère est avocate (elle a proposé que je l'appelle Kathy, mais a eu l'air de sous-entendre qu'elle me poignarderait si j'essayais seulement) et elle m'a fait subir un interrogatoire pendant tout le repas – pour un peu, je me serais cru dans le box, sous le coup de dix accusations de coups et blessures volontaires. Elle a voulu savoir pourquoi j'étais libérée des chaînes de la responsabilité parentale à un âge aussi précoce, quelles matières j'avais choisies pour le bac, si j'avais un petit boulot, et pourquoi mes cheveux étaient gris.

Je voyais bien qu'elle ne m'aimait pas. Je fais cet effet-là à toutes les mères et puis ce n'était pas comme si j'avais à cœur de lui plaire, non plus – je n'allais jamais la revoir. Quand quelqu'un me prend de haut, je ne peux pas m'empêcher de m'en rendre compte et de réagir en conséquence.

Donc, au lieu de me montrer polie et de répondre simplement par des monosyllabes comme l'aurait fait n'importe quel ado de dix-sept ans, je suis restée sur la défensive de bout en bout. Quand je ne me suis pas complètement emballée.

— Ma mère est au Pérou, elle ouvre les chakras des femmes en prison. Elle essaye de leur enseigner la méditation. Et mon père est parti en Espagne ouvrir un bar et se bourrer la gueule tous les soirs gratos. Croyez-moi, je suis plus tranquille toute seule sans subir leur crise existentielle.

Je ne me suis pas arrêtée en si bonne lancée, surtout que je pouvais aussi ajouter :

— Bref, ma nouvelle famille, ce sont mes amis, et puis Gustav et Harry, mes voisins, qui viennent chez moi une fois par mois pour me forcer à nettoyer et à manger des légumes.

J'ai également pu préciser :

— Je ne vois pas pourquoi il faudrait absolument aller à la fac. J'ai déjà ma propre marque et je pourrais me contenter d'embaucher un directeur commercial pour s'occuper des comptes. Dans ce cas, quel intérêt d'avoir un diplôme, certes, mais aussi une dette de plusieurs dizaines de milliers de livres ? Quelle perte de temps.

Je me montrais à ce point désagréable, désobligeante, désolante et des tas d'autres mots peu flatteurs ne commençant pas forcément par dés- que j'ai eu envie de poser mes baguettes et de me mettre une gifle. À voir l'expression glaciale sur le visage de la mère de Michael (pardon, de Kathy), je crois que ça la démangeait aussi.

Ce n'est qu'au moment du dessert (une très décevante salade de fruits accompagnée de yaourt à la grecque) que j'ai enfin décidé de me taire, mais Kathy n'en avait pas terminé avec moi.

— Alors, comment vous êtes-vous tordu la cheville ?

— Eh bien, il y a eu une petite dispute entre mon vélo et le sol, ai-je répondu très vite, mais pas assez pour couper l'herbe sous le pied de Michael.

— C'était ma faute, a-t-il dit pile en même temps. C'est moi qui l'ai fait tomber de vélo, en quelque sorte.

— Michael ! Pourquoi aurais-tu fait une chose pareille ? a voulu savoir Kathy. Ce n'est pas comme ça que je t'ai élevé.

J'ai jeté à Michael un regard plein de reproches, parce que, même si je ne l'appréciais pas, il aurait dû savoir qu'il existait un code interdisant formellement de dénoncer ses petits camarades à leurs parents.

— C'était un accident, ai-je insisté. Un accident idiot. Nous étions en train de nous disputer et…

— De vous disputer ?

J'ai cru qu'elle allait s'étrangler pour de bon. Elle semblait bien plus étonnée d'apprendre que son fiston chéri ait pu être impliqué dans une prise de bec que de l'imaginer en train de faire tomber de son vélo une pauvre fille sans défense. Cela dit, après cinq secondes en ma compagnie, elle avait sûrement dû comprendre que j'étais loin d'être sans défense. J'étais même pleine de ressources dans ce domaine.

— Ça ne te ressemble pas, a insisté sa mère.

— Pourtant, ça m'arrive, parfois, de me fâcher avec des gens, a-t-il affirmé en rougissant, gêné.

C'était très amusant de le voir essayer de faire comme s'il aimait la controverse.

Ce garçon était la prunelle de leurs yeux – ceux de Michael étaient d'ailleurs couleur café noir en forme d'amande (note à moi-même : voilà qui m'inspire un gâteau). Quand Kathy ne me harcelait pas de questions sur mes choix de vie, M. Lee (qui m'avait dit de l'appeler Shen) et elle avaient longuement interrogé leur fils sur les cours et ses devoirs, puis ils avaient voulu savoir s'il avait lu cet article du *Guardian* à propos des résultats du baccalauréat de l'année précédente. Au début, Michael s'était montré réticent et n'avait cessé de me jeter des coups d'œil méfiants, mais, bientôt, il avait pris conscience d'avoir l'avantage de jouer à domicile et avait disserté sur les actualités comme s'il participait à l'un de ces débats de société mortellement ennuyeux organisés par le club de rhétorique. *Rrrron-pschitt.* Sauf que les parents de Michael écoutaient réellement ce qu'il avait à dire, les yeux rivés sur lui, l'encourageant de leurs sourires et de leurs hochements de tête.

Même Melly et Alice le contemplaient avec adoration et le harcelaient pour qu'il joue avec elles à *Dance Dance Revolution* et apporte son aide de grand frère pour un exposé sur les dinosaures pour l'école.

Michael Lee était le Soleil, la Lune, les étoiles, peut-être même tout le système solaire, aux yeux de sa famille. Pas étonnant qu'il soit aussi arrogant.

Cela dit, je ne me souvenais pas du dernier repas que j'avais pris en famille, ni même que Pat et Roy aient un jour souhaité entendre mon opinion sur quoi que ce soit. Mais il était inutile de se languir de ce qu'on n'aura jamais – à chacun ses propres rêves et aspirations, plutôt que de vivre par procuration. Je n'enviais donc en rien Michael Lee, parce que j'avais l'impression que si ses parents lui avaient demandé d'exécuter un saut périlleux, non seulement il l'aurait fait, mais il aurait promis en plus d'en réaliser un double la fois suivante.

Pour l'instant, cependant, ils ne lui demandaient pas de sauter, mais de prendre en charge la réparation des dégâts qu'il avait causés à mon vélo.

— Franchement, Michael, c'est bien le minimum. J'espère que tu as présenté tes excuses à Jeane.

— Oui, et à de nombreuses reprises. Et puis il a déjà proposé de payer pour faire réparer Mary, ai-je précisé calmement, parce que ça n'était pas la catastrophe, contrairement à ce que semblait croire Kathy, bien que ce fût, certes, peu pratique. Tout est réglé. J'ai baptisé mon vélo Mary d'après une exploratrice célèbre… ai-je ajouté, voyant qu'elle ouvrait la bouche pour me bombarder d'une nouvelle salve de questions.

— Eh bien, tu emmèneras Jeane au lycée le matin et tu la ramèneras le soir, a déclaré M. Lee d'une voix douce, mais dont le sous-entendu était bien plus intimidant que les incessantes chicaneries de sa femme. Ça me paraît juste, non ?

— Absolument, a répondu Michael.

Pourtant, la panique avait réapparu dans ses yeux et, quant à moi, je n'avais aucunement l'intention de subir un tête-à-tête avec lui deux fois par jour.

— Tu n'es pas obligé, lui ai-je assuré. J'habite pile en face de l'arrêt de bus et il y a une ligne directe qui me dépose presque devant le lycée. Et puis, tu as entendu ce que j'ai dit tout à l'heure ? Avec mes béquilles, c'est place assise garantie dans les transports.

— Ne sois pas ridicule, m'a rétorqué Kathy. Dans cette maison, il faut assumer les conséquences de ses actes.

— Mais c'était un accident, j'étais super énervante. En temps normal, votre fils ne fait jamais de mal à personne. Ça ne se reproduira plus.

Autant parler à un mur. Rien de ce que j'ai pu dire n'a fait vaciller Kathy et Shen Lee. Une demi-heure plus tard, Michael me raccompagnait en voiture, et mes béquilles lui tombaient dans la figure chaque fois qu'il bougeait la tête.

Maintenant que l'histoire entre Barney et Scarlett était réglée, nous n'avions plus rien à nous dire.

— Je suis désolé, pour ma mère, a-t-il enfin lâché en arrivant dans ma rue. C'est très dur de refuser quelque chose à sa mère, tu ne trouves pas ?

— Pas vraiment. Je n'ai aucun problème à dire non à la mienne, ai-je répondu avant de lui montrer l'autre côté de la chaussée. Tu peux te coincer derrière la camionnette blanche, là.

— Bon, à quelle heure je passe te chercher, demain ? m'a-t-il demandé d'une voix résignée pendant que je détachais ma ceinture de sécurité.

— Ne viens pas, me suis-je empressée de répondre en essayant de récupérer mes béquilles sur le siège arrière. Je m'en sortirai très bien toute seule.

— Mais j'ai promis.

Michael est descendu de voiture pour m'ouvrir la portière, comme si j'avais aussi perdu l'usage de mes bras dans la bataille. Bien que je ne sois pas le genre de féministe à pousser les hauts cris chaque fois qu'un gars me tient la porte, ça ne me plaisait pas trop. Surtout qu'il avait l'air de faire ça pour être le gars sur qui on peut compter, et pas spécialement pour faire preuve de courtoisie.

— Eh bien, tu n'as qu'à rompre ta promesse, ai-je répliqué.

Je lui ai fourré mes béquilles dans les mains en pestant furieusement quand il a essayé de me prendre par le bras pour m'aider à sortir de la voiture.

— Je t'emmènerai, que tu le veuilles ou non, a-t-il déclaré d'un air sombre en me rendant mes béquilles. Alors, à quelle heure ?

— Ça ne me convient pas du tout, donc je ne te donnerai pas d'heure et comme tu ne connais pas le numéro de mon appartement, tu ne pourras pas sonner chez moi. Et même si je te vois devant en train d'attendre, tu ne pourras pas *concrètement* me faire monter dans ta voiture.

— Je te parie que j'y arriverai si je veux, a-t-il lancé en me contemplant de haut en bas tandis que je mettais mes béquilles en place avant de traverser avec la plus grande prudence. Écoute, Jeane, sois raisonnable, pour une fois dans ta vie. Je t'ai fait tomber de vélo, j'ai promis à mes parents que je m'occuperai de tes trajets entre le lycée et chez toi, c'est ce que je vais faire.

— Écoute, Michael, être raisonnable, c'est pas mon truc. Ça ne me réussit pas et ce que tu as dit à tes parents n'est pas mon problème. Pars un peu plus tôt le matin, mais ne viens pas me chercher. Ce sera notre petit secret.

Il était inutile de discuter avec moi. De gens plus forts que Michael s'y étaient essayés et avaient échoué lamentablement.

— Bon, a-t-il soupiré. Très bien. J'espère que tu ne trouveras jamais de place dans le bus, ça t'apprendra à être aussi bornée et agressive, ma vieille.

— C'est ça… ai-je conclu.

J'aurais bien aimé filer au pas de charge, mais j'ai dû me contenter de me traîner à deux à l'heure, menton levé, et franchement, pour le panache, ça ne faisait pas le même effet.

～ *10* ～

Je pourrais prétendre que la vie était revenue à la normale après la rupture entre Scarlett et moi, mais ce serait mentir. La vie n'était pas normale. Rien n'allait.

Pour commencer, tout le monde savait que je m'étais fait larguer – même s'ils ignoraient dans quelles douloureuses et humiliantes circonstances. Et aussi que Barney et Scarlett sortaient ensemble, parce qu'ils se tenaient par la main à tout bout de champ. Il n'était donc pas étonnant que les ragots aillent bon train sur mon passage.

Je mettais un point d'honneur à saluer Barney et Scarlett pour bien montrer que je ne leur en voulais pas et que leur relation ne me posait aucun problème. Mais mon ego avait souffert, je consacrais une grande partie de ma journée à ruminer et j'avais l'impression d'avoir laissé des plumes dans la bataille. J'étais aussi devenu très susceptible.

Mon extrême irritabilité n'avait pas grand-chose à voir avec Barney et Scarlett, tout à voir avec Jeane Smith, qui avait le don de m'agacer au possible. Je trouvais, il est vrai, un certain réconfort dans l'idée que je n'avais pas été le seul à me faire larguer, mais au moins j'avais mes potes pour me taper dans le dos et me remonter le moral avec des phrases comme « une de perdue, dix de retrouvées » ou

« elle ne sait pas ce qu'elle rate, Mikey », et puis je recevais des textos de filles parmi lesquelles Heidi, d'ailleurs qui m'assuraient qu'elles étaient là pour moi si jamais j'avais besoin de parler.

Mais Jeane… Jeane n'avait personne, elle, et je me sentais désolé pour elle, bien qu'elle ne mérite en rien ma compassion, surtout qu'elle exécutait un maladroit demi-tour à cent quatre-vingts degrés sur ses béquilles chaque fois qu'elle m'apercevait. Mais je voyais bien qu'elle n'était pas en forme. Pour commencer, elle ne jouait plus la carte fluo – le mercredi, elle avait même opté pour du kaki et prune (moi, j'aurais dit violet, mais sur son blog, elle insistait pour appeler cette couleur « prune » – non que je le lise tous les jours, mais il se trouve que j'y avais jeté un coup d'œil, ce matin-là). À mon avis, dans le monde de Jeane, ça devait être à peu près l'équivalent du noir. Elle faisait même profil bas sur les réseaux sociaux. Au lieu de causer pâtisserie sur Twitter, elle compilait une liste des injustices faites aux femmes un peu partout sur la planète. Je ne m'étais jamais rendu compte à quel point les filles ont la vie dure, mais apparemment, certaines se faisaient lapider ou jeter de l'acide à la figure simplement parce qu'elles voulaient avoir accès à l'éducation, tandis que d'autres se voyaient refuser la pilule du lendemain par des pharmaciens, dans des petites villes des États-Unis. Aussi, quand Jeane, pour varier les plaisirs, a envoyé une photo de sa cheville avec son sublime dégradé en Technicolor, ça m'a fait comme un soulagement.

Le vendredi, j'ai commencé à me sentir mieux. Une grosse fête était organisée le samedi soir et je m'étais fait dragouiller par SMS. La très snob Lucy, qui fréquentait l'école privée de filles, s'était en effet renseignée :

Lucy la snob était bien foutue, elle n'avait pas froid aux yeux, ne portait pas de fringues bizarres, autrement dit elle avait tout ce qu'il fallait pour me remettre de bonne humeur. Encore mieux, je venais de recevoir un coup de fil de la boutique me prévenant que le vélo de Jeane était prêt. J'allais régler la facture, lui ramener sa bécane et je n'aurais plus jamais affaire à cette fille.

Je me fichais pas mal d'être obligé de demander à Scarlett de demander à Barney d'informer Jeane que son vélo serait disponible après les cours. Je n'avais pas son numéro de téléphone, il n'y avait pas moyen que je lui envoie un e-mail par son site Web et je n'allais sûrement pas lui tweeter l'info, puisqu'elle ignorait que j'étais ce fameux @superdimsum qui lui avait fait parvenir des liens montrant des chiens surfeurs.

J'ai donc eu un gros choc, juste après avoir donné à Colin, le réparateur de vélo, soixante de mes livres sterling chèrement gagnées, lorsque je me suis trouvé nez à nez avec Jeane en train de franchir la porte en boitant, sans béquilles, mais le visage fendu d'un grand sourire. Qui a disparu à l'instant où elle m'a vu.

— Qu'est-ce que tu fais là ? a-t-elle demandé. Ça ne faisait pas partie du plan.

— Je ne pouvais pas régler Colin tant qu'il ne savait pas exactement ce qui avait besoin d'être réparé, ai-je répliqué avec mauvaise humeur. Crois-moi, si tu avais pris la peine de me préciser à quelle heure tu comptais faire ton apparition, je me serais arrangé pour me tenir à distance.

— Si tu ne m'avais pas *poussée* de mon vélo, pour commencer, nous ne serions jamais venus ici ni l'un ni l'autre, a-t-elle dit en croisant les bras. Va-t'en.

Colin a toussé ostensiblement, nous nous sommes retournés pour le regarder. Il avait une cinquantaine d'années, des tatouages absolument partout à l'exception de son crâne rasé (ce qu'on ne pouvait ignorer puisqu'il était en short, malgré la froideur glaciale de ce jour d'octobre) et plusieurs piercings au visage qui semblaient douloureux. Bref, il était intimidant et ce n'est pas forcément le genre de type qu'on a envie de croiser quand une fille vous accuse haut et fort de l'avoir *poussée* de son vélo.

— Est-ce que tu veux que j'aille lui dire un mot dans l'arrière-boutique, Jeane ?

Je n'ai jamais eu autant la frousse. J'ai cru que j'allais vomir, tomber à genoux en pleurant : « Je vous en supplie, ne me faites pas de mal ! » Heureusement, Jeane m'a sauvé.

— Bon, il ne m'a pas vraiment poussée de mon vélo. Il n'a pas fait exprès, du moins, a-t-elle concédé. Ce qui ne t'empêche pas de lui dire deux mots dans l'arrière-boutique, si ça te chante.

— Et pourquoi voudrait-on faire du mal à une adorable petite fille comme toi ? a demandé Colin en m'adressant un clin d'œil.

Ce qui devait signifier qu'il n'y avait pas de problème, que je n'avais donc pas à craindre pour ma sécurité personnelle.

— En tout cas, j'ai redressé la roue, je me suis occupé des vitesses, des freins et je t'ai regraissé la chaîne. Mary est comme neuve, a-t-il repris.

Jeane s'est approchée. En général, quand elle se trouvait près de moi, je ne voyais qu'une chose, ses fringues bariolées, mais aujourd'hui, sa robe bleu marine et ses collants moutarde n'ont pas réussi à détourner mon attention de la pâleur de son visage et des ombres sous ses yeux. Elle avait l'air perdue. Elle n'était pas jolie, même pas un peu, mais elle avait une flamme en elle, qui pour l'instant semblait s'être éteinte.

À mon retour à la maison, après l'avoir raccompagnée chez elle la semaine précédente, je m'étais attendu à me prendre une attaque en règle de la part de ma mère à propos de Jeane et de mes intentions la concernant, mais elle s'était contentée de secouer la tête en disant :

— Cette gamine a l'air très malheureuse.

J'avais essayé d'en rire.

— Elle est un million de fois plus forte qu'elle n'en a l'air.

— Pas du tout, a simplement répondu ma mère. Elle est tellement fragile qu'il suffirait d'un gros choc pour la briser.

Sur le coup, je n'y avais pas prêté attention. Ma mère lisait Tolstoï pour son club de lecture, ce devait être l'explication. Je n'ai jamais rien lu de Tolstoï, mais ce sont des livres longs, pleins de personnages avec des noms russes dont on ne se souvient jamais et, à en croire mon père, c'était ce qui expliquait la mauvaise humeur de ma mère depuis des semaines. D'ailleurs, le jour où Alice avait repeint aux Crayola le mur de l'entrée, j'avais bien cru que ma mère allait la faire adopter.

Maintenant, en voyant Jeane monter sur son vélo pour vérifier si la selle avait besoin d'être réglée, les mots de ma mère à son sujet me revenaient.

J'avais beaucoup d'amis, que ce soit au lycée ou en dehors. Jeane semblait en avoir beaucoup moins, si ce n'étaient les gens qui la suivaient sur Twitter, mais je ne les comptais pas. Les vrais amis étaient là quand on avait besoin d'eux. Je pouvais être là pour Jeane. Pas en tant qu'ami. Mon Dieu non ! Mais si je la traitais de façon amicale, peut-être que les autres feraient un effort. Ça n'était pas compliqué de lui dire « Salut ça va ? » quand on se croisait dans les couloirs. C'était tout à fait dans mes cordes.

— Qu'est-ce que tu fiches encore ici ? a demandé une voix grincheuse.

Je me suis alors rendu compte que Jeane essayait de sortir de l'atelier, mais que je me tenais au beau milieu du passage, sûrement avec un air abruti.

Je lui ai ouvert la porte, ce qui m'a valu un nouveau regard noir de sa part, puis, alors qu'elle entassait son sac et le reste de ses affaires dans ses sacoches, je n'ai pas pu résister à l'envie de lui poser la question qui me tracassait depuis plusieurs jours :

— Sans parler de l'incident du vélo, pourquoi tu ne m'aimes pas ?

Jeane a levé au ciel ses yeux cernés.

— Je n'ai pas de temps à perdre avec ce genre de choses.

— Attends, c'est une question pertinente, quand même.

J'ai posé les mains sur le guidon de son vélo, elle a grimacé alors même qu'elle n'était pas encore dessus.

Elle a bien réfléchi trois secondes avant de répondre :

— Je ne t'aime pas, c'est tout, a-t-elle dit d'un ton neutre, ce qui était encore pire qu'un ton hargneux. Tu as peut-être du mal à l'accepter, mais toutes les personnes que tu croiseras dans ta vie ne te considéreront pas comme le centre du monde, autant t'habituer dès maintenant.

J'ai préféré ne pas relever.

— Mais qu'est-ce que tu n'aimes pas, précisément, chez moi ? Donne-moi un exemple. Non ! Trois exemples.

Jeane étant Jeane, elle trouverait forcément une raison, mais si elle avait au moins trois arguments crédibles pour me détester, alors, sur ces points au moins, j'allais devoir faire des efforts.

— Non, mais c'est quoi le problème ? Toi non plus tu ne m'aimes pas ! a-t-elle rétorqué.

— Mais si !

— C'est vraiment du grand n'importe quoi et tu le sais, a-t-elle raillé.

— Ce n'est pas que je ne t'aime pas.

Ce n'était pas ce que je voulais dire.

— Je suis ouvert à l'idée de t'apprécier, mais tu ne me facilites pas la tâche, ai-je résumé.

— Pourquoi faudrait-il que ce soit facile ? a voulu savoir Jeane. Qu'est-ce qui te fait croire que quelqu'un comme *toi* mérites d'être ami avec quelqu'un comme *moi* ?

Elle s'est redressée de toute sa taille, ce qui n'avait rien d'impressionnant.

— Tu sais combien j'ai de followers sur Twitter ? a-t-elle ajouté.

Je le savais et j'en faisais partie, mais...

— Internet ne compte pas. Je te parie que la moitié des gens qui te suivent sur Twitter sont des quarantenaires à l'hygiène douteuse qui vivent encore chez leur mère, et les autres, des spammers qui veulent que tu cliques sur leurs liens pourris pour infecter ton ordinateur avec des virus.

— Pas du tout ! Ils sont réels. La majorité, du moins. Ce n'est pas parce qu'on interagit avec des gens en ligne qu'il faut dénigrer ce type d'amitié, a argumenté Jeane. On est au XXIe siècle, merde.

— Et où étaient tous tes petits copains d'Internet quand tu t'es foulé la cheville ?

Jeane s'est quasiment mise à hurler d'incrédulité.

— Quand *je* me suis foulé la cheville ? *Moi ?* Mais ce n'est pas moi, c'est toi qui m'as poussée de vélo !

Je ne sais pas trop comment je suis passé du mode apitoiement pour Jeane Smith à la provocation, qui, immanquablement, se finissait en esclandre. En fait, elle se la pétait tellement, elle méritait que quelqu'un la remette à sa place et puis… et puis… ses réactions étaient toujours d'une telle beauté. Il suffisait d'allumer la mèche, de reculer et de la regarder exploser. Sauf que, en l'occurrence, j'ai oublié de reculer, alors elle a commencé à agiter le doigt dans ma direction et même, de temps à autre, à le pointer sur ma poitrine. Dingue, toute la force qu'elle pouvait mettre dans ce tout petit index boudiné.

— Enfin, bon, bref, ai-je dit de ma voix la plus traînante, la plus lasse, la plus blasée. Tu t'es fait une entorse et où étaient donc tes followers, à ce moment-là ? Se sont-ils précipités chez toi armés de raisin et d'ibuprofène ? Et est-ce qu'ils sont présents au lycée ou bien est-ce que tu es obligée d'aller te cacher pour tricoter et jouer l'excentrique à deux balles, toute seule dans ton coin ?

— Comment oses-tu ? Comment *oses*-tu ? Tu sais quoi ? Tu te prends vraiment pour un caïd au lycée, mais tu vis les meilleurs jours de ta vie. Profites-en, tu n'auras jamais mieux, a craché Jeane. Tu n'es qu'un gros poisson rouge débile qui nage dans un minuscule bocal merdique, mais bientôt le bocal va grandir, grandir. Toi tu vas devenir de plus en plus petit, tu ne seras plus que du menu fretin et, pendant que tu t'habitueras à la médiocrité de ta pauvre petite vie confinée, moi je commencerai tout juste à m'épanouir. Tu me prends peut-être pour une pauvre fille solitaire, mais au moins je n'ai pas peur d'être qui je suis.

Son doigt était comme un fer à marquer qui imprimait un tatouage furieux, douloureux dans mon cœur et je n'avais qu'un moyen de l'arrêter, lui attraper le poignet. J'ai été étonné de sentir sa peau si chaude sous mes doigts. Je m'attendais à ce qu'elle se mette à crier, mais elle me regardait avec confusion, les yeux plissés, comme si elle ne savait pas trop ce que je faisais ni pourquoi je le faisais.

Moi non plus d'ailleurs. Mais il y avait une chose qu'elle devait savoir.

— Je n'ai pas peur d'être qui je suis, ai-je affirmé à mon tour.

Elle a secoué la tête.

— Tu ne sais même pas qui tu es, a-t-elle rétorqué d'une voix beaucoup plus calme, comme si elle n'essayait pas de me blesser, mais simplement d'énoncer une vérité absolue. Tu es seulement ce que les autres veulent que tu sois.

J'ai peut-être embrassé Jeane histoire de lui fermer le clapet. Ou peut-être parce que c'était le moyen le plus facile de lui montrer que je n'étais pas celui qu'elle croyait, que j'étais peut-être plus profond qu'elle ne l'imaginait, après tout. Mais j'ai surtout l'horrible impression que je l'ai embrassée parce que j'en ai eu envie.

À un moment, nous étions dans la rue, avec le vélo entre nous, et l'instant d'après, nous étions en train de nous embrasser. Les gens racontent toujours « Et là, tout d'un coup, on s'est embrassés », c'était un truc que je n'avais jamais compris. Il me semblait qu'un baiser était toujours précédé de quelque chose. Mais cette fois, vraiment, il n'y a rien eu.

C'était moi, *moi*, Michael Lee, et j'embrassais Jeane Smith.

~ 11 ~

J'ai embrassé Michael Lee.

Cinq mots que je n'aurais jamais cru écrire. Cinq mots dont je n'aurais jamais pu imaginer qu'ils pouvaient se retrouver couchés sur le papier côte à côte, même dans mes rêves les plus fous (plus encore que ceux provoqués par le brownie aux dattes que j'avais un jour avalé et qui s'était révélé fourré à l'herbe).

Je ne sais même pas pourquoi je l'ai embrassé. Peut-être pour secouer un peu sa petite vie pathétique et bien tranquille. Pour lui montrer que tout était possible. Sûrement pas parce que j'en avais envie, en tout cas.

Pourtant je l'ai bel et bien embrassé et je ne pensais alors qu'à une chose : *Mon Dieu, mais pourquoi j'embrasse Michael Lee ?*

Après, je suis passé à : *Non, mais c'est pas possible. Pourquoi je suis* encore *en train d'embrasser Michael Lee ?* Du coup, je me suis écartée, mais je vais lui laisser le bénéfice du doute : je crois qu'il a reculé pile au même moment.

Je ne savais pas quoi dire, ce qui ne m'arrive jamais, parce que je trouve toujours comment rebondir, en toutes circonstances. Michael Lee, lui, avait la tête du Coyote quand il se rend compte qu'il a couru dans le vide et s'apprête à tomber dans un ravin rocheux rempli de cactus. Bref, la tête du gars dont le système de références tout entier vient d'être pulvérisé, réduit en miettes.

Nous sommes restés là, sans parler, à nous dévisager. Ça a paru durer une éternité, une éternité et demie. J'aurais voulu détourner le regard, mais impossible. Ça a été un soulagement lorsque Michael Lee a cessé de me fixer pour se concentrer sur le sol.

— Bon, ça devait finir par arriver, ai-je affirmé calmement.

Inutile de verser dans l'hystérie, les faits étaient là : nous nous étions embrassés. J'avais embrassé Michael Lee. Je n'ai pas pu m'en empêcher : je me suis essuyé la bouche du dos de la main.

— Toute cette énergie négative entre nous… il fallait bien qu'elle se transforme, ai-je ajouté.

Il a froncé les sourcils, puis il a relevé la tête pour fixer mes lèvres comme s'il n'arrivait pas à croire que deux minutes plus tôt il avait les siennes collées juste là.

— Ouais, carrément. Ouais. Toutes ces chamailleries. Forcément, fallait que ça mène quelque part, a-t-il dit avant de secouer la tête. C'était trop bizarre.

J'ai hoché la tête et j'ai récupéré Mary.

— Au moins, cette fois, tu ne m'as pas poussée de mon vélo…

Ça a suffi pour effacer le doute de son visage.

— Pour la millième fois, je n'ai pas fait exprès !

Il parvenait à nouveau à faire des phrases complètes.

— Je sais. C'était une blague. Tu sais ce qu'est une blague, au moins ?

Je suis montée en selle et, tout doucement, je me suis dirigée vers la bordure du trottoir. Ma cheville semblait tenir.

— Bref, on l'a fait. Ça ne se reproduira plus et si tu en parles à qui que ce soit, je nierai tout en bloc, ai-je conclu.

— Comme si c'était crédible, de toute façon, a commenté Michael.

Là, il a passé la main dans ses cheveux, ce qui a défait sa fausse crête. Détail énervant, ce côté négligé lui donnait un air très mignon, pas du tout mon genre pour autant.

— Promets que tu ne le diras absolument à personne, a-t-il ajouté.

— Tu sais vraiment comment faire craquer les filles, lui ai-je lancé en m'assurant qu'aucune voiture n'arrivait. Ne t'en fais pas, ton secret sera bien gardé avec moi.

J'étais aussi tétanisée que lui par ce baiser, mais était-il vraiment obligé de souligner qu'il était à ce point répugné par le contact de mes lèvres ?

Je suis partie sans me retourner, passant outre la petite douleur dans ma cheville, même, parce que ce n'était pas important. L'urgence, pour l'instant, c'était de m'éloigner le plus possible de Michael Lee.

Et voilà, c'était tout. Vraiment. Les jours ont passé. J'ai blogué, j'ai tweeté. J'ai surveillé les tendances. J'ai même traîné avec Barney et Scarlett pour bien montrer comme nous étions matures, tous les trois (enfin, je savais déjà que j'étais quelqu'un de mature, Barney, lui, ça dépend des moments, quant à Scarlett, je ne crois pas qu'elle le sera jamais, même si elle atteint les cent cinq ans).

Barney avait insisté pour qu'on déjeune ensemble à la cafétéria du lycée tous les trois, manière de bien faire savoir combien la situation était cool, civilisée entre nous. Je crois qu'il avait aussi dans l'idée de m'amener doucement vers la société mainstream, comme si ça faisait partie de mes ambitions.

Le problème, déjà, c'est que mon déjeuner consistait ce jour-là en trois tasses de café instantané du distributeur, un muffin à la banane et un paquet de Haribo Pik. La rédaction d'un article sur les jeunes et leurs tribus pour un magazine allemand m'avait tenue éveillée jusqu'à 5 heures du matin, j'avais besoin de tous les stimulants artificiels à ma disposition.

Pendant que Barney s'échinait à nous trouver un sujet de conversation commun, mon genou ne cessait de s'agiter et de cogner contre le pied de la table. Certes, Scarlett n'était pas tout à fait la pauvre fille insipide que je m'étais imaginée au départ, mais une fois qu'elle avait passé en revue les derniers rebondissements des feuilletons en cours, elle n'avait plus rien à dire. Barney et moi avons commencé à discuter d'un roman graphique japonais que nous avions lu tous les deux, mais nous avons été forcés de nous interrompre très vite parce que Scarlett ne savait pas de quoi il retournait.

C'était atroce. Et soudain Heidi/Hilda s'est pointée, avec le reste des copines de Scarlett. Elles nous ont clairement signifié être très amusées de nous voir ensemble tous les trois, et souhaiter nous observer de près. Je n'avais pas signé pour être examinée à la loupe par ce genre de personnes que je fuyais comme la peste dans les couloirs.

— Bon, c'était super, mais j'ai vraiment des trucs à faire, me suis-je donc excusée en me levant.

J'ai étiré ma bouche en un sourire, qui m'a fait l'impression d'une douloureuse grimace.

— Merci de m'avoir briefée sur les derniers potins de *Hollyoaks*.

Cette remarque a paru un peu agacer Scarlett, pourtant, quand je l'avais préparée dans ma tête, je n'avais pas spécialement voulu lui donner une tournure aussi sarcastique. Mais bon, que pouvais-je y faire ? Et puis ça n'a pas eu l'air de déranger tant que ça Barney, qui se trouvait pour sa part en pleine conversation avec une certaine Mads – comme si Mads et lui pouvaient avoir des sujets en commun.

Tout ça était très bizarre, ai-je songé en quittant la cantine et c'est à ce moment-là que je suis tombée pile sur Michael Lee. Je me suis surprise à rougir alors qu'en règle générale, je ne rougis pas. C'est bon pour les mauviettes.

— Tiens, salut, a-t-il dit, étonné, en piquant un fard lui aussi. Comment ça va ?

— Je vais bien.

Voir Barney sympathiser avec les envahisseurs, enchaîner sur une rencontre inopinée avec Michael Lee qui, forcément, me rappelait le baiser… Tout cela confondu a contribué à faire disjoncter cette partie de mon cerveau censée produire des répliques acerbes.

— Justement, je voulais te voir, ai-je ajouté.

Il s'est raidi. *Ouh là, pas de panique.* Il avait l'air tendu, affligé, soupçonneux, comme s'il était persuadé que je n'attendais qu'une chose : ravager à nouveau sa pauvre petite bouche sans défense, alors que franchement, pas du tout.

— Pourquoi, qu'est-ce qu'il y a ?

— Il faut que je te rende les béquilles que ton père m'a prêtées, elles sont dans mon casier.

Michael a poussé un soupir de soulagement.

— Ah, oui ! D'accord ! Tu veux que je les récupère tout de suite ou bien on se retrouve à la sortie ?

— On n'a qu'à faire ça maintenant, ai-je décidé.

Il restait encore dix minutes avant le début des cours de l'après-midi, et ça me permettait d'abréger cette conversation gênée. J'avais eu ma dose pour la semaine.

On n'a pas échangé un seul mot en chemin. Michael Lee marchait d'un côté du couloir, moi de l'autre. Il s'est adossé au mur, le temps que j'ouvre mon casier, en me préparant à affronter l'avalanche de cochonneries sur le point de s'abattre sur moi, comme toujours. Coup de bol, parmi les premiers objets à me tomber dessus, il y avait une béquille.

— Il n'en manque plus qu'une, ai-je remarqué en la ramassant.

J'ai entrepris d'extirper la seconde tout en empêchant la chute de livres, de Tupperware et de *trucs*, quoi.

— Qu'est-ce que tu entasses là-dedans, exactement ? s'est renseigné Michael en se penchant par-dessus mon épaule pour mieux voir. Ce n'est quand même pas un bocal entier rempli de bonbons ?

— Mais non, pas du tout, ai-je répliqué en empoignant la béquille d'une main avant de refermer très vite mon casier, de l'autre.

Le bocal de bonbons était seulement aux trois quarts plein. Je me suis retournée et Michael se tenait toujours juste derrière moi, donc nous nous sommes retrouvés *nez à nez*. Nous nous touchions presque, seulement séparés par une paire de béquilles. Je ne comprenais pas comment on avait réussi à s'embrasser la première fois, parce que je pouvais constater que ma bouche arrivait à hauteur du petit creux entre le dernier bouton de sa chemise et sa pomme d'Adam.

Donc, pour qu'un baiser ait été possible entre nous, j'avais dû me hisser sur la pointe des pieds, quant à Michael Lee, il s'était forcément penché vers moi, ce qui suggérait que ce fameux baiser avait été mutuel. Que nous étions l'un comme l'autre consentants. Voilà une théorie qui méritait réflexion. Une sérieuse réflexion. Parce que concrètement, même debout sur la pointe de la pointe de mes orteils, jamais je n'aurais pu atteindre la bouche de Michael si celui-ci n'avait pas baissé la tête, un peu comme il le faisait maintenant.

Je crois que cette fois, en revanche, c'est *lui* qui m'a embrassée. La seule chose que je faisais avec ma bouche, c'était l'ouvrir pour lui demander de dégager de mon espace vital. Il ne s'est pas contenté d'effleurer mes lèvres, non, c'était un vrai baiser, à la fois ferme et souple. Et moi, au lieu de flipper, je me suis laissé embrasser, et j'envisageais même de lui rendre ce baiser quand soudain j'ai entendu des bruits de voix, de grands claquements de porte et la sonnerie qui annonçait le début des cours de l'après-midi.

Nous nous sommes écartés d'un bond une nanoseconde avant que le couloir se trouve envahi par les première. J'ai fourré la deuxième béquille entre les mains de Michael, qui l'a attrapée. Après ça, il est resté là à ouvrir et refermer la bouche, avec un air d'empoté, grave.

— Bon, voilà, tu as récupéré les béquilles, ai-je dit d'un petit ton sec, parce qu'il fallait bien que quelqu'un reprenne le contrôle de la situation. Nous n'aurons absolument plus aucune raison de nous contacter à l'avenir.

— Ouais, ouais. Plus de raison du tout, a-t-il répondu en écho, en se frottant le menton.

Du bout de ses doigts, il a frôlé sa lèvre inférieure. Et je me suis rendu compte que je fixais sa bouche comme s'il s'agissait de la source de toute joie et du bien-être absolu.

Lui me dévisageait comme si j'étais une espèce nouvelle qu'il découvrait pour la première fois.

— J'y vais… maintenant, ai-je conclu.

Michael a ouvert, refermé la bouche plusieurs fois d'affilée et, lorsqu'il a paru clair qu'aucun mot articulé ne franchirait ses lèvres, je me suis éloignée.

~ *12* ~

Le premier baiser, c'était un simple concours de circonstances.

Le deuxième, c'était histoire de vérifier que ce n'était rien de plus.

Pour les autres après ça, il n'y a plus eu d'excuses.

Pour le troisième, Jeane passait à côté de ma voiture pile au moment où je quittais le lycée le jeudi après-midi, jour où je termine une heure plus tôt. Je suis sûr qu'elle était censée être en cours, mais elle traversait le parking dans ma direction, l'air morose. J'ai posé mon sac sur le capot, du coup, quand elle est arrivée à ma hauteur, j'avais les mains libres et j'ai pu l'attirer vers moi pour l'embrasser.

Le quatrième a eu lieu dans le minuscule escalier en colimaçon qui relie le deuxième étage au studio d'arts plastiques, sous les combles. Jeane avait l'habitude de camper là à la récré, quand il faisait trop froid et humide pour rôder autour de l'abri à vélos. Je ne sais pas comment je le sais, mais je le sais. Personne d'autre qu'elle ne vient jamais là, alors que l'endroit est bien chauffé et douillet – peut-être parce que tout le lycée est au courant que c'est un des coins préférés de Jeane et qu'elle tuerait d'un simple regard le premier idiot à s'aventurer dans les parages.

Quand elle m'a vu planté en bas de l'escalier, elle a levé les yeux de son ordinateur portable, l'a posé quelques marches au-dessus d'elle, puis elle m'a attendu, les mains sur les genoux. Je me suis assis sur la marche juste en dessous, ce qui nous a mis presque à niveau, elle et moi. Le cou un peu de travers, dans une position un peu tordue, nous nous sommes embrassés pendant dix bonnes minutes sans interruption.

Jeane était la neuvième fille que j'embrassais, mais ses baisers ne ressemblaient en rien à ceux des huit autres. Elle avait un goût à la fois sucré et salé, et puis elle embrassait comme si sa vie en dépendait. Comme si je partais à la guerre ou comme si c'était la fin du monde, carrément. Ça n'avait rien de progressif, ça n'était pas précédé de petits mordillements, de petits bisous maladroits d'introduction – avec elle, c'était BOUM, direct !

Et puis tout ça se terminait comme ça avait commencé. Nous nous reculions pour laisser entre nous autant de distance que possible sans jamais dire un mot sur ce qui venait de se passer. Nous ne nous adressions pas du tout la parole.

Je ne sais pas si elle se servait de moi ou moi d'elle. Et je ne comprenais toujours pas pourquoi j'embrassais quelqu'un que je n'aurais jamais dû embrasser. C'est vrai, elle n'était ni mignonne, ni craquante, ni cool, ni aucune autre des qualités que je recherche chez une petite amie. Assez logiquement, j'avais envie de sortir avec quelqu'un d'agréable à regarder, un peu comme quand j'ai le choix entre deux chemises, je sélectionne toujours la plus belle.

En plus, ce n'était pas comme si Jeane était secrètement jolie. Admettons, une fois débarrassée de ses horribles cheveux gris, de ses effroyables vêtements et de ses immondes chaussures, elle aurait *peut-être* pu être relativement mignonne. Ou même quelconque, ordinaire, ce qui n'était quand même pas aussi pire que, disons, moche.

Bref.

Tout ça restait bizarre, ça clochait complètement, je ne savais pas ce que je faisais, ni pourquoi. Seulement qu'il fallait que ça cesse.

Donc, deux semaines après le début de ces baisers en série, alors que nous nous trouvions à nouveau blottis dans l'escalier qui va en salle d'arts plastiques, Jeane sur mes genoux, parce que c'était la position la plus confortable pour s'embrasser, alors que ses ongles courts me grattaient doucement la nuque, et que sa langue dansait dans ma bouche, j'étais bien décidé à mettre un terme à tout ça.

Je me suis reculé, elle a lâché un petit soupir et s'est assise à côté de moi en tapotant ses cheveux.

— Il faut qu'on arrête, ai-je déclaré avec fermeté.

Je crois que c'étaient les premiers mots que je lui adressais en quinze jours.

Elle n'a pas paru étonnée.

— Je sais, a-t-elle répondu en fouillant dans son grand sac.

Elle se trimbalait en permanence au moins deux sacs, sans compter les livres et les classeurs. Comment peut-on avoir besoin d'autant d'affaires ?

— Se cacher tout le temps, la jouer furtif dans les couloirs, ça me prend la tête, ai-je continué.

Son visage était aussi inexpressif qu'une feuille de papier vierge, je n'avais pas la moindre idée de ce qu'elle en pensait.

— Alors, qu'est-ce que tu proposes ? a-t-elle demandé d'un ton calme.

Tout arrêter, et sur-le-champ. On jure l'un comme l'autre de ne jamais en souffler mot à quiconque et on reprend le cours de notre vie, ai-je pensé. Je me suis éclairci la gorge.

— Eh bien, on pourrait se voir en dehors du lycée. Si tu veux…

Elle a eu le culot de sourire. Un petit sourire triomphant qui m'a donné envie de me jeter la tête la première dans l'escalier pour finir amnésique et ne plus jamais me souvenir de ce moment, trente secondes plus tôt, durant lequel j'ai plus ou moins invité Jeane Smith à sortir avec moi.

— Je vais y réfléchir, a-t-elle répliqué en s'emparant de son téléphone. Donne-moi ton numéro.

— Hum, pourquoi ?

— Allô ? Pour que je puisse t'informer par texto de ce que j'ai décidé.

Elle m'a interrogé du regard et a repris :

— Sauf si tu as changé d'avis, parce qu'après tout, on peut continuer comme ça, ou pas, d'ailleurs. L'un ou l'autre, ça ne me dérange pas.

Hors de question de laisser Jeane mener la barque de bout en bout.

— Moi, c'est pareil, me suis-je empressé de répondre.

Avec elle, je finis toujours par perdre mon sang-froid.

— C'est vrai, on pourrait juste ne rien faire du tout, ai-je précisé.

— Alors, qu'est-ce que tu décides ?

Elle avait l'air fâchée, mais pas autant que d'habitude, c'était peut-être le signe qu'elle était aussi flippée que moi par cette affaire.

— Ah, non ! Que je veuille continuer ou arrêter, tu le retiendras contre moi, ai-je protesté.

Jeane a mis les mains sur ses hanches.

— Pourquoi je ferais une chose pareille ?

— Parce que c'est ce que tu fais ! ai-je rétorqué en posant les coudes sur mes genoux. Tout ça n'est qu'un piège maléfique, non ? En fait, c'était une expérience psycho-sexuelle pour ton blog ? Les gens vont laisser des commentaires méchants sur moi ?

— Tu ne crois pas que tu es un brin paranoïaque ? a-t-elle demandé d'une voix douce. Sur Internet, je ne m'en prends pas aux gens que je connais dans la réalité, c'est une des pierres angulaires de ma philosophie de blogueuse. Ça irait complètement à l'encontre de l'esprit général de la marque Irresistibly Geek.

— Ben voyons.

Elle avait écrit un post sur Barney, c'était dire le sérieux de sa philosophie. Quoi qu'il en soit, elle avait l'air de croire dur comme fer qu'elle participait à l'émergence d'une race supérieure de geek.

— C'est compliqué... ai-je commencé.

— J'ai cours d'arts plastiques dans cinq minutes, alors je vais te demander d'aller poursuivre ta petite crise existentielle ailleurs avant que Mme Spiers et le reste de la classe arrivent.

Elle a gravi l'escalier avec majesté pour aller s'asseoir sur la marche la plus haute.

— Tu ne peux pas m'en vouloir de ne pas te faire confiance, ai-je souligné. Je me doute que tu adorerais te venger de moi.

C'est vrai, pour quelle autre raison, sinon, Jeane aurait-elle soudainement envie de me rouler des pelles ? Aucune. Surtout quand on la voyait comme ça, l'air sur le point de redescendre l'escalier pour m'envoyer un coup de genou bien placé.

— Non, mais attends un peu ! Je suis parfaitement digne de confiance ! Tu le saurais si tu me connaissais un tant soit peu, au lieu de me juger sur ce que racontent les autres. Crois-moi, je suis bourrée de défauts, mais si tu me demandes de faire quelque chose et que j'accepte, ou si tu as un secret à confier, tu peux compter sur moi jusqu'à la mort.

— Excuse-moi, mais c'est que…

— Tu croyais quoi, exactement, Michael ? Que j'allais te *supplier* de continuer ?

Comment réussissait-elle à faire ça ? J'avais beau être persuadé d'avoir raison, Jeane me sautait dessus en traître et tout à coup j'avais tort.

— Et pourquoi *moi* je t'aurais suppliée, *toi*, alors qu'il y a des tonnes de filles qui veulent sortir avec moi ? Des filles jolies, pas chiantes et pas prise de tête, ai-je affirmé d'un ton furieux.

— Eh bien, va donc les retrouver parce que je refuse de participer plus longtemps à ce… grand n'importe quoi.

Jeane a tenté d'ouvrir la porte de la salle, en vain. Je n'avais plus qu'une solution pour clore cette dispute dont je ne sortirais jamais vainqueur : mettre la plus grande distance possible entre elle et moi.

~ *13* ~

La première fois que j'ai embrassé Michael Lee, c'était un accident. La deuxième, c'était tout simplement de la bêtise. Et les fois d'après pourraient se résumer ainsi : *Non, mais franchement ça va pas bien la tête ?*

Il était évident que cela ne durerait pas, mais je n'aurais jamais cru qu'en guise de conclusion, il me traiterait de super-laideron, de fille pas fiable, calculatrice et somme toute ultramaléfique. Comme si j'allais bloguer sur ce qui se passait entre nous. Comme si j'en étais fière.

En arts plastiques, j'étais censée travailler sur un paysage marin à la con, parce que Mme Spiers m'avait menacée d'un zéro si je m'y refusais. Franchement, ça ne m'aurait pas dérangée, mais puisque j'étais d'humeur, je lui ai peint un océan agité par la tempête dans les tons gris, noir et violet. J'ai ajouté un voilier en train de sombrer, à bord duquel on pouvait distinguer un petit homme ridiculo-minuscule. S'il n'avait pas été d'une taille aussi réduite, je lui aurais même dessiné un tee-shirt Abercrombie & Fitch et une fausse crête, vu qu'il s'agissait de Michael Lee, en plein naufrage sur le bateau de sa misérable vie. Vie qui se résumerait à une source de frustration et de déception lorsqu'il aurait perdu son statut de garçon le plus populaire du lycée et serait forcé de se confronter à la dure réalité.

Bien entendu, je ne pouvais pas raconter ça à Mme Spiers, je lui ai donc décrit mon œuvre comme une métaphore de la sauvagerie de la nature, qui finirait par triompher de tout le mal que lui infligeait l'Homme. Mme Spiers, qui était super-branchée métaphores, est allée jusqu'à me tapoter la tête en déclarant qu'elle fondait de grands espoirs pour moi cette année si je continuais dans cette veine.

C'est cela oui, comme dirait l'autre.

J'avais vraiment hâte de quitter le lycée, mais je me suis préparée mentalement avant d'aller décrocher Mary, au cas où Michael Lee traînerait à proximité de l'abri à vélos pour en rajouter un peu dans les insultes ou, pire, au cas où je finirais encore par l'embrasser. Je devais bien lui accorder une chose, et une seule : il embrassait super bien. C'était d'ailleurs le problème, en grande partie.

J'ai embrassé sept garçons et deux filles. Michael Lee avait indéniablement sa place dans le top trois. Il faisait un truc avec ses dents sur ma lèvre inférieure qui me donnait envie de couiner et de défaillir un peu.

Bref, Michael ne se trouvait pas à l'abri à vélos, ce qui m'arrangeait, parce que ça signifiait que cet épisode, cet épisode idiot qui n'aurait jamais dû commencer entre nous, était terminé. Je me suis même retenue de traverser le parking des profs, au cas où je le croiserais, préférant faire le grand tour par la pelouse et le collège.

Il faisait froid, l'air avait cette morsure tonique de l'automne qui m'a fait penser aux pommes caramélisées, aux balades dans les feuilles qui craquent, aux tasses de chocolat chaud et tous ces trucs vraiment extra, typiques de cette saison. Comme il faisait encore bien jour, j'ai décidé de ne pas rentrer tout de suite, mais d'aller cracher mes poumons sur la colline, et puis j'en ai même grimpé une deuxième et j'ai fini par pousser jusqu'à Hampstead sur mon vélo, que je n'avais toujours pas envie de lâcher.

J'adore pédaler debout, le corps super-penché en avant pour aller trop, trop vite, sentir le vent dans mes cheveux et n'être plus que la douleur qui envahit mes jambes avec chaque accélération du pédalage. Je n'ai plus besoin de penser, je suis.

J'ai continué comme ça jusqu'à Regent's Park, j'ai filé devant le zoo de Londres en tendant le cou pour apercevoir les girafes à travers les branches hautes des platanes et j'ai même envisagé de repartir par le parc, mais la nuit n'allait pas tarder à tomber, alors je suis revenue par Camden, ralentissant pour économiser mes forces en prévision de la grande côte bien raide que je ne pouvais pas éviter pour rentrer chez moi.

Lorsque j'ai franchi ma porte, j'avais les jambes qui flageolaient. Mon Dieu, cet appartement était dans un état ! En temps normal, le désordre ne me dérangeait pas. C'est le signe d'un esprit créatif, après tout, mais là, sur le coup, ça m'a paru simplement comme une énième manifestation du chaos qui régnait dans ma vie.

Le réfrigérateur avait lui aussi été contaminé par l'anarchie. Il ne contenait rien d'utilisable en guise de dîner, or j'avais passé l'heure de cantine à dévorer la bouche de Michael Lee, puis deux heures à faire le tour de Londres à vélo, j'avais donc une faim de loup. Je ne pouvais même pas me commander à manger, une rapide exploration des sacs à main, des poches et du dessous des coussins de canapé n'ayant permis de réunir que deux livres et trente-sept pence. Ma carte bancaire devait se trouver quelque part dans l'appartement, ou peut-être dans mon casier, au lycée, mais pour l'heure, je ne l'avais pas sous la main.

Heureusement, je ne suis jamais à plus de cinq secondes d'un sachet de Haribo, je me suis donc jetée sur un paquet de crocodiles, j'ai allumé mon MacBook et j'ai ouvert Twitter.

 irresistibly_geek Jeane Smith
Sartre avait tort. L'enfer, ce n'est pas les autres. C'est les autres ET l'absence de pad thaï dans ma vie là maintenant. Je veux manger !

Aussitôt, les gens se sont mis à m'envoyer des images de pad thaï et de gâteaux, aussi, ce qui était adorable, mais ne m'aidait pas à assouvir la faim que les crocodiles acidulés ne parvenaient pas franchement à calmer.

 superdimsum miam-miam
@irresistibly_geek Sartre n'avait pas à se plaindre – il n'avait rien à réviser, et pour autant que je sache, il n'a jamais eu affaire à ma mère.

Ce tweet provenait d'un de mes followers les plus récents, @superdimsum. J'en avais des centaines de nouveaux par jour, et même plus, si un de mes tweets se retrouvait publié, ou retweeté par une célébrité, alors je n'y prêtais guère attention et je les suivais rarement en retour. Mais @superdimsum partageait ma passion pour la bouffe bizarre et puis je sentais une connexion entre nous. Au moins, il ou elle ne faisait pas partie des cinquante-sept clampins qui m'envoyaient en ce moment même une image de pad thaï.

irresistibly_geek Jeane Smith

Les gens, arrêtez de me tweeter des photos de trucs inaccessibles. J'apprécie le geste, mais vous allez me faire pleurer pour de bon.

irresistibly_geek Jeane Smith

@superdimsum J'aime imaginer Sartre harcelé par sa mère à cause de ses affaires de sport sales qui traînent.

superdimsum miam-miam

@irresistibly_geek « Je me fiche que tu écrives sur l'Existentialisme, Jean-Paul, ces vêtements n'iront pas tout seul jusqu'à la machine. »

J'ai failli m'étrangler avec un crocodile. C'était ce que je préférais avec Twitter : délirer à fond avec un parfait inconnu qui se révélait, par hasard, sur la même longueur d'onde – un peu spéciale – que moi.

irresistibly_geek Jeane Smith

@superdimsum « Je t'en ficherais, de la Nausée, moi, jeune homme. Comment veux-tu ne pas avoir envie de vomir avec 10 assiettes moisies sous ton lit ? »

C'était là toute l'étendue de mes connaissances concernant Jean-Paul Sartre, je n'étais pas certaine de pouvoir continuer sur ma lancée.

superdimsum miam-miam

@irresistibly_geek Occupe-toi, je vais essayer de nous dénicher quelques anecdotes croustillantes sur Jean-Paul Sartre dans Wikipédia.

irresistibly_geek Jeane Smith
@superdimsum J'allais justement te dire à peu près la
même chose !

 superdimsum miam-miam
Tu as dû passer une mauvaise journée pour en être
réduite à te prendre pour JPS (marre de taper son
nom en entier).

 irresistibly_geek Jeane Smith
Pas seulement mauvaise, une des pires.

En réalité, la journée n'avait pas été si catastrophique.
Pour une fois, j'avais réussi à croiser le facteur, ce qui
m'évitait mon pèlerinage hebdomadaire jusqu'au bureau
de poste, armée de mon Caddie, pour récupérer tous mes
colis. Dans le courrier, j'avais donc trouvé mes fanzines,
un distributeur de bonbons Pez gagné sur eBay, deux
chèques, six flacons de vernis à ongles et une robe en
vichy envoyée par mon amie Inge de Stockholm.

Après ça, j'avais rallié le lycée suffisamment en avance
pour rédiger la moitié d'un devoir d'anglais, reçu un
e-mail contenant les précisions sur mon voyage à
New York en business de la part d'une agence de développement des marques qui m'avait engagée pour une
conférence, et j'avais fini par une apothéose de deux
heures à vélo. Ma journée avait été géniale. À un détail
près : Michael Lee s'était révélé aussi malfaisant que je
le soupçonnais.

Il faudrait éviter d'embrasser quelqu'un simplement parce
qu'il est doué pour ça en faisant abstraction de tout le reste,
me suis-je dit, cependant, je me le répétais depuis deux

semaines et ça ne m'empêchait pas de me retrouver collée aux lèvres de Michael Lee.

Mon ordinateur a émis un bip, je venais de recevoir un nouveau tweet de @superdimsum

 superdimsum miam-miam
@irresistibly_geek Je jure que ce n'est pas du pad thaï, j'ai pensé que ce clip YouTube de chiens en skate te plairait peut-être.

Ce n'était pas aussi bien que les chiens surfeurs, parce que soyons francs, comment faire mieux ? Néanmoins, ça les valait presque et la vision de ce bouledogue anglais radieux sur sa planche à roulettes m'a permis d'oublier ma faim.

J'ai envoyé un tweet au fameux @superdimsum, histoire de le ou la remercier, mais il s'était déconnecté, tout comme mes autres copains de Twitter. Et puis je n'avais ni article ni devoir extraordinaire à rédiger, rien à googler… J'aurais pu écrire un post pour mon blog, mais rien ne me passionnait vraiment pour l'instant, parce qu'en fait je me sentais un peu bof, pas mal mouaich, plutôt flagada. J'avais comme l'impression que c'était lié à ma dispute avec Michael Lee, mais je ne pouvais pas m'autoriser à penser une chose pareille, à lui accorder ce pouvoir sur moi. Je valais beaucoup, beaucoup mieux que ça.

Je ne savais pas quoi faire. Enfin si. J'avais envie de parler à Bethan parce que, même si je ne voulais pas lui confier ce qui me tracassait, Bethan sentait toujours quand ça n'allait pas, et elle savait comment me requinquer à tous les coups. Mais elle était à Chicago et cette semaine, elle commençait ses gardes pile quand je rentrais de cours, donc impossible de skyper avec elle.

143

Il y avait bien quelques personnes que j'aurais pu appeler, même Barney, mais avouer que j'étais furieuse d'avoir été utilisée par quelqu'un comme Michael Lee, qui m'avait ensuite jetée comme un vieux mouchoir plein de morve (beurk), ça, franchement, je ne pouvais pas.

En revanche, je pouvais tout à fait mettre Duckie à fond et essayer de noyer ma crise existentielle dans la danse. En général, ça fonctionnait plutôt bien.

Si tu crois que je vais te donner une autre chance
Rester dans le coin jusqu'à ce que tu m'invites pour une danse
Alors là, chéri, tu rêves, t'es grave, trop trop grave.

Je ne perdrai pas mon temps à cuisiner pour toi
Ni à mettre ma plus belle robe pour toi
Parce que chéri, t'es grave, trop trop grave.

Le morceau s'enfonçait ensuite (ou progressait, peut-être ?) dans une cacophonie de guitares criardes au rythme enlevé sous les cris de Molly, la chanteuse. « *Grave, grave pourquoi t'es si grave ?* » hurlait-elle à pleins poumons. Je faisais comme elle en sautant sur le canapé, ce qui s'est avéré particulièrement cathartique… jusqu'à ce que la chanson se termine et que je me rende compte qu'on frappait à la porte.

Sûrement Gustav, mon voisin. Nous avions un accord concernant la musique à plein volume, qui précisait clairement que je devais mettre le holà après une demi-heure, mais j'avais écouté et réécouté la piste tant de fois que j'en avais perdu le compte.

Je suis descendue du canapé.

— Excuse-moi. Je t'autorise à passer de la techno de merde pendant une heure d'affilée, comme ça on sera quittes, ai-je dit, hors d'haleine, à l'instant où j'ai ouvert.

— OK, c'est bon à savoir.

Mon Dieu, ce n'était pas Gustav, c'était Michael Lee. Ce type était mort. J'aurais dû lui claquer la porte au nez, mais quel intérêt, alors que je n'avais qu'une envie : lui crier dessus ?

Je m'apprêtais à articuler le premier « Qui t'a autorisé à te pointer ici ? » quand j'ai humé l'irrésistible parfum des frites chaudes provenant d'un paquet soigneusement fermé que Michael me tendait.

— Je te demande pardon, a-t-il lâché très vite. Je suis désolé, tout ce que j'ai dit à midi est sorti de travers. Je suis désolé de t'avoir vexée, et d'avoir sous-entendu que je pouvais avoir mieux que toi. Ce n'est pas ce que je voulais dire, et j'ai pensé que je pouvais me racheter en t'apportant à dîner, si tu n'as pas encore mangé.

Il m'a fourré le sac dans les mains avec davantage d'enthousiasme, j'ai bien été obligée de le prendre.

— De manière générale, je m'excuse, d'accord ? a-t-il ajouté. Sauf pour l'incident du vélo, car je ne t'ai pas poussée, c'était un accident, je te le jure.

Il y avait tant d'informations dans ce speech que j'ai préféré me concentrer sur les grandes lignes. Michael Lee était désolé pour tout un tas de machins qui m'avaient blessée. Ses excuses semblaient sincères, il avait pris le temps de se demander si j'avais mangé et en plus de ça, de m'apporter un repas. Un repas chaud. Cela faisait bien longtemps que plus personne ne s'était assuré que j'avais quoi que ce soit de chaud dans le ventre.

Je sentais les bonnes odeurs qui émanaient du paquet, et il aurait été si simple de tout pardonner dans la foulée. Mais avec moi, rien n'est jamais simple.

— Comment as-tu su à quel étage j'habite ? ai-je demandé en tenant ma position. Et comment es-tu entré dans l'immeuble ?

— Eh bien, j'ai dû appeler Scarlett pour qu'elle pose la question à Barney, sous ce prétexte lamentable d'une dette envers toi pour la réparation du vélo. J'étais sur le point de sonner à l'Interphone quand deux types sont sortis. Comme j'ai dit que j'étais là pour te voir, ils m'ont laissé entrer. L'un d'eux, avec un accent allemand, je crois, m'a demandé de te signaler que tu avais violé le traité sur le volume de la musique et qu'il prendrait sa revanche.

— C'est Gustav, il est autrichien, en fait. C'est un peu mon père gay, ai-je marmonné, redoutant déjà l'inévitable moment où retentirait sa techno house hardcore, probablement à une heure indue un dimanche matin.

Je suis restée là, Michael aussi, l'un comme l'autre parfaitement immobiles, comme si nous craignions de faire le moindre mouvement brusque. Et il aurait été vraiment idiot, après ce que nous avions vécu lui et moi, de ne pas m'écarter du passage pour proposer :

— Tu veux entrer ?

~ *14* ~

Je n'avais jamais vu d'intérieur semblable à l'appartement de Jeane Smith. C'était un peu comme se retrouver dans une de ces émissions de témoignage sur des gens incapables de jeter quoi que ce soit – partout où se posaient mes yeux, il y avait des montagnes de cochonneries.

Pas de véritables cochonneries, mais du bazar, des machins, un vrai foutoir. Moi qui trouvais Hannah désordonnée parce qu'elle se lançait toujours dans de nouveaux projets dont elle se lassait avant de les avoir terminés, jonchant ainsi sa chambre de collages abandonnés, de tricots en cours ou de bouts de tissu en voie de transformation en robe… Mais même le bazar de Hannah multiplié par cent n'aurait pas égalé celui de Jeane Smith.

— Ouais, pardon pour le cirque, a-t-elle dit en se frayant un passage entre les enveloppes matelassées, les magazines, les vieux cartons de pizza et Dieu sait quoi d'autre.

J'ai supposé qu'il s'agissait du salon, bien que cela ait davantage l'air d'un bidonville fraîchement balayé par un tsunami.

J'ai pu constater, en la voyant se faufiler jusqu'au canapé, que ce devait être l'endroit où elle passait le plus clair de son temps, parce que le capharnaüm atteignait là une masse critique. De chaque côté s'élevaient des piles et des tas, des tas et des piles de revues et de papiers, comme si elle se débarrassait de ses lectures au fur et à mesure en les déposant au sommet de la montagne la plus proche.

Le canapé était à peu près assez dégagé pour qu'elle puisse se jeter dessus.

— Attends, je vais te faire de la place.

Elle s'est saisie d'une brassée de magazines, d'enveloppes, de livres et d'emballages de bonbons, qu'elle a simplement balancés par terre. C'était l'une des scènes les plus choquantes qu'il m'ait été donné de voir, ce n'était pas comme si j'avais une vie ultra-protégée, mais on ne jette pas les choses, c'est tout. Ma mère, qui n'en aurait pas cru ses yeux, se serait sûrement étranglée de rage. Je suis resté là, bouche bée, jusqu'à ce que Jeane me désigne du regard la place à côté d'elle. J'ai entrepris la traversée du chaos à pas prudents.

Jeane a déballé tous les plats fumants que je lui avais apportés.

— Je ne savais pas ce que tu préférais, mais j'ai pensé qu'à peu près tout le monde aime les frites, au moins. Tu n'es pas obligée de tout manger.

— C'est super gentil. Dis-moi combien je te dois.

Ça ne lui allait pas, ce ton tout guindé, ai-je pensé en atteignant enfin ma destination et en m'installant du bout des fesses sur le canapé, de manière assez inconfortable. Il me semblait inévitable qu'un truc gluant collé aux coussins finirait accroché à mon jean.

— Tu ne me dois rien du tout, ai-je dit, tout aussi formel. C'est un gage de réconciliation. Je me suis comporté comme un con.

— Oui, mais je ne peux pas… Oh ! Tu m'as pris de la purée de petits pois ? C'est à peu près le seul légume que

j'aime réellement. Et des sachets de vinaigre et de ketchup ?
Tu assures pour les repas chauds, s'est-elle extasiée.

— Les condiments, c'est pas facile, ai-je marmonné.
Certains aiment le vinaigre sur leurs frites, d'autres préfèrent
le ketchup.

Nous allions être obligés de discuter, pour de bon, et tout ce
bla-bla à propos de la nourriture n'était qu'un échauffement.

— Eh ben, tu vois, moi, j'aime autant l'un que l'autre. Je
n'arrive jamais à me décider. C'est un peu *Le Choix de Sophie*
des condiments, tu vois, s'est-elle épanchée en brandissant
la fourchette en plastique que je n'avais pas oublié d'ajouter.
Écoute, vraiment merci pour tout ça et puis je voulais dire, je
me suis sûrement comportée comme une conne moi aussi. En
réalité, j'irais jusqu'à dire que j'ai eu une réaction de pétasse,
mais je te laisse juge.

J'y ai réfléchi cinq secondes.

— Non, tu as raison. Tu as vraiment joué les pétasses.

À l'instant où j'ai prononcé cette phrase, j'ai craint une
nouvelle explosion de mauvaise humeur, mais Jeane s'est
contentée d'un petit « hum », puis elle a réussi à sourire en
coin, malgré sa bouche pleine de frites.

— Heureuse qu'on ait éclairci ce point. Tu veux bien allumer la télé ou la stéréo parce que je n'ai pas très envie de
m'entendre manger.

Elle avait un système assez complexe, mais plutôt cool,
reliant un Mac mini à son écran de télé, qui permettait de
parcourir iTunes. Je ne connaissais pas la plupart des groupes
de sa playlist, j'ai choisi de lancer une lecture aléatoire. Au
moins, cela m'évitait de sélectionner un titre présent dans
son iTunes seulement pour tester la coolitude des gens, ce
qui risquerait de me valoir une pique. Je me demande pourquoi je redoutais autant les moqueries de sa part, mais c'était

comme ça, voilà. Je me suis à nouveau assis avec précaution sur le canapé et j'ai contemplé sa table de salon où s'alignaient deux MacBook allumés, un iPhone, un iPad et trois télécommandes.

— C'est trop bizarre. J'étais sur Twitter en train de pleurnicher que je n'avais rien à dîner et hop, tu débarques, a-t-elle soudain commenté et mon cœur a fait un petit soubresaut désagréable. Tu es sur Twitter ?

Le plus simple aurait été de lui avouer la vérité. Oui, j'étais sur Twitter et nous avions en fait partagé des liens sur des chiens pratiquant des sports extrêmes, nous avions eu plusieurs échanges amusants à propos de cuisine exotique et de Jean-Paul Sartre. Tellement simple.

— Twitter, c'est un truc que je n'ai jamais vraiment compris.

Voilà ce que mon cerveau a fait dire à ma bouche.

Je m'attendais à ce que Jeane se lance dans un plaidoyer passionné en faveur de Twitter et de tous ceux qui suivaient son blanc panache, mais elle m'a simplement jeté un coup d'œil narquois, puis s'est attaquée avec enthousiasme à un gros morceau de saucisse. J'ai préféré détourner le regard.

Je n'avais pas menti. Je ne comprenais toujours pas Twitter et si j'avais avoué que je me cachais derrière l'adresse @superdimsum, nous aurions fini par nous disputer, encore, alors que pour une fois, ce n'était pas le cas et c'était plutôt… agréable. En plus, si jamais cela continuait, avec Jeane (et c'était vraiment loin d'être joué), Twitter se révélait assez pratique pour surveiller son humeur, savoir quand rester à distance. Si ses tweets parlaient de bouffe, de chiots ou de généralités sur sa vie, tout allait bien sur la Planète Jeane. S'il s'agissait de politique, de féminisme, si elle retweetait les méchancetés que certains avaient proférées sur elle, si elle se lançait dans des querelles sans intérêt, et plus particulièrement des querelles avec des célébrités de seconde zone, là, mieux valait l'éviter.

Jeane semblait croire que nous en avions terminé avec le sujet Twitter, de toute façon, car elle fouillait au fond de la barquette de frites à la recherche des petits morceaux grillés.

— Tu as faim ? Tu en veux un peu ? Tu ferais bien de te manifester avant que j'aie tout dévoré, m'a-t-elle averti.

J'ai secoué la tête.

— J'ai déjà dîné, merci.

— Alors, ta mère sait que tu es là ?

Elle avait un ton amusé, comme si elle se doutait de la position de ma mère concernant les sorties la veille des jours de cours. Cela dit, pour être tout à fait juste, j'avais la permission de rentrer à 22 h 30 pourvu que mes devoirs soient faits et que je reste joignable par téléphone.

— À peu près. J'ai dit qu'un ami du lycée avait un problème et que je devais l'aider.

— Après tout, je vais au même lycée que toi, j'avais bien un problème, puisque je comptais aller me coucher sans manger, a résumé Jeane en repoussant ses frites pas encore terminées. Mais nous ne sommes pas amis, si ?

J'ai jeté un coup d'œil dans sa direction. Elle portait une blouse verte fleurie, un gilet jaune, une jupe plissée grise qu'on aurait cru faire partie de l'uniforme scolaire de Melly et des collants violets.

— Non, nous ne sommes pas vraiment amis, ai-je répondu.

— Alors, c'est à se demander pourquoi on n'arrête pas de se rouler des pelles. Franchement, comment tu expliques ça ?

— Jeane !

Elle a ôté ses jambes de la table basse et s'est levée.

— Si on peut le faire, alors on peut en discuter et je crois que c'est nécessaire.

Elle a ramassé les restes de son repas.

— Mais d'abord, je vais mettre ça au frais. Tu veux quelque chose à boire ? a-t-elle proposé.

Je ne voulais pas boire quoi que ce soit, de peur de choper la légionellose ou la bactérie *E. coli*, mais la cuisine semblait relativement propre et bien rangée, parce que, de toute évidence, Jeane ne cuisinait pas. Son réfrigérateur contenait des dizaines de sachets de bonbons Haribo, des tonnes de cosmétiques (« Ils se préservent mieux au froid et je garde tous mes rouges à lèvres préférés ») plus un bocal de cornichons.

Elle n'avait rien à boire en dehors de l'eau du robinet, mais elle avait des gobelets en carton. (« La vaisselle, je fais pas. ») Elle s'est assise sur le comptoir, je me suis adossé à l'évier. Elle avait raison, nous avions intérêt à discuter de ce qui se passait entre nous, mais je ne savais pas trop ce que je voulais dire. Même Jeane n'arrêtait pas d'ouvrir la bouche, puis de la refermer sans piper mot.

— Le fond de l'affaire, Michael… Le fond de l'affaire, c'est que tu embrasses super bien, a-t-elle fini par lancer.

— Inutile d'avoir l'air aussi étonnée, ai-je répliqué, en réprimant à grand-peine un sourire. Tu assures pas mal, de ton côté, aussi.

— Ouais, je sais, je suis hypra-forte dans ce domaine, a-t-elle convenu, et cette fois il m'a été absolument impossible de ne pas sourire.

Tous mes amis étaient tellement prévisibles. Je savais toujours ce qu'ils allaient dire avant même qu'ils ouvrent la bouche. Mais avec cette Jeane Smith, j'avais des surprises chaque minute.

— Alors, est-ce qu'on poursuit notre appréciation mutuelle ? a-t-elle demandé. Selon un discret petit arrangement dont nul ne sera censé être au courant ?

Je ne sais pas trop ce que j'en pensais, mais avant tout, je me suis senti soulagé. Elle embrassait vraiment bien, mais traîner avec elle, être obligé de l'écouter se moquer de tous mes amis, subir les interrogations répétées de ces derniers pour savoir pourquoi je la fréquentais… Je n'aurais pas pu le supporter. Cependant, je n'allais sûrement pas l'avouer à Jeane.

— Mais si tu as envie qu'on se voie au lycée… Enfin, si tu préfères qu'on ne se voie pas, pas de problème, mais tu ne t'ennuies pas trop… maintenant que tu es tout le temps seule ?

Elle a secoué la tête et affiché un sourire radieux.

— Pas vraiment. Je déteste les cours, mais j'ai promis à mes parents que j'aurai mon diplôme s'ils m'autorisaient à vivre seule, a-t-elle expliqué en croisant les bras devant elle. Ça ne m'empêche pas de dormir, de rater ces soirées merdiques auxquelles personne ne m'invite ou de consacrer mes récrés à autre chose qu'aux commentaires des émissions de la veille. Je bosse beaucoup pour Irresistibly Geek au lycée et je n'ai *rien* en commun avec qui que ce soit, sauf Barney, alors je préfère encore rester seule. Inutile de t'inquiéter pour moi.

Elle faisait comme si tout allait bien, mais quand on a dix-sept ans, aller à des fêtes, même merdiques, c'était sympa, tout comme dire du mal du programme télé. C'était ce qu'on était censé faire, et pas dédier tout son temps libre à travailler à un empire médiatique geekocentré.

— Ouais, tu as quand même l'air un peu seule, ai-je constaté.

Jeane a haussé les épaules.

— En quelque sorte. Ça va peut-être te surprendre, mais je ne suis pas une fille très sociable. Je sais, je le cache plutôt bien.

Jeane m'a souri. Un sourire lent, redoutable, qui m'a donné une raison supplémentaire de l'apprécier et m'a rassuré : elle avait le sens de l'humour.

— Bon, au moins, tu es une fille, c'est déjà quelque chose.

— Oui, je suis à moitié au point, a-t-elle commenté en tripotant le bout de sa couette grise. Alors, s'il te plaît, peux-tu éviter de t'intéresser à moi quand on est au lycée ? Vraiment, je préfère.

Une nouvelle vague de soulagement a menacé de me faire chavirer, mais j'ai pensé qu'une protestation supplémentaire, pour la forme, était tout de même requise.

— Mais quand même…

Jeane a levé une main impérieuse.

— Honnêtement, je ne t'en tiendrai pas rigueur si tu m'ignores au lycée. D'ailleurs, c'est même le contraire.

— Alors ce truc, quel qu'il soit, c'est juste entre toi et moi, et on s'embrasse, un point c'est tout ?

— On s'embrasse, c'est une chose, et puis on se caresse aussi déjà pas mal et pour le reste, on verra au fur et à mesure, a résumé Jeane.

Jamais personne ne s'était montré aussi direct avec moi. Tout était tellement plus simple ainsi.

En tout cas, puisque nous avions établi des règles de base pour ce qui était des baisers et des caresses, je n'avais aucune bonne raison de ne pas m'approcher de Jeane. Pour une fois, comme elle était assise sur le comptoir de la cuisine, nos visages étaient au même niveau. Je n'ai pas eu besoin de me baisser, ni elle d'étirer le cou vers moi quand je l'ai embrassée.

~ 15 ~

Les quelques semaines suivantes, je me suis habituée à embrasser Michael Lee. J'ai même complètement dépassé le stade du flip complet sur ce sujet. Au lieu de ça, j'ai commencé à considérer notre relation comme une sorte de récompense karmique. Quand je voulais m'offrir un petit plaisir, ce n'était plus telle sublime robe dénichée au fond d'un panier de tee-shirts à un dollar dans une boutique d'occasion, ni une boîte de macarons de chez Maison Blanc, j'embrassais Michael Lee. Je l'embrassais le lundi et le mercredi à l'heure du déjeuner, le jeudi après les cours et nous étions en train d'étudier la possibilité de profiter des dimanches après-midi.

Quels que soient ses défauts, ce garçon savait embrasser. Et caresser. Et toucher. Et *se frotter* rien qu'un petit peu. Chaque fois que je voyais approcher son visage, avec ses yeux en amande espacés, paupières closes, ses lèvres dans la position parfaite, prêtes à embrasser (et ses pommettes… il aurait fallu écrire un poème à leur sujet – oh, pardon, exact, c'était déjà fait), je ne pensais qu'à une chose : ça ne peut pas être en train de m'arriver, à moi. Parce que je suis comme je suis et même ma mère (surtout pas elle) n'aurait pu prétendre que j'étais jolie, aimable, charmante, bref, que j'étais ce genre de fille qui attirait des garçons avec le physique de

Michael Lee. Nous n'allions pas bien ensemble, nous ne nous correspondions pas, nous étions mal assortis.

Deux semaines après le début de notre petite expérience, un dimanche matin, c'étaient justement ces paradoxes qui m'occupaient l'esprit, alors que j'aurais dû être concentrée sur la teinture de mes cheveux. J'avais décidé que l'heure était venue de se débarrasser du gris. Maintenant que mes racines châtaines étaient visibles, le résultat semblait complètement à l'envers. En plus, j'avais les cheveux gris depuis deux mois, autant dire une éternité, il était temps de changer.

Ben m'avait avertie : pour retirer le gris, je devrais en passer par une décoloration. Il m'avait fourni les produits, car sa patronne, par son intermédiaire, m'avait interdit de remettre un jour les pieds dans son salon. Il avait également dressé une liste détaillée d'instructions ponctuée de majuscules braillardes à propos du décolorant. « NE PAS APPLIQUER PLUS DE TRENTE MINUTES, JEANE, SANS QUOI TU VAS FINIR CHAUVE. SURTOUT APRÈS CE QUI S'EST PASSÉ LA DERNIÈRE FOIS. RÈGLE L'ALARME SUR TON TÉLÉPHONE, TOUT DE SUITE ! C'EST FAIT ? ALORS VAS-Y. » Ben ne travaillait en salon que depuis dix semaines, mais il était déjà devenu très, très dictatorial concernant tout ce qui avait trait à la coiffure.

J'ai essayé de suivre son mode d'emploi, mais il voulait que je sépare mes cheveux par mèches, puis que je les enveloppe une à une dans du papier aluminium. Au final, j'ai trouvé plus simple de me tartiner la tête de décolorant et de me confectionner un turban en papier aluminium après avoir réglé l'alarme de mon téléphone. Le produit m'irritait le cuir chevelu et les yeux, alors j'ai eu beaucoup de mal à rester concentrée sur le documentaire sur les camps de vacances rock réservés aux filles. L'été précédent, j'y avais tenu des ateliers sur la réalisation de fanzines et de sites Web et enseigné comment se construire une personnalité rock digne d'une star. Je m'étais éclatée, mais je n'ai pas pu m'empêcher de grimacer quand je me suis soudain vue apparaître à l'écran, vêtue de mon tee-shirt Wonder Woman, en train de me lancer dans une tirade sur... je ne sais même pas quelles perles de sagesse tombaient de ma bouche parce qu'à mes oreilles, ma voix semblait un ronron continu. Même quand j'étais très excitée (et je voyais bien qu'à ce moment précis je l'étais, car mes mains n'arrêtaient pas de s'agiter), mon ton donnait l'impression que j'étais à deux doigts de sombrer dans le coma, terrassée par l'ennui.

On a frappé à ma porte, ce qui m'a évité de me lamenter plus longtemps sur mon apparition ratée dans ce documentaire. J'avais encore dix minutes à tenir avant de pouvoir enlever le décolorant, rincer mes cheveux à l'aide d'un produit spécial et appliquer la lotion, alors j'allais devoir me débarrasser de cet intrus. Cela dit, puisqu'on était dimanche matin, j'allais sûrement me trouver nez à nez avec des emmerdeurs de croyants avides de savoir si j'avais accepté Jésus-Christ comme mon Dieu et mon Sauveur, ce qui n'était pas près d'arriver. Mme Hunter-Down, du rez-de-chaussée, les laissait toujours entrer dans l'immeuble.

— Oui ? ai-je aboyé en ouvrant la porte, espérant que mon air revêche et mon casque en alu feraient capituler le premier évangéliste venu avant même qu'il n'entame son boniment.

Peine perdue, c'était Gustav et Harry, les voisins, et eux n'abdiquaient jamais, ni l'un ni l'autre.

— Un nouveau look, Jeane, s'est exclamé Harry en m'écartant du passage. J'adore. Ça fait vraiment ressortir tes yeux bleus. C'est ton jour de chance, nous avons pris nos détergents et nous ne partirons pas d'ici avant que ta moquette soit à nouveau visible.

— Ce n'est pas tant le bazar que ça, ai-je protesté.

Mensonge éhonté, puisque le sol était jonché de courriers non ouverts, de dépliants et de menus de restos livrant à domicile, jusque dans l'entrée.

— Je me suis également muni de légumes, a ajouté Gustav avec un regard déterminé, en franchissant la porte. Je vais te les faire manger et je te forcerai à boire un verre de lait. Tu es en pleine croissance, tu as besoin de calcium.

— Je ne grandirai plus, me suis-je écriée, tout en sachant que c'était vain.

Gustav était autrichien et coach personnel. Une fois qu'il avait décidé quelque chose, qu'il s'agisse de me faire avaler des brocolis à la vapeur (aargh) ou de persuader l'adorable et si souriant Harry, son petit ami australien, qu'il était nécessaire de m'inciter à me débarrasser de la moitié de mes biens, toute résistance était inutile.

— Est-ce qu'au moins, j'ai le droit d'avoir du cacao dans ce verre de lait, Gustav ? Oui ? ai-je plaidé.

— Autant te laisser manger du sucre pur, a soupiré Gustav en frissonnant, répugné, avant de me lancer trois sacs-poubelle. On va commencer par trier. Un sac pour le recyclage, un autre qui part à la benne et le dernier pour les choses dont tu ne peux absolument pas te passer.

Je savais, pour en avoir fait l'amère expérience, que Gustav et moi avions une définition très différente de ce qu'étaient les objets essentiels.

— Je vous déteste, leur ai-je signalé à tous deux d'un ton furieux. Je déteste quand vous venez jouer les pères gay.

— Oh, arrête, au fond de toi, tu adores ça, a décrété Harry en fonçant sur moi comme s'il s'apprêtait à me soulever pour me faire tourner dans ses bras, ce qui lui arrivait de temps en temps, bien que je lui aie déjà fait remarquer que c'était infantilisant et dégradant – et secrètement exaltant, je devais bien l'avouer. Allez, on va s'écouter du Lady Gaga, ça passera plus vite.

— Oui, a ajouté Gustav. Ça va être rigolo.

Ça ne l'a pas été. De toute façon, Gustav ne donnait jamais dans le rigolo. Et puis ce n'est pas le terme que j'aurais utilisé pour décrire Harry tentant de mettre au recyclage la totalité de mes magazines japonais dès que j'avais le dos tourné, ou Gustav en train de me soûler sur les conséquences de la moisissure et de l'humidité sur mes poumons d'adolescente tout roses et parfaitement formés, pendant qu'il supervisait mon nettoyage de la douche.

Refusant de croire que j'avais atteint une étape cruciale dans ma coloration, Gustav m'a interdit de me rincer la tête tant que la salle de bains n'était pas parfaitement propre. J'ai eu beau lui expliquer, avec force cris, qu'il me condamnait à la calvitie si l'application s'éternisait, il est resté inébranlable – au sens le plus strict, puisqu'il m'a empêchée d'accéder au pommeau de douche. Il m'a également rappelé les nombreuses excuses similaires que j'avais déjà inventées pour échapper au grand ménage. J'étais trop la fille qui crie au loup.

La salle de bains ayant enfin été déclarée propre, même selon les critères ridiculement stricts de Gustav, ce dernier m'a autorisée à me rincer la tête. Le décolorant était maintenant dur comme la pierre, nous avons dû nous y mettre à deux, et utiliser un flacon complet de shampoing spécial pour parvenir à redonner à mes cheveux une apparence vaguement normale.

— Ils sont bien censés être de cette couleur, oui ? s'est enquis Gustav en me les séchant à la serviette.

Il ne devait pas être tant que ça branché récurage, parce qu'il paraissait ravi d'abandonner le gros du ménage à Harry pour me venir en aide.

— C'est très, euh… quel est le mot déjà ? a-t-il repris.

— Au point où j'en suis, je vise le blond moyen, ai-je soupiré. Après ça, on rajoute une lotion et ça donnera du platine.

— Oui, bon, c'est toujours bien de se fixer des objectifs, a convenu Gustav.

J'ai voulu me redresser, mais il m'a mis la main sur l'épaule.

— Non, reste là. Je m'occupe de ta lotion, a-t-il décidé.

En temps normal, je n'aurais jamais laissé qui que ce soit me donner des ordres, mais si ça me permettait d'échapper aux corvées de ménage, alors c'était tout bénéfice. Surtout maintenant que j'étais certaine que Harry n'était plus dans le salon à tenter de se débarrasser de mes très, très précieux bouquins, magazines et dos d'enveloppes griffonnés de notes importantes. Il s'époumonait désormais sur « Bad Romance » dans la cuisine – il n'allait pas bazarder ma réserve de Haribo. Du moins s'il tenait à la vie.

Le mal de dos me menaçait à force d'avoir la tête et les épaules penchées au-dessus du bac à douche, mais c'était tout de même agréable de sentir les doigts musclés de Gustav faire pénétrer la lotion tout en l'écoutant digresser sur son entraînement pour le marathon. Gustav n'hésitait pas à se rendre à l'étranger en avion pour participer à des marathons, parce qu'il était complètement allumé.

— Il faut rincer la lotion, maintenant, a-t-il annoncé. Ce blond platine, tu y tenais vraiment ?

— Plutôt. Ben m'a prévenue qu'il faudrait peut-être un peu plus de lotion.

— Voire *beaucoup* plus, a confirmé Gustav. Mais bon, comme je disais, c'est bien de se fixer des objectifs.

Au ton de sa voix, j'ai compris qu'il n'était pas très confiant dans la capacité de mes cheveux à accéder à cette teinte précise qu'arboraient Madonna, Lady Gaga et Courtney Love, du temps où elle n'était pas aussi tarée.

— Pourquoi ? De quelle couleur sont mes cheveux, merde ? me suis-je énervée.

— Quand j'étais petit, en Autriche, si je m'étais adressé à ma mère sur ce ton, elle m'aurait lavé la bouche au savon.

— Putain, Gustav, de quelle couleur ils sont ? ai-je voulu savoir en me dégageant, éclaboussant tout au passage, mais surtout Gustav, qui a protesté en râlant.

Grâce à mon usage intensif du chiffon humide, le miroir était rutilant, sans aucune trace susceptible d'atténuer la couleur de mes cheveux… désormais d'un orange très vif, très fluo. Non, ce n'était pas le noyau d'un réacteur nucléaire, juste ma tête. J'aime beaucoup l'orange, sûrement plus que la plupart des gens. C'est une couleur à laquelle j'accorde beaucoup de place dans ma vie. J'ai des collants orange. J'aime les bonbons orange. Il m'est même arrivé, en certaines occasions, de manger une véritable orange. Mais sur ma tête : non, non, et triple NON.

Je ne manque pas de culot, loin de là, mais je n'avais pas le teint, ni le physique assez solide pour assumer un tel feu d'artifice. Gustav paraissait pour le moins d'accord :

— On dirait une de ces figurines Troll, a-t-il lâché, pensif. Elles avaient fait un tabac en Autriche.

— Tout ça, c'est ta faute ! Si tu m'avais laissée rincer le décolorant au lieu de me forcer à faire le ménage, ça ne serait jamais arrivé.

— Mon Dieu ! Qu'est-ce que tu as sur la tête ? a demandé Harry, depuis le seuil, avant de partir dans un fou rire tel qu'il a été obligé de s'asseoir par terre.

Même Gustav ne pouvait s'empêcher de sourire. Conclusion, il ne me restait plus qu'une solution : attraper mon iPhone, prendre une photo de moi la mine renfrognée et tweeter à mes followers.

 irresistibly_geek Jeane Smith
Urgence capillaire ! Déjà décolorés, lotion appliquée, puis-je rajouter une coloration ou bien dois-je me raser la tête ?

Quand Gustav s'est lancé dans la préparation d'un plat à base de brocolis puants, j'ai eu très envie de me la jouer « cinq ans d'âge mental », mais Twitter est venu à ma rescousse. Le consensus général qui se dégageait était le suivant : il fallait acheter une couleur le plus proche possible de celle de mes cheveux au naturel, puis dresser un autel à mes dieux personnels favoris et prier pour une issue favorable.

Je m'apprêtais à dépêcher Harry au drugstore avant la fermeture quand j'ai reçu un SMS de Michael qui disait :

Je peux venir ou bien tu es très occupée à échafauder
ton plan de domination du monde par les geeks ?

Pour cette fois, j'ai décidé d'ignorer ses sarcasmes. Il y avait plus urgent : le briefer sur la catastrophe en cours et lui envoyer en lien la référence de la couleur qu'il m'achèterait en chemin.

J'ai essayé de me débarrasser de Gustav et Harry avant qu'il arrive, mais cela s'est révélé impossible. Harry a insisté pour que je passe en revue tous les tas qu'il avait faits et que j'en expédie au moins la moitié au recyclage. Quant à Gustav, il a tenté de me faire avaler de force une substance verdâtre et feuillue censée être des légumes, mais qui avait un goût de vase. Du coup, lorsque Michael a frappé à la porte, ils étaient encore à me taper sur les nerfs, ou ce qu'il en restait, pour que je trie encore quelques sacs-poubelle à jeter dans le vide-ordures.

— Je suis occupée, ai-je dit à Michael en lui ouvrant. Occupée à planifier le meurtre sanglant de mes deux pères gay.

Il a paru avoir du mal à déglutir.

— Si je tombe mal…

— On était sur le point de partir, a lancé Gustav, quelque part derrière moi, avant de carrément me pousser hors de l'appartement. On attend juste de voir Jeane déposer au moins cinq gros sacs dans le vide-ordures.

Ce n'était pas l'humiliation de ma vie – pas comme la fois où j'avais joué la DJ dans un club de Shoreditch et vidé la piste de danse à trois reprises pour avoir mal jugé la clientèle, et sélectionné des morceaux de folie que les gens avaient décrétés trop mélodieux pour être dansables. Les gens branchés sont pénibles.

Néanmoins, je me serais volontiers passée d'un public pour jeter ces sept (sept, finalement !) derniers et énormes sacs-poubelle. Après ça, je n'ai pas pu couper aux présentations. Ce n'était pas prévu, mais Harry a planté les mains sur mes épaules en disant :

— Alors, Jeane le Génie, vas-tu nous présenter ton ami ici présent ?

Je ne savais pas trop comment m'y prendre. Gustav se montrait ridiculement surprotecteur vis-à-vis des visiteurs masculins. J'avais fréquenté un Français, Cédric (surtout parce qu'il était français et s'appelait Cédric), et Gustav n'avait pas hésité à se pointer à 1 heure du matin pour lui faire débarrasser le plancher, alors que, concrètement, il arrivait six mois trop tard pour m'empêcher de perdre ma virginité. Même Barney avait eu droit à son air réprobateur, yeux plissés et mâchoire serrée, alors que Barney tombait en syncope rien qu'à effleurer mes seins à travers trois couches de tissu.

Voilà que Gustav scrutait donc Michael de son regard bleu acier, comme s'il venait justement de lire son nom sur la liste des délinquants sexuels.

— Je vous présente Michael Lee, ai-je dit. Il est venu m'apporter la coloration pour réparer les dégâts causés par ta faute, Gustav. Michael, voici Gustav et Harry, mes voisins de palier, qui m'empoisonnent la vie.

L'attaque reste *de loin* la meilleure défense.

Tous trois se sont salués de la tête, puis Harry a tenté une question, l'air de rien :

— Michael, quelles sont tes intentions vis-à-vis de Jeane ? J'espère qu'elles sont honorables.

— Hum, très, a soufflé Michael en montrant son sac en papier. J'ai vraiment apporté une couleur.

Gustav a émis un petit reniflement suspicieux.

— Demain, il y a école, alors…

— Mais il est 17 heures, Gustav !

— Alors ne t'attarde pas trop, a-t-il poursuivi. Harry et moi sortons dîner. Cela dit, nous sommes épuisés, tu es vraiment fatigante, Jeane.

J'ai fait la tronche, mais j'ai préféré ne pas relever.

— Merci pour cette séance de travaux forcés, ai-je minaudé, tout en les serrant très fort contre moi.

Non que j'aie vraiment apprécié le nettoyage imposé ou l'ingestion de légumes, mais j'étais contente qu'ils s'inquiètent assez de moi pour se mêler de mes affaires domestiques.

Gustav et Harry ont fini par prendre l'ascenseur, et Michael est resté sur le pas de la porte à cligner des yeux, émerveillé.

— Tu as un sol, a-t-il commenté à mi-voix. Un vrai sol et même un buffet.

Il a fait le tour du salon.

— Marrant, ça semble beaucoup plus grand maintenant que tout n'est plus recouvert de cartons de pizza et de cochonneries.

Il avait raison, mais tout cet espace ne me réjouissait pas forcément.

— Alors, cette couleur ? ai-je demandé.

Il m'a lancé le sachet, je l'ai raté. J'ai récupéré par terre une boîte de coloration blond cendré. Cette perspective me chagrinait vraiment, mais quand on a les cheveux orange fluo, on n'a plus vraiment le choix.

— Il y a un plat dégueu à base de légumes dans la cuisine, si tu veux, ai-je proposé à Michael, qui a refusé d'une grimace.

— Ça a l'air délicieux, mais je crois que je vais m'abstenir, a-t-il dit.

Je ne savais pas trop s'il comptait rester, ni même si j'en avais envie, mais il a désigné la serviette que j'avais enroulée autour de ma tête.

— Allez, montre-moi, a-t-il dit.

Je me suis exécutée d'un air résigné.

— La vache ! Waouh ! C'est beaucoup plus vif que ce que j'imaginais.

— Trop vif.

— Mais tu aimes les couleurs qui flashent, a-t-il souligné en fixant le combishort bleu à pois blancs que je portais avec des collants roses. Ils ont presque la même teinte que les fameux collants que je t'ai fichus en l'air quand… enfin… tu sais…

— Quand tu m'as *accidentellement* fait tomber de vélo ?

Il a hoché la tête.

— Oui, c'est ça.

— Les collants, c'est une chose. On peut les enlever, contrairement aux cheveux. Et je ne vais pas être tous les jours d'humeur à porter des cheveux orange, ai-je expliqué. Enfin, si tu restes un peu, tu pourras m'aider.

Michael ne s'est pas montré d'une grande utilité. Il s'est assis par terre et a passé son temps à me signaler très aimablement les taches de couleur que je laissais sur le carrelage blanc récuré quelques heures plus tôt. Il est tout de même allé me chercher un café pendant les trente minutes d'application nécessaires pour que la couleur fasse effet, et il m'a aidée à rincer ce produit marron dégoûtant, tout en râlant que je l'éclaboussais. Et puis il m'a rapporté quelques Haribo de la cuisine pendant que je me débattais avec l'après-shampoing, parce que je commençais à ressentir une baisse d'énergie.

— Oh, là, là ! Jeane, arrête. Tu ne peux pas faire trois couleurs dans l'après-midi. Tu risques de perdre tes cheveux, a-t-il constaté en revenant, un sachet de bouteilles de Coca à la main.

J'en étais à me sécher les cheveux à l'aide de ma serviette, je ne m'étais pas encore posé la question de la couleur, mais voilà que Michael m'inquiétait sérieusement. J'étais à deux doigts de m'effondrer pour de bon.

— Ne dis pas ça ! Ne me regarde pas comme ça ! me suis-je exclamée.

Il avait les yeux tellement écarquillés d'horreur qu'ils semblaient sur le point de jaillir de leurs orbites.

— Ils sont marron, c'est ça ? ai-je poursuivi. Un marron chiant, terne et moche. Des cheveux marron ! Non, je ne mérite pas ça !

— Oh, la ferme, arrête ton cinéma ! m'a répliqué Michael. De toute façon, ils ne sont pas marron. Tu vas d'ailleurs regretter qu'ils ne le soient pas.

J'ai pris mon courage à deux mains, j'allais devoir retirer la serviette trempée dans laquelle j'avais très vite dissimulé mes cheveux en voyant la tête de prophète de malheur de Michael. Je me suis retournée, face au miroir, j'ai fermé les yeux et j'ai enlevé la serviette. J'ai rouvert les paupières et…

— Oh ! Oh ! Eh bien, ce n'est pas si mal.

Michael a lâché un grognement d'apparente souffrance.

— Tes cheveux sont couleur yaourt à la pêche.

— Ou à l'abricot, ai-je rectifié en m'émerveillant devant cette chevelure crémeuse, orange pastel, rosée, pêche qui me convenait carrément. Voilà, ça, c'est beaucoup mieux ! C'est neutre.

— Dans quel monde ceci peut-il être une couleur neutre ?

— Dans mon monde, espèce de rabat-joie, ai-je rétorqué.

Mais je n'avais pas le cœur à me chamailler. Je préférais de loin contempler mes nouveaux cheveux dans la glace. Ils avaient un style un peu français. J'ai décrété que je pourrais essayer de les relever et, pourquoi pas, investir dans un diadème. Et peut-être aussi m'acheter une jupe à froufrous, que je mettrais par-dessus une autre jupe à froufrous, et en dessous de tout ça, j'imaginais bien un jupon de tulle bouffant.

J'adore ces possibilités infinies qui surgissent dès lors qu'on change la couleur de ses cheveux. Maintenant qu'ils n'étaient plus gris, je n'avais plus envie de m'habiller en petite mémé, plutôt en reine du bal de promo des années 1950 sous acide. Je voyais d'ici le post que j'allais écrire pour mon blog : *Un style tiré par les cheveux ? La couleur de cheveux fait-elle le style ou vice versa ?*

— Ça me plaît. Ça me plaît vraiment beaucoup, ai-je décidé.

Michael faisait toujours comme s'il avait du mal à poser les yeux sur moi.

— Au moins, tu n'auras pas à subir l'humiliation d'être vu en public avec une fille aux cheveux pêche, ai-je ajouté.

— Pas faux.

Tout à coup, il s'est retrouvé à côté de moi, à passer les doigts dans mes mèches humides. Je ne sais pas à quoi tenait cette attraction étrange, envoûtante, mais il suffisait qu'il me touche pour que je me demande aussitôt quand nous aurions fini de discuter pour pouvoir nous embrasser.

— Cela dit, être avec toi dans l'intimité ne me dérange pas, a-t-il repris.

Il fixait ma bouche avec une telle intensité que j'ai commencé à me concentrer sur la manière dont bougeaient mes lèvres en parlant, je crois qu'il avait lui aussi très envie de m'embrasser.

— Moi, ça me va, ai-je dit. Si on passait sur le canapé ?

Nous ne nous étions jamais embrassés en position allongée, soit parce que nous étions au lycée, soit parce que les coussins étaient à ce point envahis de bazar que c'était impossible. Pour une fois, nous n'avions pas à nous pencher parce que nous étions debout, ni à nous contorsionner parce que nous étions assis, nous étions allongés sur le canapé, jambes entremêlées, et nous avions tout loisir d'en profiter.

C'était tellement agréable que cela méritait d'être savouré. Michael avait un arrière-goût de thé, de bonbons acidulés au Coca et chaque fois que nous nous interrompions pour reprendre un peu de ce truc agaçant appelé oxygène, Michael Lee soupirait. Un soupir à fendre le cœur. Comme je préférais ne pas savoir ce qui le rendait triste, je l'embrassais à nouveau. Michael Lee étant Michael Lee, lorsqu'il s'est rendu compte que, pour la première fois, sa main était posée sur mon sein, il n'a pas perdu son sang-froid. Il l'a laissée où elle était. Et en plus de ça, ce n'était pas une main inerte plaquée là, il me caressait, me pinçait et, pour finir, il a déboutonné mon combishort, qui était à moitié trempé à cause du ménage de l'après-midi.

Tout ça me paraissait un peu trop unilatéral… Quel intérêt de rouler des pelles à Michael Lee sur son canapé si on n'a pas le droit de se rincer l'œil ? Pourquoi ne pas découvrir ce qui mettait toutes les filles en émoi ? En plus, j'étais absolument ravie de le débarrasser de son tee-shirt American Eagle, parce que sa passion pour les marques américaines faussement vintage offensait autant mes yeux que ma sensibilité.

Jusque-là, je m'étais cru hyper maîtresse de moi dans cette histoire, mais avec cette peau caramel tout contre la mienne, il m'est devenu impossible de ne pas onduler, frétiller et peut-être même trembler de tout mon corps. Jusqu'à ce que la main de Michael se glisse sous mon short et que je le sente carrément monter à l'assaut de ma culotte.

— Je crois qu'on ferait mieux d'arrêter, ai-je murmuré, mais il n'a pas dû entendre, car il a continué de me mordiller l'oreille en se pressant contre moi.

Soudain, il s'est immobilisé.

— Nous devrions nous arrêter là, a-t-il déclaré.

Il est descendu et le temps que je reboutonne mon combishort, il était assis par terre, dos au canapé, en train de remettre sa coiffure débile en place.

— Excuse-moi, je ne voulais pas aller aussi loin, a-t-il ajouté.

Je ne voyais pas trop ce que c'était censé vouloir dire. Genre, il était partant pour qu'on s'embrasse, qu'on se caresse, mais il avait été répugné par ce qu'il avait vu, maintenant qu'on était passés à l'étape du nu partiel ? Ou alors quoi, parce qu'il était le garçon, c'était à lui que revenaient toutes les décisions quant à l'avancée de la relation ? Voire, il me la jouait Barney et ne supportait pas l'idée de me toucher les seins ?

— Tu n'étais pas tout seul sur ce canapé, ai-je fait remarquer, et il s'est tourné vers moi, étonné par la brusquerie de mon ton. Ça m'a plu, jusqu'à un certain point, et c'est à ce moment-là que j'ai suggéré d'arrêter. Ne commence pas à regretter ce qu'on fait quand je suis dans la même pièce que toi, parce que j'ai l'impression d'être une merde.

— Je ne pensais pas ça dans ce sens, a-t-il dit en tournant vers moi un visage sincèrement chagriné. C'est simplement qu'on ne se connaît pas très bien, tous les deux, et on ne sait pas où on va, comme ça. Je ne voudrais pas que tu croies que je profite de la situation.

Michael avait raison : il ne me connaissait pas du tout.

— Tu ne profiteras pas de moi, parce que je ne te laisserai pas faire, lui ai-je déclaré avec sérieux. Si tu tentes un truc avec lequel je ne suis pas d'accord, crois-moi, je m'assurerai de bien te faire comprendre le message.

— Oui, enfin, je ne voulais pas dire…

— Et ça marche aussi dans l'autre sens, ai-je continué, histoire de clarifier la situation. Si je me lance dans un plan qui ne te convient pas, il faut que tu me le dises.

Michael s'est tu pendant un long moment. Assez pour me faire flipper un peu, et après ça, il a souri.

— Tu es vraiment très différente de toutes les filles que je connais.

— Et… c'est une bonne ou une mauvaise chose ? ai-je demandé tout doucement, tout en n'étant pas persuadée de vouloir connaître la réponse.

— La plupart du temps, c'est plutôt une bonne chose. Et même parfois une très, très bonne, a-t-il précisé d'une voix traînante, les yeux un peu embués, qui semblaient indiquer que je n'avais pas besoin de flipper.

— OK, cool.

Je me suis réinstallée au fond du canapé, Michael s'est emparé d'un air absent de la jaquette du DVD sur le camp rock pour filles que je regardais avant l'arrivée de mes voisins.

— Ce ne serait pas la chanteuse de Duckie ? Polly… a-t-il observé.

— Molly, elle s'appelle Molly, ai-je rectifié.

J'ai dû me mordre les lèvres pour ne pas lui crier à la figure que Duckie et Molly étaient à moi, rien qu'à moi, et qu'il n'avait rien à voir avec ça.

— Ah, oui, c'est ça. J'ai entendu deux-trois morceaux à la radio, et j'ai téléchargé l'album sur iTunes. Tu savais qu'elle était dans le groupe The Hormones, avant ?

C'était plutôt mignon, mais aussi super agaçant qu'il soit là à me briefer sur la carrière de quelqu'un que je fréquentais depuis trois ans, avec qui j'avais passé un mois entier l'été précédent, avec qui j'avais cuisiné des cupcakes et que j'avais laissé dormir sur ce même canapé sur lequel Michael et moi venions de batifoler, bref, de quelqu'un que je pourrais même qualifier d'amie.

— Oui, je le savais, ai-je simplement répondu.

— Ils sont en concert samedi prochain. J'y vais avec des copains. Ça devrait être super, si tu veux…

Michael s'est interrompu. Il s'apprêtait à m'inviter à un concert en compagnie de toute une bande de gros nazes du lycée, des fans de la dernière heure de ce groupe, qui existait pourtant depuis des années. Problème : avec cette invitation, il violerait les règles de notre pacte d'intimité mutuelle.

— Enfin, voilà, ça devrait être cool, a-t-il conclu simplement.

— J'y serai, en fait, ai-je répondu, l'air de rien.

Mieux valait le lui dire direct, plutôt que de le prendre par surprise, il risquerait de laisser échapper un truc et la moitié du lycée découvrirait notre petit arrangement. Cela dit, je n'allais pas lui préciser que j'étais sur la liste des invités. Ça faisait vraiment trop vantard.

— En fait, je vais tourner quelques interviews pour le blog avant le concert, je retrouve des gens là-bas, ai-je expliqué. Dont certains que j'ai rencontrés grâce à Twitter, donc j'imagine qu'ils ne comptent pas comme de vraies gens.

— Jeane, tu sais quoi ? Va te faire foutre, a lâché Michael en se retournant pour me pincer l'orteil. Arrête d'être agressive et provocatrice avec moi, parce que ça ne marche plus. Surtout maintenant que je t'ai vue te faire remonter les bretelles par tes pères gay.

J'ai ronchonné, dans son dos.

— Si tu en parles à qui que ce soit…

— Eh ben quoi ? Tu me dénonceras sur Twitter ? Tu écriras un post méchant contre moi sur ton blog ? Alors, tout le monde connaîtra notre secret.

Il s'est à nouveau tourné vers moi, pour bien me montrer son petit sourire narquois. Ça ne valait pas la peine de discuter. Surtout que je comptais bien l'envoyer dans la cuisine me chercher un sachet de bonbons dans les dix minutes qui venaient.

Donc, bien que cela aille à l'encontre de tout ce en quoi je croyais, j'ai bel et bien laissé Michael Lee avoir le dernier mot.

~ 16 ~

Je n'ai pas beaucoup vu Jeane la semaine suivante. Elle n'était pas disponible pour nos rendez-vous habituels à la pause déjeuner et, quand est arrivé le jeudi après-midi, à l'heure où je l'emmenais d'ordinaire en voiture jusqu'à une ruelle à cinq minutes du lycée, où je pouvais lui rouler des pelles tout mon soûl (en tout cas, c'était ce qui s'était passé les deux jeudis précédents), elle s'est approchée de moi sur le parking.

— Ce sera pour une autre fois, désolée, a-t-elle lancé gaiement. Je dois aller en ville chercher une caméra vidéo. En plus, ma copine Tabitha a reçu une livraison de fringues vintage et j'ai toujours le droit de les voir en prem's. La création d'un nouveau look, c'est un sacré boulot. On peut peut-être se croiser ce week-end, mais pas samedi. De toute façon, c'est les vacances la semaine prochaine, alors on aura le temps de se voir, même si je suis obligée de faire quelques sauts en ville pour des rendez-vous que j'ai dû repousser à cause des cours.

Elle a enfin marqué un temps d'arrêt pour laisser un peu d'air entrer dans ses poumons, et là, elle m'a fixé d'un œil perçant.

— Tu n'y vas pas vraiment, au concert de Duckie, si ? C'était juste pour me faire marcher ?

Faux. J'avais acheté ma place, j'avais même payé deux livres de supplément pour la réservation.

— Mais si, j'y vais, ai-je affirmé. Tu n'as pas le monopole des trucs cool.

Elle a ricané.

— Ouais, c'est ça. Allez. À un de ces quatre.

Je l'ai regardée s'éloigner sur son vélo, puis elle s'est arrêtée pour ajuster son couvre-chef. Jeane n'avait pas encore inauguré ses cheveux couleur pêche, parce qu'elle voulait d'abord façonner son nouveau look. En attendant, elle avait enveloppé sa tête d'un imposant morceau de tissu bariolé. Elle avait même été prise à partie en cours d'anglais parce que la personne derrière elle ne voyait plus le tableau, pourtant elle avait refusé d'ôter son turban.

D'une certaine manière, on pouvait admirer cette ténacité à pousser à l'extrême ses choix de mode ultra-douteux, et d'une autre… Eh bien, il m'avait fallu deux mois pour me rendre compte que j'étais en train de commettre une terrible erreur avec Scarlett. Avec Jeane, il ne m'avait fallu que deux semaines. N'importe quel abruti aurait pu constater que nous courions droit à la catastrophe (si toutefois l'un d'entre eux avait appris que nous étions « ensemble »). À une grosse, grosse catastrophe. J'ignorais quand elle se produirait, mais je savais qu'elle ne tarderait pas à nous tomber dessus.

Je ne m'étais toujours pas débarrassé de cette impression de désastre imminent lorsque est arrivé le samedi soir. J'ai commencé par rejoindre toute la bande au restaurant. Je redoutais le concert, parce que Jeane y serait, et je craignais que tout le monde devine qu'on se voyait elle et moi dès qu'elle parvenait à trouver un créneau dans son emploi du temps overbooké. Ou que je me retrouve en plein psycho-drame à la Jeane. Ou qu'elle me snobe complètement. Rien à redire là-dessus a priori, mais quand même, imaginer Jeane en train de me fusiller du regard comme elle savait si bien le faire suffisait à me dégoûter de mon double burger au poulet (elle aurait été capable de dézinguer la moitié de la forêt amazonienne d'un seul battement de cils).

En réalité, c'était un mensonge. Ce qui me coupait vraiment l'appétit, c'était Heidi, qui frottait sa jambe contre la mienne avec une franche détermination, en tentant de me convaincre d'inviter tout le monde à la maison après le concert. Mes parents étaient partis déposer Alice et Melly chez mes grands-parents dans le Devon pour les vacances d'automne, ils ne seraient de retour que le dimanche, mais il était hors de question que j'accueille chez moi des gens venus se soûler, pour qu'ils finissent par faire des conneries, tout casser et vomir.

— Je t'ai dit non, ai-je répété à Heidi pour la cinquième fois.

Elle s'est contentée de me frotter la jambe plus fort, avec une moue.

— T'es pas marrant, Michael, a-t-elle dit.

En surprenant le regard en coin qu'elle a lancé à Scarlett, puis le haussement d'épaules, yeux au ciel, de celle-ci, j'en ai conclu que les avances de Heidi avaient reçu la bénédiction de mon ex-petite amie. Parfois, j'avais vraiment l'impression d'évoluer en circuit fermé, avec ces gens qui sortaient ensemble à tour de rôle. En fait, la seule nouvelle tête de ce groupe, c'était Barney, ce qui aurait dû être gênant, mais ne l'était pas.

Il s'était coupé les cheveux, ce qui me permettait de voir son visage – la plupart du temps tourné vers Scarlett. Ils échangeaient quelques coups d'œil langoureux, mais quand il a ajouté du sel sur ses frites, ce qui lui a valu une remarque réprobatrice de Scarlett, il l'a rembarrée en se moquant gentiment. Il avait tout mon soutien sur ce coup-là. Après ça, nous nous sommes rendu compte, lui et moi, que nous avions assisté à trois concerts en commun ces derniers mois, et je me suis dit que Barney méritait peut-être mieux que d'être catégorisé comme « celui qui m'a piqué ma copine ».

De manière très naturelle, je me suis joint à Scarlett et lui pour rallier l'ancienne salle de bal juste au bout de la rue où avait lieu le concert.

— Mes grands-parents se sont courtisés ici, a raconté Barney en souriant, tandis que nous laissions les filles déposer leurs affaires au vestiaire pour nous diriger vers le bar.

Au-dessus de la piste de danse était suspendu le plus gros lustre que j'aie jamais vu, la scène était située tout au fond et autour, les tables et les chaises étaient disposées dans de petites alcôves.

Ant et Martin ont réussi à nous réserver une table pendant que nous nous chargions des boissons. Les filles n'étaient toujours pas revenues – sûrement parties aux toilettes vérifier leur maquillage, retouché dix minutes plus tôt au restaurant.

— Bon, a dit Ant en soulevant sa pinte de bière. On se les descend vite fait et on fonce dans la fosse ?

Un murmure général d'approbation a accueilli cette suggestion, mais Barney a secoué la tête.

— Impossible. Pas dans un concert de Duckie. La fosse est réservée aux filles.

— Tu déconnes ?

— Eh non. Il y avait un panneau à l'entrée, a expliqué Barney en écartant les mains. Si tu tentes le coup, tu te feras sortir par la sécurité. Enfin, au mieux.

— Et au pire, il se passerait quoi ? ai-je demandé.

— Tu finirais sauvagement agressé par des hordes de fans en furie et tu aurais du bol d'en réchapper. Cela dit, c'est plutôt cool que les filles aient l'occasion de danser et de faire les folles sans avoir à s'inquiéter qu'un débile essaie de les peloter, non ?

Présenté comme ça, ça paraissait logique, mais Martin a secoué la tête.

— Vieux, t'as passé beaucoup trop de temps avec ce phénomène de foire.

— Jeane n'est pas un phénomène de foire, s'est insurgé Barney, qui est devenu tout rouge. Elle est un peu… eh bien… barrée, mais elle est cool. C'est la fille la plus cool que je connaisse.

Le voir défendre son ex comme ça m'a fait apprécier Barney encore davantage. Cela dit, Jeane n'avait besoin de personne pour se défendre : si elle avait été là pour entendre ce que venait de dire Martin, elle l'aurait probablement giflé. D'ailleurs, lui-même tempérait ses propos.

— Excuse-moi, mais je veux dire, elle n'est pas un peu too much ?

— Oh, oui. Ça, pour être too much, elle l'est, a convenu Barney avec un petit sourire.

Nous étions là depuis une vingtaine de minutes maintenant, et cette discussion à propos de Jeane m'a soudain incité à scruter la salle avec nervosité, mais je n'ai vu que les filles, qui approchaient de notre table.

— Alors là, vous allez pas le croire, a soufflé Heidi en s'affalant sur mes genoux.

OK, il nous manquait quelques chaises, mais elle abusait, *grave*. Pourtant, je ne pouvais pas la repousser sans provoquer une scène.

— On vient de croiser Jeane Smith. Vous allez halluciner quand vous verrez ses fringues, a-t-elle ajouté.

— Et elle a changé de couleur de cheveux, a enchaîné Mads. Ils ne sont plus gris. On dirait ce vernis à ongles que tu as failli acheter, Scarlett.

Celle-ci a confirmé que la teinte était similaire puis toutes les quatre ont tendu le cou, et j'ai suivi leur regard en direction du stand de produits dérivés aux couleurs du groupe, où se trouvait Jeane, entourée d'une petite grappe de filles.

Elle était… Vous savez quoi ? Il n'existe pas vraiment de mots pour décrire son apparence. Ses cheveux, peignés et tirés en arrière, étaient surmontés d'un diadème, et elle portait une robe de bal. Pas simplement une robe à froufrous type bal de fin d'année, mais une énormissime robe de gala, dans les bleu-vert ou disons turquoise, vert d'eau, enfin ce genre de couleur dont je ne suis jamais très sûr, et dans un tissu mystérieux, du taffetas ou de la soie changeante ou même des matériaux recyclés, allez savoir. Cependant, ce qui paraissait réellement différent chez Jeane, ce n'était pas sa coiffure, ni sa tenue super glamour et carrément too much, mais le sourire sur son visage.

Jeane avait l'air heureuse, comme si elle avait gagné à la loterie et claqué tout le fric en Haribo. Je ne l'avais jamais vue comme ça. Ça lui allait bien.

Je faisais de mon mieux pour arrêter de lui jeter des regards en douce, pendant qu'elle s'agitait avec sa caméra, à interviewer des gens. Le reste du temps, elle régnait carrément sur la salle. Il semblait qu'à chaque pas, elle croisait quelqu'un qu'elle connaissait, saluait, embrassait et avec qui elle bavardait avec animation. Je découvrais un angle tout nouveau de sa personnalité.

— Qui est-ce que tu mates comme ça ? m'a demandé Heidi d'un ton désagréable.

J'ai détourné la tête de Jeane avec une telle rapidité que j'ai frôlé le torticolis.

— Personne, ai-je murmuré.

Heidi a pris la mouche.

— Si tu veux savoir, c'est hyper mal poli de proposer à une fille de s'asseoir sur ses genoux et après ça, de l'ignorer complètement.

— Je ne me souviens pas qu'il t'ait suggéré de planter tes grosses fesses sur ses genoux, a commenté Martin.

Après ça, ils ont échangé un regard mauvais, lié à leur passif tous les deux. Tout le poids de Heidi était centré sur ma cuisse droite, qui commençait à s'engourdir, je n'ai donc pas remarqué que Jeane approchait... jusqu'au moment où elle s'est trouvée pile devant moi.

— Scarlett, a-t-elle dit.

Celle-ci a levé la tête d'un air méfiant.

— Je peux emprunter le cerveau de Barney juste une seconde ? a repris Jeane.

— Bien sûr, pas de problème.

J'avais oublié combien Jeane pouvait se montrer attentionnée et prévenante. Au lieu d'envoyer un SMS à Barney pour le faire rappliquer, elle avait préféré venir jusqu'à la table de ces personnes qu'elle n'appréciait pas, pour s'assurer que ça ne posait aucun problème à Scarlett. Jeane a collé sa caméra dans les bras de Barney.

— Je l'ai louée, a-t-elle expliqué en s'accroupissant pour lui montrer l'écran. Entièrement numérique, rien à voir avec mon vieux machin. J'ai zoomé, et je n'arrive plus à dézoomer. Sur quel bouton il faut que j'appuie, à ton avis ?

— J'imagine que tu n'as pas le mode d'emploi ?

Elle a levé les yeux au ciel.

— Barney, pourquoi poser des questions dont tu connais la réponse ?

Il a grommelé en lui adressant un doigt d'honneur, puis il s'est penché sur le Caméscope. Jeane a balayé la table du regard, s'est emparée de son téléphone, pour raconter par tweet cet épisode fascinant de sa soirée, je parie. Soudain, mon portable a vibré.

— Heidi, tu pourrais te chercher une chaise, s'il te plaît… Ou bien, tu sais quoi, tu n'as qu'à prendre la mienne.

Elle a été forcée de descendre de mes genoux, je me suis levé pour récupérer mon BlackBerry dans ma poche arrière et découvrir un texto envoyé par Jeane.

> Hilda/Heidi et toi vous êtes ensemble ?
> T'aurais dû me dire.

Non, mais ? *Non, mais, n'importe quoi ?* OK, entre Jeane et moi, c'était bizarre et un peu flippant, mais ça existait bel et bien, et je n'allais sûrement pas voir ailleurs.

NON ! ai-je aussitôt répondu par SMS. J'aimerais bien que Heidi comprenne le message d'ailleurs.

Mais Jeane avait déjà rangé son portable.

— Je me fiche de l'autofocus, était-elle en train de dire. Explique-moi juste le zoom.

— Mais, Jeane !…

— Barney ! Je filme des micro-trottoirs, je ne tente pas de recréer *Inception* plan par plan.

Ils sont restés penchés l'un vers l'autre pendant un moment, tête contre tête, mais ça n'a pas paru déranger Scarlett. Elle parlait à Mads et Anjula d'une balade en voiture jusqu'à Brighton qu'elle avait envie de faire. Seule Heidi continuait de fixer la nuque de Jeane.

— Qu'est-ce que tu fous avec un Caméscope ? a-t-elle demandé, très agressive, quand Jeane s'est finalement relevée.

— J'interroge des filles et ceux qui s'identifient à des filles, je leur demande ce qu'ils préfèrent dans le fait d'être une fille, a répondu Jeane d'un ton neutre.

Heidi a croisé les bras.

— Et tu peux me dire à quoi ça sert, en fait ?

Je ne savais vraiment pas pourquoi elle se montrait aussi garce. Au lycée, Jeane n'embêtait personne, et tout le monde la traitait un peu comme l'excentrique de service, sans que jamais elle suscite de franche hostilité, toutefois. Du moins, pas jusqu'à présent. Même Scarlett a éprouvé le besoin de lui souffler un avertissement :

— Hé, Heidi, ça va.

— C'est une commande d'une association caritative qui travaille avec des jeunes filles, pour promouvoir l'estime de soi et l'acceptation de son corps, a expliqué Jeane, de son ton si monocorde qu'on aurait cru discuter avec un robot. Ces vidéos feront partie d'une campagne de marketing viral.

— Laisse tomber. *Trop* chiant, a lâché Heidi d'une voix traînante.

Je me demandais si elle ne soupçonnait pas quelque chose pour Jeane et moi, surtout si elle croyait avoir des droits sur ma petite personne. Mais comment serait-ce possible ? Nous avions été d'une discrétion absolue.

— Ton nouveau look me fait littéralement saigner des yeux, a assené Heidi, pour finir.

Martin l'a dévisagée avec un air faussement compatissant.

— Qu'est-ce qui te prend, Heidi ? Tu as encore tes règles, c'est ça ? C'est toutes les semaines ou quoi ?

Mais Jeane n'avait besoin de personne.

— Je t'enverrai le lien quand les vidéos seront en ligne, a-t-elle dit à Heidi en soulevant sa caméra. Ça pourrait te permettre de lutter contre ce manque de confiance en toi qui te fait t'en prendre à d'autres filles. Ou bien tu pourrais répondre à mes questions. Ça t'aiderait peut-être à t'assumer.

Heidi s'est laissée tomber sur sa chaise.

— C'est bon, je n'ai pas besoin de ça, a-t-elle craché. De toute façon, maintenant que tu sais comment marche ce truc, tu pourrais, genre, dégager ? On discute entre nous, là.

Anjula, Mads et Scarlett, et c'est tout à leur crédit, lui ont jeté un regard noir.

— Pas du tout, a protesté Mads, qui a ajouté, s'adressant à Jeane : Ta robe est mortelle.

Jeane a secoué les plis de sa gigantissime robe et, avant qu'elle puisse répondre ou, Dieu nous en garde, sympathiser avec mes amis, un type débraillé, en costume, avec un chapeau feutre s'est approché de nous et s'est mis à chanter…

— *Jeane, la vie de bohème a perdu de son attrait et je suis fatigué de…* te chercher partout ! a-t-il conclu avec un fort accent de Manchester en la serrant contre lui avec enthousiasme. On est tous à l'étage, au balcon !

— Salut, Tom, a dit Jeane en essayant de se dégager. Je dois terminer mes interviews, mais je monte avant que Duckie arrive sur scène.

— D'ailleurs, ça me fait penser, a répliqué Tom en se tapotant le nez et en tirant de sa poche intérieure une enveloppe. Pass backstage et billets pour l'after. Molly veut savoir si tu es toujours d'accord pour qu'elle dorme sur ton canapé.

Jeane a fait une grimace.

— Tant qu'elle ne commence pas à se plaindre de mes talents de ménagère. La dernière fois, elle m'a traitée de grosse cochonne.

— Elle venait de se rendre compte qu'elle s'était servie d'un carton à pizza comme oreiller, il faut dire.

Tom s'est éloigné avec Jeane, en la tenant par ses épaules, et elle s'est retournée pour nous saluer d'un petit geste de la main, qui aurait pu s'adresser à n'importe lequel d'entre nous.

— Molly, la chanteuse de Duckie ? a demandé Mads.

Tout le monde s'est tourné vers Barney pour en savoir plus.

— Jeane connaît Duckie ? a-t-elle ajouté.

— Faut croire. Molly organise un camp d'été rock pour les filles, Jeane y a dirigé des ateliers, a expliqué Barney en agitant la main comme pour écarter le sujet. Mais n'allez pas le raconter partout, sinon je vais me faire engueuler par Jeane. Elle essaie de bien faire la distinction entre le boulot et le lycée.

Tout le monde a hoché la tête, sauf Heidi.

— Pourquoi on continue de parler de cet horrible petit troll ? Elle t'a fait pleurer, Scar, et elle t'a traitée de demeurée.

— Oh, c'est une affaire réglée entre elle et moi, a répondu Scarlett. Et puis elle n'a eu aucun problème à accepter ce qui se passe avec Barney, alors arrête de la harceler comme ça.

Depuis qu'elle sortait avec Barney, et ça ne faisait pourtant pas très longtemps, Scarlett était métamorphosée. Elle répliquait, elle savait se défendre, elle était à peu près dix fois mieux que du temps où nous sortions ensemble, tous les deux, comme si je la brimais ou je ne sais quoi.

— Elle est vraiment malfaisante, et ses fringues puent le vieux, a renchéri Heidi.

— Mais, en secret, tu ne fais pas une petite fixette sur elle ? s'est enquise Mads. Parce que moi, je regarde toujours ce qu'elle porte, le matin, et j'ai bien envie de discuter un peu plus de son nouveau look.

— Moi pareil, a rebondi Anjula en allumant son téléphone. Et j'ai très envie de répandre sur Twitter la nouvelle de son amitié avec Duckie.

— Alors là, si vous passez la soirée à parler de Jeane Smith, je m'en vais, a menacé Heidi.

Je devais admettre que j'étais d'accord avec elle. J'étais à deux doigts de feindre une migraine pour rentrer chez moi, mais la première partie a commencé, Barney a payé sa tournée, il y a eu un groupe, puis un deuxième et à ce moment-là, j'étais déjà de bien meilleure humeur, même si j'aurais préféré que Heidi ne me colle pas comme ça.

Jeane n'avait pas répondu à mon texto, mais elle a tweeté tout le concert. Elle a annoncé à ses followers :

 irresistibly_geek Jeane Smith
Et voici Duckie qui fait son apparition sur scène. Un tel son, c'est rare ! Allez, Molly, donne-nous tout ce que tu as.

Et à cet instant précis, Heidi m'a tiré par le bras.

— Michael, il faut vraiment qu'on parle, a-t-elle crié comme Duckie entamait son premier morceau. Genre, maintenant !

— Écoute, on discutera après le concert.

— Non, maintenant, a-t-elle insisté.

Je me suis retourné pour l'envoyer sur les roses, mais elle pleurait ou, du moins, elle plissait son visage, ses sourcils se touchaient presque, sa lèvre inférieure tremblotait comme si elle était sur le point de fondre en larmes.

Je n'ai pas eu le choix, j'ai été obligé de quitter la piste de danse bondée pour nous trouver une table libre, où j'ai dû écouter Heidi me dire que :

— Je croyais qu'il y avait quelque chose entre nous, alors pourquoi tu m'as mal parlé toute la soirée ?

Évidemment, j'ai nié tout mauvais comportement, et puis j'ai dû enchaîner sur un classique : « Nous sommes bons amis, ne gâchons pas tout », dans lequel Heidi n'a pas du tout marché. Après ça, j'ai ajouté que je ne m'étais jamais vraiment remis de ma séparation avec Hannah, ce qui était la vérité, et que j'étais encore un peu méfiant après ce qui s'était passé avec Scarlett, ce qui était absolument faux, mais puisque Heidi avait désormais eu le temps de verser sa petite larme, j'ai même été forcé de conclure que je n'aurais pas de temps à consacrer à une relation, vu que j'allais devoir me concentrer sur mes examens, ce qui était carrément n'importe quoi.

Heidi m'a fait tout un numéro. Nous nous étions embrassés peut-être trois fois, deux ans auparavant, alors elle n'avait pas vraiment de raison de sangloter, de s'étrangler et de simuler une crise de panique – soit dit en passant la plus ridicule qu'il m'ait été donné de voir, en tant que fils de médecin (pourquoi fallait-il que toutes les filles se mettent à l'hyperventilation, comme si c'était le nouveau truc à la mode ?). Mais bref, c'est quand même ce qui s'est passé. J'ai dû lui apporter un verre d'eau et partir en quête d'un sac en papier. Si j'avais éprouvé le moindre intérêt pour Heidi, alors son cinéma de ce soir aurait suffi à le pulvériser complètement.

Les larmes n'avaient en rien endommagé le maquillage de Heidi, mais je venais à peine de la calmer quand la musique s'est arrêtée et que les lumières se sont rallumées. Visiblement, le spectacle était terminé. À l'instant où les autres ont réapparu, hirsutes, transpirants et radieux, Heidi s'est remise à pleurer. C'était le genre de larmes de crocodile dont nous gratifie Alice quand on l'empêche de chiper du chocolat en douce, mais les autres filles ont mordu à l'hameçon et se sont jetées sur elle pour la serrer dans leur bras en couinant « Oh, Heidi ».

Comme de bien entendu, Heidi a quitté la salle au pas de charge, avec dans son sillage Mads, Scarlett et Anjula, qui m'ont jeté au passage quelques regards lourds de reproche.

— Qu'est-ce qui s'est passé ? s'est renseigné Ant.

— Ça m'énerve quand les filles font le forcing, ai-je répondu. À voir son comportement de cinglée, n'importe qui aurait pu croire qu'on était ensemble depuis cinq ans et qu'on avait deux gosses.

— Ooooh, pauvre Mike, quelle plaie d'avoir toutes les meufs qui se jettent à ton cou.

— Lâche-moi !

Ant passa un bras autour de mes épaules.

— Allez, on va se boire un verre quelque part ?

J'ai secoué la tête. Cette soirée partait en vrille, il était temps de retirer mes billes avant que ça ne s'aggrave encore.

— Nan, je rentre.

J'ai pris la direction de la maison. J'étais même à l'arrêt de bus quand mon téléphone a bipé, me signalant un message :

Salut. After au White Horse.
Retrouve-moi devant le M&S juste en face
ou bien sois chiant, comme tu veux.

Jeane aussi était capable de faire des scènes, mais au moins les siennes ne ressemblaient en rien à celles des autres filles, voilà tout ce que j'aurais à dire pour ma défense. Je suis revenu sur mes pas, j'ai pris à gauche, à droite et j'ai aperçu Jeane, devant le Marks & Spencer, tout sourires, comme si elle était contente de me voir.

∼ 17 ∼

Michael Lee est différent ce soir, me suis-je dit en le voyant arriver dans ma direction. Je ne parvenais pas exactement à mettre le doigt dessus, mais, soudain, il est passé sous un réverbère et j'ai constaté qu'il ne portait pas un de ces affreux tee-shirts faussement usés au logo d'une marque américaine excessivement chère. Il était vêtu d'un tee-shirt vert uni à manches courtes, par-dessus un autre, blanc à manches longues, d'un blouson en cuir et d'un jean slim noir. Certes, la tenue en soi manquait d'imagination à mort, mais au moins il ne ferait pas tache à côté de moi.

L'autre truc différent, c'était qu'il me souriait. Comme s'il était content de me voir. Super bizarre.

Lorsqu'il est arrivé à ma hauteur, j'ai bien vu qu'il hésitait sur le mode de salutation approprié, étant donné notre situation, assez unique en son genre. Je l'ai épargné en lui tendant la main.

— Jeane Smith, ravie que tu aies pu venir.

Son sourire s'est élargi.

— Michael Lee. J'ai beaucoup entendu parler de toi, a-t-il déclaré en me serrant la main. Ton live-tweet de la soirée m'a sauvé la vie, au fait.

— Mais tu étais là. Tu as vécu l'expérience Duckie dans toute sa gloire physique et son talent multiforme ! me suis-je exclamée tandis que nous traversions la rue. Tu n'avais pas besoin de le lire sur Twitter. D'ailleurs, je croyais que tu n'y comprenais rien. Tu me suis sur Twitter, en fait ?

Le sourire de Michael a un peu faibli.

— J'ai dit que je n'y comprenais rien, mais ce soir j'avais bien besoin de cette distraction, et de tes tweets en direct, parce que je n'ai pas vraiment pu profiter du concert, a-t-il murmuré. À cause de ce truc avec Heidi…

Que Michael me suive sur Twitter pour épier mes messages et savoir si je disais des méchancetés sur lui (ce n'était pas le cas) ne m'a pas paru si important tout à coup.

— Un truc avec Heidi ? Ah bon ?

— Oh, arrête, a-t-il soupiré en me poussant un peu, ce qui a manqué de me faire tomber du trottoir. Elle m'a pris la tête pendant une heure au moins.

— À quel propos ?

Pour une fois, j'étais bien contente d'avoir une voix plutôt monocorde, sans quoi je suis certaine que j'aurais paru très contrariée. Pourtant, on ne peut pas dire qu'on se soit juré l'exclusivité, lui et moi.

— Alors. L'été il y a deux ans, Heidi et moi, on s'est roulé quelques pelles, peut-être à trois fêtes différentes. Après ça, j'ai vécu une relation sérieuse avec une fille, j'ai eu le cœur brisé, il y a eu d'autres filles et *ensuite*, je suis sorti avec Scarlett. Et maintenant, voilà que Heidi a décrété qu'on était faits l'un pour l'autre. Comme je n'étais pas d'accord avec elle, elle a viré hystérique.

— Je déteste quand les mecs parlent d'hystérie alors que les filles osent simplement exprimer leurs émotions, ai-je souligné.

Michael a secoué la tête avec véhémence.

— Non, elle était vraiment hystérique, ou elle a fait semblant. J'ai même dû aller lui chercher un sac en papier parce que, soi-disant, elle était en hyperventilation, m'a-t-il expliqué avec un regard perplexe. Je ne l'ai absolument pas encouragée, alors je ne sais pas pourquoi elle a cru ça.

— Eh bien, objectivement, on peut dire que tu es un beau parti, ai-je raillé. Tu es plutôt agréable à regarder, tu participes à des activités que des gens comme Heidi considèrent comme importantes et puis, bien sûr, tu es populaire.

— À t'entendre, tout ça est négatif, m'a rétorqué sèchement Michael, en se figeant sur place. Écoute, je me sentais déjà mal à cause de Heidi, et voilà que tu remets ça. C'est bon, j'en ai ma claque, je rentre.

Sur ce, il est parti et moi je suis restée là à fixer l'endroit où il se tenait une seconde plus tôt. Je n'avais pas voulu le blesser et puis c'était Michael Lee. Ce type avait tout pour lui. Comment aurait-il pu se sentir mal parce qu'en dehors d'une énorme pression parentale, sa vie était parfaite ? Il était parfait.

L'idée qu'il puisse ne pas l'être autant que je l'avais imaginé est soudain devenue le détail le plus séduisant de sa personnalité. En plus, j'avais essayé de me montrer sympa en l'invitant à l'after et voilà que je venais de tout faire foirer.

Je n'avais pas le choix : il fallait que je lui coure après. Cependant, j'étais pour ma part loin d'être parfaite et la course faisait partie de cette liste infinie des choses pour lesquelles j'étais nulle. Lui s'éloignait à grandes enjambées, dévorant les mètres à toute vitesse pendant que je sautillais derrière sans jamais le rattraper.

— Michael ! ai-je été obligée de crier. S'il te plaît, ne me force pas à cavaler derrière toi. C'est tellement cliché, et puis je porte des talons et ma cheville n'est plus tout à fait la même depuis que tu m'as accidentellement poussée de vélo.

Ça l'a arrêté dans sa lancée. Je me disais bien, aussi. Il s'est retourné.

— S'il te plaît, accompagne-moi à l'after, lui ai-je demandé d'un ton enjôleur.

Ce n'était pourtant pas parce que j'avais trop peur de me rendre dans un club toute seule : il y aurait des tas de gens que je connaîtrais à l'intérieur. Mais comme aucun ne fréquentait notre lycée, c'était l'occasion de faire quelque chose ensemble, Michael et moi, qui n'implique ni baisers ni batifolage.

— C'est open bar, et je te présenterai le groupe, pas pour faire la maligne, mais juste parce que je les connais. Allez… ai-je insisté.

— Bon…

— Mais je ne te supplie pas, ai-je précisé pour qu'il n'y ait pas de malentendu. Arrête de bouder et ramène tes fesses.

— Toi, tu sais vraiment trouver l'argument qui tue, hein ? a-t-il dit en me rejoignant.

— Je parie que tu regrettes que je ne fasse pas partie du club de rhétorique.

Michael et moi avons rallié le White Horse tous les deux et il ne s'est pas impatienté pendant la longue discussion que j'ai eue avec Debbie, la fille à l'entrée, à propos du bonnet qu'elle était en train de tricoter. Après ça, nous avons grimpé un escalier branlant pour gagner le bar à l'étage, où étaient rassemblées à peu près toutes les personnes que j'avais pu rencontrer dans ma vie. Et Michael ne s'est pas agacé que je sois obligée de m'arrêter en permanence pour bavarder avec les uns et les autres.

Il avait fallu des mois à Barney pour se domestiquer ainsi, pour qu'il soit capable d'avoir une conversation polie avec un complet inconnu sans qu'il me tire par la manche et me demande d'une voix geignarde combien de temps ça allait encore durer. Michael n'était pas du tout comme ça. Il pouvait causer avec tout le monde, même Glen le Cinglé, que j'évitais en temps normal parce qu'il était… cinglé complet, en fait. La rumeur disait que c'était la conséquence de l'ecstasy frelatée qu'il avait ingérée dans les années 1990. Il avait aussi quelques soucis d'hygiène personnelle, mais Michael a patiemment évoqué avec lui ses théories du complot concernant le 11 Septembre et le voyage dans la Lune, après quoi Michael a enchaîné sans transition sur une discussion football avec Tom, pendant que je racontais à Tabitha que cette robe, qu'elle m'avait dénichée, puait toujours l'antimite, alors que je l'avais aspergée d'un flacon entier de Febreze.

Je dois avouer avoir ressenti une certaine nervosité quand Molly et Jane, de Duckie, se sont approchées. Je crois que je ne m'habituerai jamais à ce qu'une femme qui est mon idole depuis mes onze ans me serre dans ses bras. Mais je progressais.

— J'adore ton nouveau look, a commenté Molly en s'asseyant sur la chaise libre à côté de moi. On dirait un peu Frenchy, dans *Grease,* et ça fait un peu drag-queen, aussi.

J'ai hoché la tête gaiement.

— Ce n'est pas tout à fait ce que je visais, mais bon, j'assume.

Molly a fait bouffer ses cheveux blonds.

— Ça me manque, les colorations un peu déjantées, mais ce qui ne me manque pas, c'est de retrouver mes serviettes et mes taies d'oreiller pleines de taches roses. Sans compter que ça ne serait pas très bien accueilli au boulot.

Quand elle ne mettait pas le feu à la planète grâce à ses chansons ou à l'organisation de camps d'été rock, Molly travaillait dans un musée.

— Du coup, je vis par procuration à travers toi, a-t-elle conclu.

— Même quand j'étais dans ma phase vieille mémé ?

— C'est vrai que c'était bizarre, a convenu Molly en balayant du regard les alentours et en avisant soudain Michael, assis juste à côté de moi, toujours en pleine discussion foot avec Tom. Oooh, salut ! Mais ce n'est pas Barney.

Michael a tourné la tête, ses yeux se sont imperceptiblement écarquillés, puis il a souri.

— Eh non, je ne suis pas Barney, je confirme. Moi, c'est Michael.

— Et moi, Molly, a-t-elle dit en tirant Jane par la manche. Voici Jane. Jane, voici Michael, dont le statut reste à déterminer.

— C'est mon ami, ai-je répondu vaguement.

Jane a eu un petit sourire malin et m'a donné un coup de coude.

— Ton ami... pas comme les autres ?

Michael et moi avons échangé un regard. Je ne sais pas trop ce qu'il y a lu, peut-être : « Si tu me ridiculises devant l'une ou l'autre de ces femmes, je te tue. » Mes dons de télépathie ne sont pas toujours efficaces à ce point, mais il a souri.

— Tous les amis ne sont-ils pas uniques en leur genre ?

— Certes, mais certains sont plus uniques que d'autres, a souligné Jane. Alors, dis-moi, à quel point es-tu unique ?

— Oh, Jane, nous sommes tous aussi rares et uniques que des flocons de neige, à notre manière, me suis-je empressée de répondre. Arrête de nous persécuter.

Jane y a réfléchi un instant. C'était la personne la plus belle que j'aie jamais vue en vrai. Elle avait cette beauté des sirènes d'Hollywood des années 1940, dont elle jouait d'ailleurs, avec ses cheveux crantés rétro et son trait d'eye-liner parfait. Il semblait évident qu'elle fasse partie d'un groupe. Je savais bien que, le jour, elle était conseillère auprès de jeunes ayant des problèmes d'addiction à l'alcool et autres substances, mais je n'aimais pas me figurer cette facette d'elle. Quand j'y pensais, je l'imaginais toujours confusément en train de menacer de mort ses patients pour qu'ils ne se soûlent ou ne se droguent plus jamais.

— OK, a-t-elle conclu. Puisqu'on va sûrement être obligées de prendre une chambre au Jeane Hilton, j'arrête de vous embêter. Alors, qu'est-ce que vous avez pensé du concert ?

Elle connaissait ma réponse, puisque j'y avais assisté en coulisse et que j'avais passé mon temps à sauter partout et à couiner. En gros, c'était un test destiné à Michael. Il allait devoir bluffer pour donner son avis sur un spectacle qu'il n'avait pas vu, Molly et Jane le sentiraient forcément, parce que les gens dans les groupes ont une sorte de sixième sens dans ce domaine, et tout ça serait du plus mauvais effet pour mon image. D'ordinaire, je me fichais de ce qu'on pensait de moi, mais là, on avait affaire à Jane et Molly, mes deux sœurs aînées déjantées honoraires, alors ça comptait beaucoup.

J'ai retenu mon souffle, toutes deux avaient le regard rivé sur Michael. Je pouvais presque entendre les rouages de son cerveau se mettre en place.

— Eh bien, je n'ai pas vu grand-chose, a-t-il reconnu, à ma grande surprise. Vous veniez de commencer le premier morceau quand je me suis retrouvé coincé dans une embrouille qui a duré tout le concert, rappels compris. Mais ce que j'ai pu entendre par-dessus les cris et les larmes avait l'air bien, cela dit. Super bien. J'adore les CD, mais un groupe, c'est toujours meilleur en live.

Michael s'est frotté le menton.

— À part Justin Bieber, pour lui, il n'y a rien à faire, il reste à chier en toutes circonstances, non ? a-t-il ajouté.

C'était exactement la réponse qu'il fallait. Ni Molly ni Jane n'ont paru s'offusquer qu'il ait raté leur prestation dans toute sa splendeur. Au lieu de ça, Jane a fait venir leur copine Kitty qui ressemblait tout à fait à Justin Bieber, nous avons papoté avec elle, deux heures ont passé, dans un enchaînement flou de boissons et de discussions. À un moment, même, Michael a dansé avec moi sur du hip-hop old school. Ça n'avait de danse que le nom, mais au moins il a essayé. Barney, comme tous les garçons hétérosexuels de ma connaissance, aurait préféré devoir subir un lavement que d'être vu en train de danser.

À 2 heures précises, les lumières se sont rallumées, j'ai dû décoller mes semelles du sol poisseux et songer à rentrer. Michael m'avait à peine touchée de la soirée, mais après avoir enfilé son blouson en cuir, il m'a pris la main et ne l'a pas lâchée. Ma main s'est blottie dans la sienne comme si c'était sa place. Super bizarre, une fois encore, mais plutôt agréable. J'avais les doigts glacés, les siens étaient chauds, j'avais oublié mes gants, alors ça tombait très bien.

Soudain, je me suis dit que Michael et moi n'étions jamais sortis ensemble un samedi soir, parce que c'était ce que faisaient les couples normaux et, quoi que nous formions, lui et moi, ça n'avait rien de normal.

— Ne te vexe pas, ai-je commencé, preuve que j'étais un peu cuite, parce qu'en général, je ne me souciais guère de la manière dont il prenait mes remarques. Mais... tu n'as pas un couvre-feu ? Enfin, la plupart des gens qui vivent chez leurs parents en ont un.

En m'entendant suggérer qu'il vivait sous la coupe de ses parents, Michael a répondu d'un petit mouvement de sourcils, mais j'avais rencontré sa mère, elle n'était pas du genre à autoriser son fils chéri à rentrer à des heures indues.

— Pas tellement, le samedi soir, a-t-il précisé en jetant un coup d'œil à sa montre – il était la seule personne que je connaisse à en porter une. Cela dit, si mes parents n'étaient pas dans le Devon, 2 heures du mat' passées, ce serait objectivement un peu tard.

— Même le premier soir des vacances ?

— Mais, Jeane, cette année de terminale est cruciale, a-t-il répliqué d'une voix haut perchée qui, il est vrai, ressemblait un peu à celle de Kathy Lee. « Il te faut au moins huit heures de sommeil par nuit et n'oublie pas de laisser sortir le chat. »

— Alors, hum, est-ce qu'on partage un taxi ? Ou bien tu passes chez moi un moment ? ai-je demandé avec hésitation, parce que j'avais été tellement occupée ces derniers jours que nous n'avions pas eu le temps de nous voir.

Et quand je dis « nous voir », je veux dire nous embrasser jusqu'à plus soif.

Michael a serré ma main un peu plus fort. Moi aussi.

— Il faut vraiment que je fasse sortir le chat, mais tu pourrais m'accompagner à la maison. D'abord, elle est propre…

J'ai arrêté de serrer sa main et je me suis mise à bouder.

— Chez moi aussi, tout est nickel. J'ai tout rangé ce matin, ça m'a pris des heures et j'ai même passé l'aspirateur. Et puis je me suis chargée du tri, sans que Gustav et Harry aient besoin d'intervenir.

— Peut-être, mais est-ce que tu as été livrée par un supermarché ces douze dernières heures et est-ce que ton père a rapporté deux boîtes de gâteaux de Chinatown hier ?

— Ah, non. Effectivement.

— Alors viens chez moi. Pour les gâteaux et puis le reste aussi.

Ça s'annonçait bien. Je pourrais me gaver de pâtisseries et enchaîner sur une grande tranche de reste aussi.

— D'accord, ai-je dit en l'entraînant vers la sortie. Essayons de trouver un taxi.

~ *18* ~

Je n'arrivais pas à croire que je tenais la main de Jeane en public, dehors, à près de 2 h 30 du matin, et qu'elle s'apprêtait à me suivre jusque chez moi, en l'absence de mes parents et de mes agaçantes petites sœurs.

Jeane scrutait la rue à droite et à gauche, en quête d'un taxi disponible, et, à la lumière des réverbères, qui soulignait les angles de son visage, elle paraissait presque belle. Enfin, non, pas belle, mais exotique. Comme un oiseau de paradis, une fleur rare qui n'aurait pas sa place dans la grisaille et l'humidité de la nuit londonienne.

— Tu veux ma photo ? m'a-t-elle taquiné en me surprenant en train de la dévisager, mais je ne crois pas que cela la dérangeait.

Impossible de trouver le moindre taxi. Cependant, à l'instant où nous étions sur le point de gagner la rue principale, Molly, Jeane, suivies de quelques autres se sont élancées derrière nous.

— Alors, ça ne pose pas de problème si on dort chez toi ? a demandé Molly en arrivant à hauteur de Jeane, qui du coup a lâché ma main et s'est écartée de moi. Ça ne te dérange pas ?

— Bien sûr que non, a dit Jeane.

Là, d'un coup, je ne sais pas trop pourquoi, je me suis senti furieux. C'est sûr, à choisir entre une soirée à batifoler chez moi entre deux gâteaux chinois et une autre en compagnie de Molly Montgomery, cette dernière l'emporterait toujours haut la main. Toujours.

— Et avant que tu ne commences à râler, c'est super propre, a averti Jeane. Mon père me rend visite bientôt alors j'ai passé presque toute la journée les mains dans l'eau savonneuse.

— Tu m'en vois ravie parce que la dernière fois que j'ai dormi chez toi, je te jure, j'ai attrapé la gale, a dit Jane en frissonnant.

Molly lui a donné une tape.

— Espèce de grosse menteuse. Tu as eu une allergie à cette lotion pour le corps qui sentait le Canard WC.

— Moi, je te dis que c'était la gale, a insisté Jane. J'espère que tu n'as pas oublié d'aspirer le canapé aussi.

— Encore une impertinence et tu dors dans ta camionnette, a menacé Jeane avant de se tourner vers moi : Je crois qu'on peut arrêter de chercher un taxi.

J'ai hoché la tête. Avais-je le choix ? Ce n'était pas la fin du monde, si elle rentrait chez elle accompagnée de ses copines branchées pendant que je retrouvais ma maison vide. Elle embrassait bien, c'est vrai, mais je survivrais.

La camionnette de Duckie était garée dans la rue d'à côté. Jeane et moi sommes montés à l'arrière et j'ai passé les dix minutes suivantes avec une baguette de batterie qui me rentrait dans les fesses, à devoir me tenir aux roues chaque fois que Jane prenait un virage trop vite. Jeane avait beau me répéter que Jane ne buvait pas une goutte et ne touchait à aucune drogue, au volant, elle n'avait pas l'air dans son état normal. En arrivant dans le quartier de Westminster, Jeane a commencé à lui indiquer le chemin menant chez moi tout en fouillant dans son grand sac.

Je n'y ai pas fait très attention parce que… Eh bien, parce que je faisais la tronche, j'étais mal installé, et puis je pensais au sandwich au bacon que j'allais me préparer en rentrant. Tout à coup, Jeane a lancé ses clés à Molly.

— Tu te souviens de l'adresse, non ?

— Oui. Je l'ai notée dans mon téléphone, pour pouvoir retrouver le reste du trajet sur Google Maps.

Jeane s'est penchée en avant.

— Arrête-nous près de la boîte aux lettres, a demandé Jeane et, dans un horrible grincement, Jane s'est stationnée le long du trottoir. Laissez mes clés sous le paillasson, je sonnerai à l'Interphone des voisins pour entrer.

Cela lui a valu une réaction incrédule de la part de toutes les personnes présentes.

— Ça va pas, non ? s'est exclamée une fille. N'importe qui pourrait te les piquer.

— La lutte contre l'insécurité, c'est pas ton truc, on dirait, a remarqué Molly. On n'a qu'à se voir demain pour déjeuner avant qu'on reparte pour Brighton, et nous procéderons à une cérémonie de remise des clés.

Il a fallu encore quelques minutes pour convenir des détails du rendez-vous puis nous sommes enfin sortis de la camionnette.

— Prenez ce que vous voulez dans le réfrigérateur, mais, si vous terminez mes Haribo, je vous tue ! a lancé Jeane avant de refermer la portière.

Puis elle s'est tournée vers moi avec un sourire satisfait.

— Eh bien, au moins on a économisé un taxi.

J'étais plus soulagé de la voir là, avec moi, que je ne l'aurais cru possible.

— Tu aurais pu rester avec elles si tu préférais, ai-je dit en déverrouillant la porte d'entrée.

— Mais nous avions déjà prévu quelque chose, a-t-elle répliqué comme si cela avait été gravé dans le marbre. En plus, cinq personnes dans ma salle de bains au même moment, non merci !

La maison était froide et silencieuse et je redoutais vaguement de voir ma mère surgir dans l'escalier pour me priver de sortie le samedi et me consigner jusqu'à la fin de l'année scolaire. Mais elle était toujours dans le Devon, j'ai donc préparé une tasse de thé à Jeane, qui avait elle aussi très envie d'un sandwich au bacon.

Elle s'est assise sur le plan de travail, sans enlever sa veste matelassée dorée, qu'on aurait cru taillée dans une robe de chambre, et m'a regardé couper des tranches de pain au levain, les mettre dans le grille-pain puis faire chauffer de l'huile dans une poêle.

— À l'âge de six ans, j'ai décidé d'être végétarienne parce que j'avais compris que les petits plats du dimanche étaient en réalité de jolis poulets ou de mignons agneaux, a soudain raconté Jeane. Ma mère est tellement hippie qu'elle a bien été obligée de se plier à ma décision. Bref, j'ai été végétarienne pendant cinq jours, mais le samedi matin, mon père me préparait toujours un sandwich au bacon… Quand mes parents m'ont annoncé que je n'y avais pas droit parce que c'était de la viande, je me suis mise dans une telle colère que je ne leur ai plus adressé la parole pendant deux semaines.

Elle a eu un de ses petits rires étouffés et a secoué la tête.

— Ma mère croyait que j'étais devenue muette, a-t-elle repris. Jusqu'à ce qu'elle se rende compte que je parlais à ma sœur Bethan.

— Eh bien, moi, à six ans, j'étais plus intéressé par les Pokémon que par l'environnement, ai-je dit en retournant les tranches de lard, avant de reculer sous les crépitements de gras. Nous vivions à Hong Kong à l'époque et on pouvait trouver des produits dérivés vraiment pas chers, mais ma mère refusait de les acheter parce qu'elle était convaincue qu'ils étaient en matériaux toxiques avec des bouts de métal et de verre dedans. Apparemment, un jour, j'ai piqué une vraie crise de nerfs, je me suis jeté par terre en pleine rue parce qu'elle n'avait pas voulu m'offrir une peluche Pikachu.

Jeane a étendu ses jambes en souriant.

— Qu'est-ce qu'elle a fait ?

— Elle m'est passée par-dessus et a continué son chemin.

Je me souvenais encore du revêtement brûlant et collant sous mes poings, de l'odeur de gingembre, de piments et d'échalotes du noodle shop voisin et de cet instant de défaite quand j'avais finalement dû me relever pour courir après ma mère.

— C'est vraiment très dur de faire céder ma mère, ai-je conclu.

— Ah bon ? Moi, je n'ai aucun mal avec la mienne, a dit Jeane d'un ton aussi acide qu'un jus de citron.

— Et ton père ? ai-je demandé avec hésitation. Tu disais que tu allais le voir cette semaine ?

Jeane a fait une grimace horrible : elle a fermé les yeux très fort, son nez et sa bouche se sont recroquevillés en un pli douloureux.

— Mon Dieu, mes parents sont vraiment les deux détails les moins intéressants me concernant, a-t-elle lâché en arrachant des feuilles au rouleau d'essuie-tout pendant que je coupais le feu sous le bacon. Je préférerais, et de loin, que tu me parles de Hong Kong. Vous avez vécu combien de temps là-bas ?

Il était tard, nous étions tous les deux épuisés, nous avions froid, alors nous avons filé dans ma chambre – ma mère aurait piqué une crise si elle avait appris que j'y emmenais une fille et, pire encore, de la nourriture. Jeane a enlevé ses chaussures pour s'installer en tailleur sur mon lit et dévorer son sandwich comme si elle n'avait pas fait de vrai repas depuis des semaines. D'ailleurs, connaissant son goût pour les bonbons et le café, c'était sûrement le cas. Après quoi, elle a bu son thé en m'écoutant lui raconter la vie à Hong Kong, notre minuscule appartement sur Pok Fu Lam Road, et May, ma nounou chinoise, qui remplissait mon gobelet de bouillon de poulet et avec qui j'allais au parc, pendant que mon père travaillait à l'hôpital Queen Mary et ma mère au consulat. Je lui ai parlé des balades du week-end à Victoria Harbour pour voir les bateaux, et des gratte-ciel si nombreux qu'ils donnaient le vertige. Des orages noirs de printemps loin d'être comparables à la bruine anglaise, de l'humidité qui règne plus tard dans la saison et donne l'impression d'être lentement cuit à la vapeur.

Je lui ai décrit le marché aux fleurs, celui aux oiseaux, celui où on ne vendait que des poissons rouges, et puis Tai Yuen Street où mes parents m'emmenaient pour me faire plaisir, une enfilade de magasins et de stands consacrés exclusivement aux jouets multicolores, clignotants, sonores, vibrants. J'ai raconté nos vacances à Lamma Island et je croyais Jeane endormie, car ses yeux étaient fermés, ses membres détendus sous ses couches de taffetas et de soie bleu-vert et ses collants roses, mais, lorsque je me suis interrompu, ses paupières se sont rouvertes d'un coup :

— Ne t'arrête pas.

— Mais je n'ai plus grand-chose à raconter, tu sais, ai-je protesté en riant.

— Ça a l'air magnifique, a soupiré Jeane.

Ce n'était pas un de ses soupirs las, désespéré de la bêtise du monde. C'était un soupir émerveillé.

— Je l'ajoute sur ma liste des endroits à visiter à tout prix, a-t-elle repris.

J'avais envie de savoir quels autres pays figuraient sur sa liste, mais, avant que j'aie pu lui demander, j'ai été pris d'un bâillement qui a duré un long, long moment et que Jeane a imité dans la foulée.

— Bon, je vais te laisser faire un petit somme, alors ? ai-je suggéré.

J'ai voulu descendre du lit, mais Jeane m'a attrapé par la main.

— *Un petit somme ?* T'as quel âge ? Cinquante ans ? s'est-elle moquée. Où vas-tu dormir ?

— Je peux aller dans la chambre d'amis, ai-je répondu en tentant à nouveau de m'écarter, mais Jeane m'a retenu. Quoi ?

— Tu pourrais rester ici, si tu veux, a-t-elle proposé doucement.

Ma gorge s'est soudain serrée.

— Avec toi ? ai-je croassé.

Elle a souri.

— Oui, sauf si tu risques la surchauffe.

Effectivement, il me semblait que mon cerveau était au bord de l'explosion, la simple vue de Jeane allongée sur mon lit comme une sirène était déjà assez hallucinante, mais l'imaginer *dans* mon lit, avec moi en plus, et potentiellement en train de faire des trucs que les gens qui partagent un lit font d'ordinaire, suffisait à faire court-circuiter les parties de mon cerveau chargées de gérer la logique et la raison.

— Juste pour dormir ou, heu, pas dormir ? ai-je explicité, parce que Jeane préférait jouer cartes sur table concernant le sexe et l'établissement des limites personnelles et…

— Oh, enfin, Michael, nous sommes deux adultes consentants.

— Tu n'es pas majeure, tu as seulement dix-sept ans.

— Aux yeux de la loi, je suis légalement apte à avoir des relations sexuelles depuis quinze mois, m'a informé Jeane. Bien que je ne sois pas encore autorisée à voter, à acheter de l'alcool ni à me présenter comme députée, pour ça, il faut carrément avoir vingt et un ans. Alors que j'ai plus de plomb dans le crâne que la plupart de nos représentants élus. Quoi qu'il en soit, je ne parle pas d'un marathon de sexe non-stop, je veux simplement dire qu'on pourrait partager un lit et peut-être aller un peu plus loin tous les deux. Prendre notre pied autant que du repos.

Je n'aurais jamais cru Jeane capable de rougir, pourtant son visage était aussi vermillon que son rouge à lèvres, qu'un gros sandwich au bacon et une tasse de thé n'avaient pas réussi à effacer.

Ce qu'elle disait était parfaitement logique. Soyons réalistes, lorsque je rentrais à la maison après nos petites sessions tous les deux, je me soulageais généralement à l'aide de ma main gauche et de quelques sites Web réservés à un public adulte que j'effaçais toujours de mon navigateur deux minutes après. En effet, c'était Jeane qui me mettait dans cet état, mais l'idée qu'elle puisse y remédier elle-même ne m'était pas venue à l'esprit.

— Tu es bien sûre que c'est ce que tu veux ?

— Oui, j'en étais tout à fait certaine, mais ton manque d'enthousiasme vient de me faire changer d'avis, a-t-elle lâché avant de se laisser retomber sur le lit avec un soupir boudeur. On dort, d'accord ? Il est tard et, après, on va devoir se lever pour aller retrouver Molly et les autres.

— Quoi que je dise, je réussis toujours à t'énerver en un temps record, non ?

— Pas à tous les coups, a-t-elle reconnu. Ces derniers temps, il y a eu d'énormes périodes où tu ne m'as pas du tout énervée. Je crois qu'on peut parler de progrès. Maintenant que nous avons éclairci ce point, peut-on faire ce petit somme, pour reprendre ton expression de vieux ? Un dodo. Un petit roupillon. Allez, on dort.

Rien n'était jamais aussi simple avec Jeane. Elle a tenu à passer en revue la totalité de mes tee-shirts pour en trouver un qu'elle daignerait enfiler pour dormir, puis il lui a fallu une éternité pour se brosser les dents ; après ça, je l'ai forcée à aller se démaquiller, parce que je ne voulais pas me retrouver avec des paillettes, du mascara et du rouge à lèvres sur mon oreiller – je ne pense pas que ma mère aurait trop apprécié non plus.

Une fois qu'elle a été équipée de son verre d'eau, installée du côté gauche du lit parce que « Je suis gauchère alors, *évidemment*, je dors du côté gauche », avec la radio allumée en sourdine, j'ai enfin été autorisé à éteindre.

Je n'avais pas le moins du monde l'intention de tenter quoi que ce soit qui pourrait nous mener à un orgasme… jusqu'à ce que Jeane s'approche de moi.

— Quel intérêt de partager un lit si on ne se fait pas de câlins ? a-t-elle annoncé.

Jamais je n'aurais pu imaginer qu'elle était du genre à aimer se faire cajoler.

— Pour toi, les câlins, ça va de soi, je parie. Quand tes sœurs ont envie de te faire des bisous, je suis sûre que tu essayes d'y échapper, mais moi je vis seule et ça ne m'arrive pas souvent. Et tes bras sont parfaits, Michael.

Je ne me sentais déjà pas au top, mais là c'était encore pire, si toutefois c'était possible, un peu comme si Jeane avait eu raison de ma virilité d'un coup de baguette magique, pour me transformer en nounours géant. En plus de ça, je me sentais désolé pour elle parce qu'elle souffrait d'un manque chronique de câlins, et éprouver de la pitié pour quelqu'un ne m'incitait généralement pas à me surpasser côté séduction. Mais c'est vrai, mes bras étaient plutôt pas mal (je faisais cinquante pompes tous les matins) et je pouvais la serrer contre moi.

— Allez, viens, ai-je dit d'un ton bourru, pour prouver que je restais un homme, un vrai.

Elle ne s'est pas fait prier. Elle s'est blottie dans mes bras avec un soupir de contentement, sa tête s'est calée sous mon menton. Elle s'est tortillée pour trouver sa position, je sentais son parfum, qui me rappelait toujours une odeur de gâteau à peine sorti du four, et ses jambes lisses et douces qui s'enroulaient autour de moi et, tout à coup, juste comme ça, j'étais à nouveau prêt à lui sauter dessus.

~ 19 ~

Quand Michael s'est enfin mis au lit et a éteint la lumière, après avoir perdu du temps à faire Dieu sait quoi dans la salle de bains, puis s'être traîné en bas pour me chercher un verre d'eau dont je ne voulais pas et avoir refusé de me laisser dormir dans un de ses vieux tee-shirts (apparemment, il avait une valeur sentimentale, j'ai dû en choisir un autre) – bref, après tout ça, il m'a fallu environ cinq secondes pour décider que son lit était mon troisième endroit préféré de l'univers.

Son lit était ferme, grand et chaud, ses draps propres et nets, un résultat que je n'obtenais jamais, même quand je prenais le temps de changer les miens. Et puisqu'il était à côté de moi, tout aussi ferme, grand et chaud, j'ai préféré qu'il m'enveloppe, lui, plutôt que sa couette.

Ce n'est pas facile, de demander un câlin à quelqu'un. On se sent vulnérable, démuni, alors qu'on passe la majeure partie de sa vie à faire croire qu'on n'est ni l'un ni l'autre aux yeux du monde et de soi-même. Pourtant, à l'instant où j'ai réussi à articuler ma requête, Michael s'est abstenu de toute remarque désobligeante, il m'a juste serrée contre lui.

Je crois qu'il est encore plus doué pour les câlins que pour embrasser, nous avons trouvé notre position sans problème, ce qui n'arrive jamais. Je me suis entortillée autour de lui et à cet instant précis, j'avais envie d'être encore plus près, si j'avais pu je serais même allée jusqu'à me faufiler à l'intérieur de lui comme s'il était un sac de couchage – une image assez malvenue en y réfléchissant bien, elle me donne un côté serial killer adepte du dépeçage qui aime porter la peau de ses victimes.

À l'instant où je me suis blottie contre lui, Michael est passé de rien à une érection colossale en une fraction de seconde. Ce n'était pas parce que j'étais trop, trop sexy sans mon maquillage avec mes cheveux pêche tout emmêlés et couverts de laque. Ce n'était pas moi. Je n'avais rien à voir avec cette érection. C'était un garçon de dix-huit ans, qui partageait son lit avec une fille. Il aurait été étonnant que ça n'arrive pas.

Tout son corps s'est raidi dans la foulée.

— Désolé, a-t-il marmonné en essayant de mettre de la distance entre nous.

— C'est mieux si je me retourne ?

— Non, a répondu sèchement Michael, avant de retirer son bras et de se coucher sur le dos.

Malgré la pénombre, je distinguais sa mâchoire serrée.

— Désolé, a-t-il répété.

— Ce n'est pas grave.

J'aurais peut-être dû m'affoler, ou bien insister pour aller dormir dans la chambre d'amis, mais la vérité… La vérité, c'est que maintenant, j'étais d'humeur. La sensation de cette érection contre moi m'avait rappelé ce délicieux mélange d'impatience et d'excitation qui m'envahit quand je me prépare avant de sortir. C'était aussi ce que je ressentais au moment où un de mes groupes préférés montait sur scène ou que j'entendais débuter un morceau que j'adore dans une soirée. Un picotement qui gagnait tout mon corps et m'a poussée à me coller à nouveau contre Michael.

— Jeane, a-t-il dit d'un ton d'avertissement. Ne fais pas ça, OK ?

— Ah ? Tu dors, alors ?

— À ton avis ?

— À mon avis, ni toi ni moi n'allons réussir à fermer l'œil maintenant et je crois pouvoir… comment dire… t'aider.

Il n'a rien répondu, j'ai cru l'avoir choqué, parce que c'est souvent le cas. Pas seulement avec Michael, mais avec tous ceux qui supportent mal la franchise et le fait de reconnaître qu'on a des besoins, des désirs, et autres fantaisies de ce genre.

— C'est encore un de tes plans pour m'embrouiller ? a-t-il demandé d'une voix rauque.

Ce garçon avait vraiment de gros problèmes de confiance.

— Loin de moi cette idée, ai-je assuré.

Estimant que les actes valaient beaucoup mieux que les paroles, je l'ai embrassé.

On aurait cru embrasser une planche de bois. Du moins pendant cinq secondes, parce qu'ensuite, il a grogné et s'est retourné pour m'embrasser avec une ardeur inhabituelle. Ma main s'est faufilée sous la couette et avait à peine atteint son caleçon que Michael a émis un second grognement, comme si l'autre n'avait été qu'un échauffement, et tout a été terminé. Circulez. Plus rien à voir.

J'ai fait de mon mieux pour ne pas couiner de dégoût en retirant avec précaution ma main toute gluante et en la tenant en l'air pour ne pas tacher la housse de couette.

— Je m'excuse, a marmonné Michael. Hum, ça faisait un moment. Enfin, non, pas vraiment, mais avec une fille, oui… Tu vois. Ce que j'essaie de dire…

— J'ai compris, me suis-je empressée de répondre.

Mais il ne m'avait pas entendue, il était déjà sorti du lit et de la chambre, même. Soudain, il a repassé la tête dans l'encadrement de la porte.

— Kleenex. Sur la table de chevet, m'a-t-il lancé avant de disparaître.

Bien sûr, il avait une boîte de mouchoirs à côté de son lit. C'était un garçon après tout. Cela dit, certains de ma connaissance avaient tout simplement un rouleau de papier-toilette. Je me suis essuyé les doigts, j'ai jeté un coup d'œil sous la couette pour m'assurer qu'il n'y avait pas de tache et, le temps que Michael réapparaisse avec un air de chien battu et un bas de pyjama tout propre, j'étais à nouveau bien installée et je faisais de mon mieux pour avoir l'air de ne pas porter de jugement, imperturbable.

— Désolé, a-t-il répété en se recouchant.

— Honnêtement, ça n'est rien. Ça arrive, ai-je dit, parce que c'était vrai, bien que ça soit une première, pour moi. Arrête l'autoflagellation.

— Ce n'est pas ça. Enfin si, a-t-il soupiré. Mais on s'est embrassés pendant quoi, une minute ?

Même pas. Vingt secondes, plutôt. Mais il aurait semblé malpoli de le préciser.

— Tu te rattraperas une prochaine fois, ai-je déclaré en adoptant ma position de sommeil.

Pourtant, après toute cette excitation et la déception finale, j'étais tout à fait réveillée, pas du tout prête à dormir.

— Et si je me rattrapais dès maintenant ? a-t-il suggéré.

J'aurais bien voulu lui faire remarquer à quel point cette réplique était cliché, mais il m'embrassait déjà.

Parfois, dans ces moments-là, je me sentais tellement fille, comme maintenant, par exemple. Je lui rendais ses baisers moi aussi, mais surtout je soupirais, je caressais sa nuque, si douce que j'avais presque envie de pleurer – ce qui n'avait aucun sens, mais après tout il était tard, j'étais tellement fatiguée que je n'étais plus fatiguée, juste un peu triste.

— Tu veux aller jusqu'où ? a demandé Michael en m'embrassant dans le cou.

— Jusqu'au douzième ciel, ai-je répondu en plaçant sa main exactement où elle était attendue.

Après ça, je n'ai plus eu grand-chose à faire, si ce n'est signifier mon approbation chaque fois que Michael mettait dans le mille et, bientôt, je n'ai même plus rien eu à signifier, parce que ses doigts se sont trouvés *pile* au bon endroit.

— Il me faut un petit moment, ai-je murmuré quand il m'a demandé pour la cinquième fois s'il se débrouillait bien. Encore un peu de patience, j'y suis presque.

Il n'a plus rien dit après ça, il a continué à m'embrasser, jusqu'à ce que je n'en sois plus capable : j'avais la tête à l'envers, le souffle coupé, et je délirais complètement – pour résumer, je le menaçais de mort au cas où il aurait eu la mauvaise idée de s'arrêter. Même au douzième ciel, je reste agressive.

Moi, je suis toujours partante pour remettre ça une deuxième fois, et puis Michael était prêt, je le sentais bien contre ma hanche, même s'il ne semblait pas s'en rendre compte… Ou bien si, mais peut-être était-il plus timide que moi sur la question. En plus, il était évident qu'il savait s'y prendre, qu'il réagissait bien aux instructions, donc il aurait été dommage de gâcher un tel concours de circonstances.

Je ne me suis pas précipitée, ce qui, pour moi, était une première. Au lieu de ça, nous nous sommes embrassés encore un peu, j'étais toujours très excitée. Quant à Michael, il continuait de se frotter en serrant les dents. Pile au moment où je m'apprêtais à lui proposer de mettre un terme à ses souffrances, il a posé les mains sur mes hanches pour m'immobiliser.

— Est-ce que… Enfin, on pourrait remettre ça, mais ensemble, cette fois ? Ou bien tu croisquececeseraitprécipité decoucherensemble ?

Voilà exactement comment il l'a dit, un long paquet de mots tous collés les uns aux autres, dans un seul souffle de voix aiguë. Je ne m'attendais pas à ce que la question vienne de lui d'abord.

— Je n'aurais pas dû demander ? Je te mets la pression ? a-t-il ajouté.

— Comme si c'était possible, me suis-je moquée en l'embrassant très vite pour être sûre de ne pas le vexer. Non, je ne trouverais pas ça précipité. Après ce qu'on vient de faire, ce serait juste aller plus loin.

C'était une étape très importante dans une relation, mais nous n'étions pas tout à fait petits amis, lui et moi, alors ça ne changerait pas grand-chose entre nous, de coucher ensemble. Ce n'était pas comme si cela nous engageait à autre chose qu'à… coucher ensemble, en fait.

Michael était d'accord avec moi.

— Cool, a-t-il dit en se penchant vers le tiroir de sa table de chevet. Capotes.

J'ai jeté un coup d'œil par-dessus son épaule et j'ai découvert plus de préservatifs que je n'en avais vu la fois où je m'étais rendue au planning familial en compagnie de Ben. Il avait une irritation à l'entrejambe due au port d'un pantalon ultra-slim, mais l'infirmière, nous croyant sexuellement actifs tous les deux, nous avait filé un sachet plastique rempli de Durex. Comme avait dit Ben, cette femme devait avoir le pire radar à gays du monde. Michael avait peut-être lui aussi consulté la même infirmière.

Il en a attrapé une poignée, qu'il m'a tendue. Je les ai repoussés vers lui.

— C'est toi qui le fais, ai-je exigé.

— Tu veux tellement tout contrôler que j'ai pensé que tu préférerais le faire toi-même.

— La seule fois où j'en ai mis un, c'était sur une banane en cours d'éducation sexuelle, ai-je avoué du bout des lèvres. Sinon, c'était toujours le garçon qui s'en chargeait, mais merci de me rappeler à quel point je suis nulle dans un moment comme celui-ci.

Il a souri, il a paru assez naturel que nous soyons en train de nous disputer, même nus tous les deux dans un lit. C'était notre truc, les chamailleries.

— Heureusement que mon expérience ne s'arrête pas aux bananes, a-t-il dit d'un ton narquois.

J'ai dû l'embrasser pour effacer ce petit sourire hautain, il n'était pas joli du tout comme ça.

On s'est embrassés, embrassés encore, on a fait une courte pause, le temps que Michael fasse ce qu'il avait à faire, puis… Il s'est retrouvé au-dessus de moi et même, après quelques ajustements et petits murmures tendus, ce qui n'est jamais très sexy, il s'est retrouvé *dans* moi et là, waouh ! Parce que quel que soit le nombre de fois où ça m'est arrivé (pas si fréquent, de toute façon), à l'instant où ça commence, pour de bon, ça fait toujours un choc. La sensation est bizarre, on flippe un peu, parce que, quand on y pense, le sexe, c'est quand même étrange. Le concept du sexe, en soi, est étrange. L'esprit part dans tous les sens et puis c'est aussi un peu gênant, désagréable et il est possible que ça dure comme ça jusqu'au bout. Sauf que cette fois, tandis que je paniquais, que je me demandais, en vrac, si une fille qui s'habille encore au rayon enfants était assez mûre pour coucher, si cela changerait tout entre Michael et moi, si oui, en bien ou en mal ? si Michael se volatiliserait après avoir couché avec moi, ce qui me prendrait vraiment la tête… Michael s'est arrêté pour déposer un baiser tout doux sur mon front inquiet.

— Hé, Jeane, a-t-il murmuré. Tu n'es pas en train de me la jouer bizarre ?

— Je ne te la joue pas bizarre, je *suis* bizarre depuis toujours, ai-je affirmé.

Il a souri, m'a embrassée encore et j'ai senti chaque molécule, chaque atome, chaque neurone de mon être cesser de s'affoler et reprendre sa place. Je me suis remise à bouger, mes bras et mes jambes se sont accrochés à Michael et, à mon tour, je l'ai embrassé. À dire vrai, le sexe n'était pas toujours étrange. Parfois, ça pouvait même être carrément génial.

Cette première fois avec Michael ne s'est pas révélée tout à fait géniale, mais ça allait – cela dit, il a vraiment eu un comportement de mec.

— Mais tu as joui, non ? a-t-il dit après avoir joui, lui, parce que bon, le sexe, comme la vie, en général, c'est plus facile pour les gars. Parce qu'on peut remettre ça, si tu me laisses quelques minutes, ou bien sinon, je pourrais, je sais pas moi… *t'aider* ?

C'était vraiment un mec bien par excellence et peut-être, si on continuait à coucher ensemble, et si je n'arrivais toujours pas à mes fins, peut-être, j'accepterais sa proposition, mais pour l'heure, j'étais toute molle et détendue, j'avais seulement besoin de m'enfouir sous les couvertures et de détruire la fausse crête de Michael avec mes doigts. Elle était tellement raide de gel coiffant que même deux orgasmes n'avaient pas suffi à l'aplatir.

— Écoute, je n'ai pas joui, mais si ça me posait un problème, tu serais le premier informé, ai-je résumé en lui ébouriffant les cheveux.

Je ne touchais que son crâne, pourtant j'ai senti tout son corps se tendre.

— C'était notre première fois tous les deux, ce n'est pas toujours simple, alors ne t'en fais pas pour ça, ai-je conclu.

Là, j'ai embrassé son front à mon tour, ce qui montre bien à quel point j'étais molle. En temps normal, je lui aurais dit d'arrêter de pleurnicher et, s'il ne s'était pas exécuté, je lui aurais botté les fesses.

— Mais moi j'ai trouvé ça bien, s'est-il plaint.

Ses yeux se sont écarquillés.

— Je n'étais pas bien ? s'est-il inquiété.

— Tu as des capacités de dingue, ai-je répondu.

Et c'était vrai. Il avait pris son temps, fait des efforts, accompli des trucs avec ses doigts qui d'habitude auraient suffi à me faire crier de plaisir et à lui promettre à peu près n'importe quoi.

— Maintenant, tais-toi. Normalement, c'est un moment consacré au calme et à la réflexion.

~ 20 ~

Je ne l'avais jamais vue aussi paisible et silencieuse. À tel point que je n'avais pas l'impression que c'était Jeane, là, avec moi, mais une autre fille aux cheveux couleur pêche. Tout ça parce que j'étais nul au lit. Ça avait été expédié en moins de deux, et si elle ne m'avait pas encore jeté du lit, c'était seulement parce que c'était le mien, et que le sien était occupé par les filles de Duckie.

Je n'y comprenais rien : je m'étais pourtant concentré sur son clitoris, ainsi que me l'avaient conseillé deux des filles avec qui j'avais couché avant elle. Je n'avais pas non plus le stress de la performance, même si je m'étais, il est vrai, inquiété de ne pas trouver Jeane à mon goût une fois nue. Sans ses vêtements, elle était un peu potelée, sans trop de poitrine, ce qui n'aurait pas dû être très sexy, mais en fait si. Peut-être parce que ses fringues étaient tellement moches qu'il valait mieux la voir sans.

Ou bien alors parce que Jeane était à l'aise dans son corps. Pas une fois elle ne s'est plainte de ses cuisses, de son petit ventre ou d'un prétendu surpoids éventuel – contrairement aux autres filles que je connaissais, même les plus maigres, qui voulaient toutes s'entendre dire : « Toi, grosse ? N'importe quoi ! » Ce n'était pas le style de Jeane. Sa peau était très douce, très lisse, et j'aimais bien le fait qu'on sente de vrais muscles dans ses bras et ses jambes. Parfois, certaines donnaient l'impression d'être si fragiles que je craignais de les casser rien qu'en les serrant contre moi.

Pas Jeane. Même une arme de destruction massive n'y suffirait pas, mais elle n'avait pas eu d'orgasme et je savais qu'elle allait me le faire payer. Je le savais, je le redoutais, cependant… elle me caressait les cheveux, elle m'embrassait le visage. Je pariais qu'à la minute où je baisserais la garde, elle frapperait en traître.

— S'il te plaît, Michael, arrête de te prendre la tête à cause de mon non-orgasme, a-t-elle commencé d'une voix un brin agacée. J'y étais presque, mais en fait non. C'est comme ça. Ce n'est pas une science exacte. Il m'arrive même de rater mon coup quand je le fais toute seule.

— C'est vrai ? ai-je réussi à bafouiller.

Pourtant, mon cerveau venait de partir complètement en vrille à cause de cette référence désinvolte de Jeane à la masturbation. Enfin, je sais bien que certaines filles le font, mais en général, elles n'en parlent pas.

— Évidemment. Et sérieux, tu es doué. Beaucoup, beaucoup plus que je ne l'aurais imaginé.

Je crois que je commençais à m'habituer à Jeane, parce que je ne me vexais plus à chaque insulte de sa part.

— Si tu m'annonces que c'est Scarlett qui t'a appris à te servir de ton index, je crois que je ne m'en remettrais pas, a-t-elle ajouté, comme sur le point de pleurer. Je vais être obligée de lui offrir des cookies maison.

— Pas de panique, je n'ai pas couché avec Scarlett et s'il te plaît, ne me dis pas que Barney t'a appris tous ces trucs avec ta langue.

— Vu qu'il faisait des bonds d'un mètre chaque fois que j'essayais de lui rouler une pelle, bien sûr que non. Dis, tu

crois que Barney et Scarlett coucheront un jour ensemble ?
Qui fera le premier pas ? Je parie qu'ils ne se sont même pas
encore embrassés. Il va leur falloir au moins des dizaines d'années avant d'avoir le courage de se peloter *sous* les vêtements.
Bref, si ce n'est pas Scarlett, qui est-ce qui t'a appris tout ça ?

Moi, je ne m'étais pas encore remis de cette histoire de
masturbation et d'imaginer Barney et Scarlett en train de
coucher ensemble. Jeane avait raison. La reine Élisabeth II
atteindrait le centenaire qu'ils n'auraient toujours pas sauté
le pas. Mais voilà que Jeane passait maintenant à ma vie
sexuelle et, la connaissant, elle ne lâcherait pas l'affaire tant
qu'elle n'aurait pas obtenu tous les détails.

J'ai soupiré :

— Eh bien, j'ai commencé par un plan cul…

— Un plan cul ? Non, mais dis donc, Michael ! s'est-elle
étranglée, ravie. Tu as commencé par un plan cul !

J'ai été obligé de lui pincer les fesses pour la faire taire
– elle s'est vengée en me mordant assez fort le lobe de
l'oreille, mais peu importe.

— OK, la première fille avec qui j'ai couché, j'avais quinze
ans et c'était la sœur aînée d'Ant. Donc, je ne suis pas vraiment sorti avec elle. Soit elle m'attrapait dans un coin, soit elle
me traînait dans des soirées pour abuser de moi et m'aboyer
des ordres quand ça n'allait pas comme elle voulait.

J'ai repensé à ces deux mois stressants, mais grisants, durant
lesquels j'avais été l'esclave sexuel de Daria Constantine.

— D'ailleurs, maintenant que j'y réfléchis, vous avez
beaucoup en commun, toutes les deux, ai-je remarqué.

— Elle a l'air géniale, a commenté Jeane. Et qui fut la
suivante ?

— Eh bien, je gardais de telles séquelles après mes expériences avec Daria que je n'ai pas couché avec celle d'après.

C'était un mensonge : ce n'était pas la raison pour laquelle Hannah et moi n'avions pas couché ensemble. Nous avions un lien si parfait, si intense que le sexe aurait tout gâché. Mais je ne voulais pas le dire à Jeane parce qu'elle n'aurait pas compris et se serait moquée. J'avais sûrement besoin qu'on me taquine de temps en temps, mais jamais quand il s'agissait de Hannah.

— Après, je suis parti quinze jours en vacances aux Baléares entre mecs et je suis sorti avec Carly, de Leeds.

Jeane a hoché la tête.

— Le lendemain soir, c'était Lauren, de Manchester, puis Heather, de Basingstoke et… a-t-elle enchaîné.

— Tu veux savoir ou tu comptes inventer la suite ?

Elle a ouvert la bouche, l'a refermée et a reposé la tête au creux de mon épaule.

— Pardon, je me tais, a-t-elle promis.

— Je ne te crois pas, ça va durer une minute.

— Cinq minutes, max, a rectifié Jeane. Bon, alors, Carly, de Leeds ?

— On s'est rencontrés le premier soir, on s'est plu, du coup on a décidé de continuer tous les deux plutôt que de se taper quelqu'un au hasard tous les soirs parce qu'on aurait trop bu. Et avant que tu me poses la question, oui, on est toujours en contact et on s'est juré, elle et moi, de ne plus jamais faire l'amour sur une plage.

— Pourquoi ?

— Une seule raison : le sable. Je croyais que tu devais te taire ?

Jeane a fait mine de sceller ses lèvres à l'aide d'une fermeture Éclair, mais m'a donné un coup de coude pour que je reprenne.

— Ensuite, il y a eu Megan, avec qui je suis sorti avant Scarlett. Ça a duré environ huit mois et on a couché ensemble souvent. Tout le temps, même.

— Oh, est-ce que tes parents sont du genre à te laisser ton propre espace et à se montrer respectueux de ta sexualité naissante ? Parce que je dois dire que ta mère ne m'a pas fait cet effet.

— Pas du tout, surtout depuis qu'elle m'a surpris avec Megan en pleine action.

— Non ! s'est exclamée Jeane à mi-voix.

Elle s'est mise sur un coude, manquant au passage de me casser une côte.

— Qu'est-ce qu'elle a fait ? a-t-elle voulu savoir.

— Elle m'a servi un sermon pénible sur le sexe, le respect des femmes et, toutes les semaines, elle me rend mon linge propre avec des capotes fourrées dans mes poches de jean, ai-je raconté à Jeane, qui s'est esclaffée. Mais sérieusement, tous les jours, après les cours, Megan et moi nous retrouvions chez elle et nous passions en revue la collection de porno de ses parents, ainsi que leurs DVD pédagogiques sur la sexualité. Genre, *Le Guide des amants : les positions*. Il y en avait même en 3D.

— Arrête, tu inventes, s'est énervée Jeane.

— Mais non, ai-je insisté, sur le même ton. Attends. Tu verras bien.

— Ben voyons. C'est censé être une menace ou une promesse ?

— Un peu des deux, ai-je répondu.

Je commençais à être vraiment fatigué. En réalité, je ne commençais pas… *J'étais* fatigué. L'aube serait bientôt là et j'étais debout depuis vingt-quatre heures, dont deux avaient été consacrées à un match de foot plutôt musclé. Si l'on ajoutait à ça la scène avec Heidi plus deux orgasmes, j'étais prêt à sombrer. Mais quand j'ai regardé Jeane, j'ai constaté qu'elle était tout à fait éveillée, ses yeux clignaient à peine.

— Tu n'es pas crevée ? ai-je demandé.

Elle a secoué la tête.

— Nan. J'ai de la ressource et puis je me suis entraînée à ne pas avoir besoin de beaucoup de sommeil. Mais je sais que tu n'es pas aussi évolué que moi, alors si tu veux dormir, pas de problème.

— Ça va, ai-je articulé, dents serrées pour étouffer un bâillement. Alors et toi ? Qui t'a tout appris ?

Jeane s'est lancée dans son récit et son ton monocorde a paru l'équivalent oral d'un somnifère, mes paupières ont commencé à peser et le sommeil à m'emporter, mais plus Jeane avançait, plus elle s'animait. Elle s'agitait, se tortillait, me donnait des coups de coude, ce qui finissait par me réveiller.

Au final, d'après ce que j'ai pu comprendre, ses précédentes rencontres sexuelles étaient les suivantes :

1. David, un chrétien pratiquant qui tenait un blog littéraire. Jeane avait quinze ans, lui seize. Ils n'étaient jamais allés jusqu'au bout, tous les deux, David étant aux prises avec sa foi, ils s'étaient contentés de faire les trois quarts du chemin, pendant quelques mois. Après, ils ont commencé à se disputer en permanence sur la religion organisée comme conspiration maléfique visant à rabaisser les femmes. « Pour finir, je l'ai forcé à choisir entre Jésus et moi et il a carrément préféré Jésus. »

2. Jens, rédacteur en chef d'un magazine lifestyle suédois que Jeane avait rencontré lors d'une conférence pour Libres Penseurs, Progressistes et Jeunes Pousses. « Grave, l'intitulé, je sais, mais c'était une semaine, tous frais payés,

à Stockholm. » Donc, Jens, âgé de vingt-sept ans, qui aurait dû avoir assez de bon sens pour ne pas frayer avec une fille de onze ans sa cadette, avait passé presque toute la semaine en compagnie de Jeane, ils avaient acheté les fameux collants orange tous les deux, admiré de l'art moderne et dîné de burgers d'élan. Lorsque la conférence s'était transformée en croisière pour une visite de l'archipel suédois, Jens avait été assez aimable pour débarrasser Jeane de sa virginité. « J'ai trouvé ça cool, a-t-elle déclaré pensivement. Jens et Jeane, ça sonnait bien, et il était super beau. Les Suédois sont hyper-sexy. Ils ressemblent tous à Eric dans *True Blood*, et ça m'arrive, d'avoir ce côté futile, parfois. C'est vrai, il était plus vieux que moi, mais je me suis dit, puisqu'il va bien falloir que je couche à un moment ou un autre, autant le faire avec un mec trop beau et qui sait ce qu'il fait. Du coup, j'ai eu droit à vingt-quatre heures de camp de vacances sexuel. »

À ce moment-là, j'étais parfaitement éveillé, Jeane a secoué tristement la tête en ajoutant : « Évidemment, je n'ai rien vu de l'archipel. Je n'ai pas quitté la cabine de Jens. »

3. Ben, étudiant en art et coiffeur à temps partiel, que Jeane avait dragué dans une expo-vente d'artisanat parce qu'il portait un tee-shirt Little Monsters. Ils étaient sortis ensemble pendant deux mois avant que Ben décide qu'il préférait les garçons ; ils s'étaient séparés en bons termes. Du moins d'après Jeane, mais, lorsqu'elle m'a précisé que c'était lui qui avait teint ses cheveux en gris, je n'étais plus sûr de la croire.

4. Cédric, un Français, qui lui avait fait découvrir Anaïs Nin, le café de qualité et eBay France avant de repartir à Marseille terminer son diplôme de master en pédanterie.

5. Judy, une joueuse de roller derby et là, moi, j'ai fait : *Judy ?* JUDY ?

J'avais émergé du tunnel de la fatigue les yeux écarquillés, les dents serrées, sans espoir de sommeil et, quand Jeane m'a annoncé que l'une de ses anciennes conquêtes s'appelait Judy, j'ai eu l'impression de recevoir de l'eau glacée en pleine figure.

— Tu es bisexuelle ? me suis-je écrié, en songeant qu'elle aurait peut-être pu me le préciser dès le départ. Tu aimes les filles ? C'est quoi l'histoire, avec Judy ?

Jeane a eu l'air perplexe, comme si elle ne comprenait absolument pas pourquoi j'avais soudain ce comportement bizarre.

— Hé, ho ! a-t-elle fait. Pas si fort, j'ai mal aux oreilles.

— En général, est-ce que tu sors autant avec des filles qu'avec des garçons ? ai-je demandé avec flegme, comme si mon éclat de voix ne s'était pas produit.

— Eh bien, en fait, par exemple, j'aime vraiment beaucoup les Haribo et puis tout à coup, je me retrouve chez le buraliste et je me dis : « Tiens, je prendrais bien des M&M pour changer. » Je trouve ça bon, mais c'est pas tout à fait ça, je ne pourrais pas en manger tous les jours, contrairement aux Haribo, a conclu Jeane avec un petit sourire, comme s'il était parfaitement logique de comparer son orientation sexuelle à des bonbons, et d'une certaine manière, plutôt décalée, ça n'était pas faux.

— Donc, il y a eu Judy, a-t-elle repris, mais en fait, c'était une lesbienne cent pour cent, donc ça n'a pas collé. Après ça, il y a eu Barney, avec qui je ne suis jamais allée au-delà des bisous, et voilà la totalité des gens avec qui je me suis éclatée, ou pas forcément, d'un point de vue sexuel.

À part le Suédois, qui avait l'air d'un gros pédophile, cette liste n'était pas si mal et j'ai compris qu'il n'aurait servi à rien de m'inquiéter qu'elle préfère les hommes plus expérimentés ou les filles. Jeane n'aurait pas été là si elle ne l'avait pas voulu et, même si le sexe constituait un développement assez excitant de notre relation, nous n'étions pas destinés à rester ensemble jusqu'à la fin de nos jours. Nous n'étions qu'un chapitre dans nos vies sexuelles respectives.

Jeane s'est réinstallée entre mes bras, elle a même lâché un petit bruit étouffé, comme si son entraînement pour ne pas dormir ne fonctionnait pas si bien. Ma main s'est faufilée jusqu'au creux de son dos et je me suis attaqué à l'énormissime nœud que j'ai senti juste là. Les membres de Jeane se sont relâchés, la moitié de son corps qui était affalée sur le mien a paru soudain plus lourde.

— Ça fait mal, a-t-elle marmonné.

Ma main s'est immobilisée.

— Je ne t'ai pas dit d'arrêter, a-t-elle précisé.

Je l'ai pétrie, massée, caressée, jusqu'à disparition totale du nœud. Jeane respirait si tranquillement, si profondément, que je l'ai cru endormie.

Mais non. À l'instant où je m'apprêtais à éteindre la lampe de chevet, elle s'est blottie tout contre moi et a levé la tête.

— Michael, est-ce que… Quand mon père m'emmènera dîner vendredi pour me faire la morale sur mon choix de vie… ce serait sympa si…

Elle louchait presque, tellement elle avait du mal à prononcer les mots, puis elle s'est interrompue et s'est laissée retomber sur ma poitrine.

Pendant un instant, il m'a traversé l'esprit que toute cette histoire, le sexe, n'était qu'un sombre moyen de me coincer pour me présenter à son père. Ma présence à ses côtés suffirait à atténuer, aux yeux de son père, le fait qu'elle vive de bonbons et de café noir, qu'elle rende systématiquement ses devoirs en retard et manque chroniquement de sommeil. Je ne veux pas avoir l'air d'avoir la grosse tête, ni rien, mais sur le papier, je suis à peu près le gendre idéal. Le meilleur copain idéal. Le fils idéal. Je suis fidèle à ce que les gens attendent de moi.

Mais voilà, Jeane était bien la seule à ne pas attendre de moi la perfection en quoi que ce soit. Elle se montrait toujours honnête avec moi, d'une franchise brutale. Elle avait bien des défauts, mais des arrière-pensées sournoises, sûrement pas. Si elle souhaitait obtenir quelque chose de moi, elle me le demandait, point, sauf quand ce qu'elle voulait était trop dur pour être mis en mots. Je comprenais, parce que je commençais à la cerner.

— Tu voudrais que je rencontre ton père ? ai-je dit doucement. Pour faire front dans l'adversité, c'est l'idée ?

J'ai cru qu'elle s'était endormie, jusqu'à ce qu'elle dépose un baiser sur mon biceps, la partie de moi la plus proche de sa bouche.

— Ce sera atroce, et en prime, on sera obligés d'aller chez Garfunkel, parce qu'il adore leur buffet de salades à volonté.

— Pas de problème. J'aime la salade. En plus, tu as déjà fait la connaissance de mes parents. On sera quittes.

— Tu n'es pas obligé… Je veux dire, je n'attends pas ça de toi, ce n'est pas comme si on sortait ensemble, et que c'était le bon moment pour que je te présente mon père.

— Oui, je sais, mais si tu veux, je peux le faire.

Il y a eu un blanc. Jeane a déposé trois petits bisous sur mon biceps et a frotté sa joue contre mon bras.

— Oui, je veux bien.

Je ne m'étais même pas rendu compte que j'étais tendu jusqu'à ce qu'elle réponde. Je me suis détendu.

— OK, cool.

— Cool. Maintenant, tu peux te taire, que je dorme un peu ?

~ 21 ~

Maintenant que nous en étions à faire des bêtises tous les deux, j'étais bien forcée de le reconnaître : je craquais COMPLET pour Michael Lee. Ça a eu lieu, comme ça, environ dix minutes après son réveil, le lendemain. J'étais déjà debout depuis *des heures*, ou disons quelques minutes pour être tout à fait précise, et j'étais installée derrière son bureau à télécharger sur Flickr les photos prises au concert, quand il s'est assis, étiré et m'a dévisagée comme s'il se demandait ce que je pouvais bien faire dans sa chambre. Le voir en train de se remémorer les événements de la nuit était assez intéressant et, lorsqu'il est arrivé à la fin, il a eu l'air de faire preuve d'une grande volonté pour ne pas se cacher sous les draps.

— Oh. Salut. Alors. Comment ça va, toi ? a-t-il marmonné.

J'ai été tentée d'évoquer une sensation de brûlure et de terribles démangeaisons au niveau de mon petit jardin secret, mais ça aurait été méchant. Et faux. Comme il s'était montré absolument adorable en tous points la veille, jusqu'à accepter d'être à mes côtés pour avaler de la salade à gogo lorsque mon père débarquerait en ville, je lui ai répondu d'un sourire.

— Bien, mieux que bien, ai-je précisé.

Si c'était possible, il a paru encore plus paniqué, comme s'il regrettait à mort et comme s'il n'avait jamais voulu que ça aille aussi loin. Il n'y avait qu'un seul moyen de s'en assurer.

— Écoute, Michael, est-ce qu'on peut s'épargner la gêne du lendemain ? On vaut mieux que ça, toi et moi, mais si tu estimes que c'était une horrible erreur, si tu es persuadé que quelqu'un a glissé du GHB dans ta bière hier soir, dis-le-moi et on fera comme s'il ne s'était rien passé, nous pourrons reprendre où nous en étions ou bien même remonter plus loin en arrière et faire comme si l'autre n'existait pas ? OK ?

— Comment peux-tu être à ce point… égale à toi-même dès le matin ? a-t-il ronchonné.

— Que veux-tu que je te dise ? C'est un don.

Michael s'est gratté la tête, puis, du bout des doigts, il s'est tapoté les cheveux.

— Pour ta gouverne, je ne regrette pas ce qui est arrivé hier. Sauf la partie où tu n'as pas pris ton pied et moi oui.

Je ne m'attendais pas à me sentir aussi soulagée.

— Oh, je crois avoir été globalement satisfaite.

À ce moment-là, Michael a souri. Un sourire lent et sexy, et en le voyant ainsi sur son lit froissé, avec ses cheveux en bataille, ses muscles qui ondulaient joliment, on aurait cru un mannequin pour une pub de parfum dans un magazine de style pour homme, du coup, j'ai enfin compris ce que tout le monde lui trouvait. Ce n'était pas sa beauté. Ce n'était pas sa classe évidente. Ce n'était pas son excellence dans tous les domaines. C'était juste qu'il était tellement ultra-sexy que c'en était ridicule. Heureusement, je n'étais pas du genre à couiner, glousser ou rougir, parce que je crois que j'aurais sûrement produit une écœurante combinaison des trois à cet instant précis.

— À quelle heure doit-on retrouver Molly ? a-t-il demandé en s'appuyant sur ses oreillers, les bras croisés.

J'ai vérifié l'heure sur mon téléphone.

— Dans deux heures, pile quand on sera sur le point de partir, elle va m'appeler pour m'annoncer qu'elle vient juste de se lever et repousser d'une heure le rencart.

— On a trois heures, alors ? Bon, soit je descends nous préparer un café, soit tu me rejoins au lit et on s'occupe de t'offrir ce que tu as raté hier soir.

Son sourire lent et sexy s'est fait lascif.

Si j'avais porté des lunettes, je les aurais remontées sur mon nez. Je me suis rabattue sur un air coincé.

— Café, s'il te plaît, ai-je répondu, parce que je savais que ça aurait un effet douche froide.

Ça a marché. Il s'est mis à bouder et je me suis désentortillée de tous mes gadgets Mac en riant pour bondir sur le lit et me jeter sur lui.

Et ça a continué comme ça toute la semaine. Nous n'avons pas passé tout notre temps au lit. Je devais préparer ma présentation pour la conférence à New York et écrire un papier pour le *Guardian*, assister à des tas de réunions à Shoreditch. Et puis les parents de Michael étaient de retour, lui était obsédé par ses devoirs et le boulot administratif chiant, mais rémunéré, pour son père. En dehors de ça, nous avons réussi à nous voir pour COUCHER ENSEMBLE. Coucher ensemble. Ça paraît trop bizarre de pouvoir résumer ce qu'on a fait, lui et moi, et les sensations qu'on a éprouvées, dans cette simple expression somme toute banale. Coucher ensemble.

Bref, ce truc incroyable, transcendantal, mémorable, on l'a fait aussi souvent que possible, quoique pas autant qu'on l'aurait voulu, puisque Michael ne pouvait évidemment pas passer la nuit chez moi. Il avait bien vaguement évoqué la possibilité de parler de nous à ses parents, mais avant que j'aie eu le temps de lui dresser la liste des trois cent cinquante-sept raisons pour lesquelles ce serait une mauvaise idée, il a changé d'avis.

— Ma mère va forcément le mentionner si jamais un pote vient chez moi et on est d'accord qu'on n'en parle pas autour de nous, non ?

J'ai confirmé d'un hochement de tête.

— Absolument, personne n'a besoin d'être au courant au lycée.

Cependant, il y avait bien une autre personne qui s'apprêtait à le savoir, qu'il le veuille ou non, c'était mon père. Mais puisqu'il avait une soixantaine d'années, qu'il vivait loin d'ici et n'utilisait Internet que pour choper des femmes de vingt ans de moins que lui avec un faible pour les don Juan alcoolo et vieillissants, ça n'était pas très grave.

Même si la semaine s'était révélée être l'une des meilleures de mémoire récente, la menace de cette visite pesait lourdement dans l'air, un peu comme une odeur de chien mouillé.

Roy, mon père, était censé arriver vers 16 h 30 le vendredi après-midi. Nous ne retrouverions Michael qu'à 19 heures, devant cette cafétéria Garfunkel que je redoutais tant. Il nous faudrait une demi-heure pour nous y rendre, cela me laissait deux heures complètes en compagnie d'un homme avec qui je n'avais aucun point commun à part un microscopique grain d'ADN. Parfois, je me demandais si nous étions liés par la génétique, mais Pat n'étant pas du genre à aller voir ailleurs (elle m'avait avoué, lors d'une discussion à cœur ouvert, trouver le jardinage plus épanouissant que le sexe) et Roy et moi ayant le même majeur tordu à la main gauche, je devais accepter la cruauté de mon destin.

À 15 h 45, l'appartement était rutilant. Enfin, à peu près propre selon mes critères, mais sûrement pas selon ceux de Roy – bien qu'il ait un penchant pour la bouteille, il n'était pas du genre poivrot négligé, ce qui m'aurait pourtant simplifié la vie. Il pouvait lui falloir jusqu'à une demi-heure pour dresser la table. Un dimanche de Pâques, il avait même mesuré la disposition du couvert à l'aide d'une règle.

Bref, j'avais rempli mon réfrigérateur de nourriture saine, dont beaucoup de vert – et pas celui des bonbons Haribo. Cela dit, je ne mangerais rien de tout ça au final. J'avais également calmé le jeu, côté look. Je n'allais pas me débarrasser de mes cheveux pêche, surtout pas pour me soumettre à une figure paternelle, mais j'avais adouci la splendeur Technicolor de mes tenues. En temps normal, je portais ce que bon me semblait, mais Roy était soi-disant mon père, il s'acquittait des frais afférents à mon appartement, des factures, virait de l'argent sur mon compte pour le ménage et, en échange, je me montrais assidue au lycée, je faisais mes devoirs comme une gentille fille et, lorsqu'il se pointait en ville pour me rendre visite, je tentais de donner le change pour lui prouver que j'étais capable de mener une vie réussie et indépendante, loin du joug parental. Une partie de moi préférait donc mettre mon excentricité en veilleuse, raison pour laquelle j'avais revêtu un twin-set assorti en lamé argenté trouvé dans une friperie, une jupe rouge ample qui m'arrivait aux genoux, et des chaussures qui n'avaient pas l'air d'avoir été portées par une mémé.

Malgré tout, lorsque j'ai ouvert la porte et que Roy m'a vue, son visage s'est décomposé. Comme s'il avait eu en tête une image de moi plus jolie, plus souriante que je ne le suis en réalité et, comme d'habitude, je l'avais déçu avant même d'ouvrir la bouche.

— Salut, Roy, ai-je dit, et son visage s'est décomposé encore un peu plus.

Mon père est l'équivalent humain d'un chien à grosses bajoues, ce qui lui donne une mine assez morose en permanence, mais quand je suis avec lui, ça s'accentue encore, surtout si je refuse de l'appeler papa. Mais après tout, il n'est pas vraiment mon père. Il a abdiqué ce rôle il y a un certain temps déjà ; je ne vis pas avec lui, je ne lui parle pas beaucoup, il ne s'aventurerait pas à m'imposer un couvre-feu et ne m'aide en rien dans mes devoirs, donc pourquoi devrais-je l'appeler papa ?

Quoi qu'il en soit, j'ai laissé Roy déposer un bras sur mes épaules pour me serrer maladroitement contre lui et m'embrasser sur le front, puis je l'ai fait entrer et là, derrière lui, il y avait sa dernière copine en date. Pour être tout à fait honnête, il s'agissait de la même que trois mois plus tôt, c'était donc sérieux, de toute évidence. Je ne me souvenais pas de son nom, mais Roy a dit :

— Tu fais un bisou à Sandra ?

Quand il s'adresse à moi, il prend toujours un ton condescendant comme si j'avais sept ans ou, à l'inverse, raide et énergique, comme si j'étais une adulte et devais me comporter comme telle. Qu'il ne compte pas sur moi pour embrasser Sandra, qui me souriait nerveusement. Je me suis contentée d'agiter mollement la main. Je les ai ensuite conduits dans le salon.

Ils ont balayé la pièce du regard et j'ai su tout de suite qu'ils ne voyaient pas les mètres carrés de sol que j'avais aspirés (ceux qui n'étaient pas envahis de piles *très nettes* de magazines). Sandra avait les yeux fixés sur l'endroit exact du buffet sur lequel j'avais braqué ma DustCam censée filmer la poussière. Je leur ai gentiment proposé une tasse de thé et Sandra a profité de mon saut en cuisine pour passer un doigt au-dessus de la cheminée et exhiber à mon père la triste pièce à conviction ainsi mise en lumière.

Atroce, mais classique. J'ai fait visiter l'appartement à Roy, histoire de bien montrer que je n'hébergeais ni toxicos ni famille de sans-papiers. Je lui ai montré quelques évaluations et autres devoirs – Sandra et lui ont trouvé le moyen de critiquer mon paysage marin.

— Tu aurais dû peindre la plage de Margate, a décrété Sandra avec une moue. Il y a un point de vue magnifique là-bas.

Après quoi, je leur ai confié le tas de trucs chiants, genre factures de gaz, et il a fallu que je justifie mon utilisation quotidienne du chauffage central.

À 18 h 30, après avoir répété à Sandra que je ne voulais pas me changer, et confirmé pour la cinquième fois que je garderais bien ces vêtements au dîner, j'ai réussi à mettre Roy et Sandra dehors. Nous devions prendre les transports en commun, car Roy boirait forcément un verre, ou plus d'un, il en a donc profité pour me harceler de questions à propos de Michael. Quel âge a-t-il ? Où l'as-tu rencontré ? Quelles matières étudie-t-il ? Il est inscrit à la fac ? Que font ses parents ? Oh, ils sont à l'abri du besoin, on dirait ?

— Que fait Michael de son temps libre ? a demandé Roy alors que nous quittions la station de métro Leicester Square.

Après des années de fréquentation des différentes cafétérias de la chaîne Garfunkel, Roy avait décidé que le restaurant situé sur Irving Street avait les toilettes les plus propres, le personnel le plus accueillant et le buffet de salades le plus fourni. Je parierais qu'il avait établi un fichier comparatif sur tableur.

— A-t-il les mêmes hobbies que toi ? a-t-il ajouté.

En traduction, ça donnait : « Ce garçon qui pourrait, ou pas, chercher à te féconder est-il aussi bizarre que toi, tant dans son style que dans ses passe-temps ? »

— C'est juste un ami, répondais-je systématiquement, d'un air sombre. Un ami qui, par un étrange hasard de la vie, se trouve être de sexe masculin.

En arrivant devant le restaurant, je me suis rendu compte que Roy avait posé beaucoup plus de questions sur Michael, ses goûts, ses futurs choix de carrière, qu'il n'en avait jamais posé me concernant.

L'objet de la curiosité de Roy rôdait près de l'entrée. Le visage de Michael s'est éclairé en nous apercevant – il faut dire, c'était le mois de novembre, il faisait super froid et nous avions cinq minutes de retard, quand lui se pointait toujours au moins dix minutes en avance. J'aurais voulu que mon visage s'illumine aussi, tellement j'étais ravie de voir quelqu'un qui n'était ni Roy ni Sandra. Mais je me suis contentée de le saluer d'un petit coup de poing amical dans le bras.

— Michael, voici un de mes responsables parentaux, Roy, et Sandra, sa petite amie, ai-je lancé en guise de présentations. Roy, Sandra, voici Michael qui n'est pas, je répète : *qui n'est pas* mon petit ami. Juste un ami, normal.

J'ai pressé la main de Michael tandis qu'il nous tenait la porte pour bien lui signifier qu'il n'était pas un ami comme les autres, que je camouflais la vérité pour sauver les apparences et, aussi, lui épargner un tas d'ennuis. Il a croisé mon regard et a fait une grimace, je n'ai pas su s'il m'en voulait ou s'il sentait déjà qu'il s'apprêtait à passer une des soirées les plus pénibles de sa vie, malgré la salade à volonté.

Nous nous sommes installés dans une certaine confusion – la première table était trop proche des toilettes, puis Sandra ne pouvait pas s'asseoir dos à la salle, car cela lui donnait des vertiges, cependant, il fallait qu'elle puisse voir par la fenêtre, car elle était « un brin claustrophobe » – mais nous avons fini par tous prendre place autour d'une table. Michael et moi, ne souffrant ni l'un ni l'autre de claustrophobie, étions face au mur, Roy et Sandra face à la salle, avec devant eux respectivement un gin tonic et un double whisky.

Tous deux dévisageaient ostensiblement Michael et j'espérais que Roy ne lâcherait pas une bourde du style : « Vous êtes sûr de ne pas préférer un restaurant chinois ? » Sans rire. Un jour, Bethan sortait avec un Noir, horreur et consternation paternelles, et Roy, qui n'avait pas hésité à lui demander où il était né, n'avait pas trop apprécié de s'entendre répondre : « Dans le nord de Londres. »

Dieu merci, il ne s'est rien produit de ce genre ce soir et Michael n'était pas en jean taille basse qui laisse voir son boxer. Il portait un jean brut classique avec une chemise à carreaux bleu et blanc ainsi qu'un sweat à capuche gris. Pas la tenue la plus excitante du monde, mais tout à fait adaptée à un parent et à sa compagne, tout comme Michael lui-même.

Il a répondu bien poliment à toutes les questions de Roy, lui répétant ce dont je l'avais déjà informé, mais à l'instant où commençait le passage en revue des matières que Michael présenterait au bac en fin d'année, Sandra a tiré sur la manche de Roy.

— Je crois que nous ferions bien d'aller nous servir maintenant, a-t-elle dit en tournant la tête dans la direction du buffet de salades. Ils viennent de remettre du stock.

Incroyable, la vitesse à laquelle se sont déplacés ces deux vieux. Ils étaient assis là devant nous et, tout à coup, ils se sont retrouvés à l'autre bout du restaurant. J'ai posé la tête sur l'épaule de Michael pendant une fraction de seconde.

— Oh, ma pauvre. C'est si dur que ça ? a-t-il demandé.

— C'est affreusement dur. En plus, je suis sûre que je vais devoir manger de la salade.

Michael a souri, pourtant il n'y avait pas de quoi.

— Si tu manges toute ta salade, je te réserve une surprise pour après.

— Je croyais que tu devais rentrer, ai-je râlé.

Bien que ce soit encore les vacances, Michael ne pouvait pas passer la nuit hors de chez lui. C'était idiot. Il avait dix-huit ans. Légalement, il avait le droit de découcher sans le consentement de ses parents, et il aurait simplement pu mentir et prétendre dormir chez un copain, mais il était trop réglo pour ça.

— En plus, ils vont encore se resservir au moins deux fois de salade, on va rester ici *des heures* et puis tu n'auras pas le temps de m'offrir ma surprise.

Je ne comprenais pas pourquoi Michael continuait de sourire.

— Ce n'est pas ce que tu crois, a-t-il répondu d'un petit ton prude, comme si j'étais obligée de quémander, supplier, cajoler pour qu'il m'autorise à abuser de son corps, alors que bon, loin de là. Avant de venir, j'ai fait un saut à Chinatown pour aller chercher quelques trucs pour mon père, j'en ai profité pour m'arrêter à ma pâtisserie chinoise préférée.

— Oh ! Est-ce que tu as acheté des petits pains avec la pâte rouge à l'intérieur ?

— Ça se pourrait.

— Tu sais, si j'étais du genre à avoir un petit ami, comme tout le monde, et que c'était toi, mon petit ami, franchement, tu serais un dieu dans ta catégorie, ai-je réussi à bafouiller, parce qu'il méritait bien les félicitations du jury, sur ce coup. Je suis désolée de t'avoir embarqué dans cette galère.

Il a opiné.

— Si j'avais su qu'on attendait de moi que je présente mon permis de conduire et mes trois derniers bulletins, je n'aurais sûrement pas accepté, mais bon… bouffe gratuite, quand même !

Il a froncé les sourcils.

— C'est bien gratuit, au fait ? Ou dois-je proposer de payer ma part ?

— Non ! Nous ne sommes pas ici de notre plein gré et, si Roy s'attend à une participation, c'est moi qui régale. C'est bien le minimum.

J'ai jeté un coup d'œil du côté du buffet où Roy et Sandra étaient en pleines messes basses, la tête penchée au-dessus de leurs assiettes remplies à ras bord.

— Tu sais, ce n'est pas trop tard, ai-je précisé. Tu peux encore filer en douce, j'inventerai une histoire quelconque, que tu étais malade ou que tu as dû emmener ton lapin domestique chez le véto de toute urgence.

Michael à son tour m'a donné un petit coup de poing dans le bras.

— Lamentable, vraiment.

— Disons que je suis stressée, et j'ai passé toute la nuit à faire le ménage, je n'ai pas fermé l'œil et je n'arrive pas à réfléchir correctement quand je n'ai pas dormi du tout.

Je n'arrêtais pas de me plaindre, pourtant Michael restait assis là, à côté de moi, son genou frôlant le mien. Michael, si grand, solide, calme. J'ai cligné des yeux, secoué la tête, parce que, vraiment, je me demandais bien pourquoi exactement il acceptait d'être là avec moi.

～ 22 ～

Le père de Jeane, Roy, faisait vraiment pitié. Par là, je
ne veux pas dire qu'il avait l'air d'un pauvre type, malgré
l'ensemble gilet, chemise et cravate du pire effet qu'il portait
ce soir-là. Non, il inspirait véritablement la pitié, comme si
quelque chose de terrible lui était arrivé à un moment de sa
vie, dont il ne s'était jamais remis.

Son amie, Sandra, semblait aussi avoir connu sa part de
malheurs. Elle s'agitait, pleine de tics, et s'excusait d'un
sourire chaque fois qu'elle prenait la parole. En réalité, ni
l'un ni l'autre n'était si affreux, et s'ils me bombardaient de
questions, je crois que c'était surtout parce qu'ils ne savaient
pas faire la conversation.

Jeane se montrait moins hargneuse que d'ordinaire. Elle
n'a même pas explosé quand il lui a été demandé de rajouter de la verdure dans son assiette, qui ne contenait que des
croûtons au bacon et des morceaux d'ananas. Elle avait aussi
fait un effort pour ne pas être trop horrible à voir. Certes, elle
portait un pull et un gilet argentés, mais au moins, ils étaient
assortis. La plupart des filles n'auraient probablement pas
associé une jupe rouge avec des collants jaunes et des chaussures à lacets noir et blanc – des « saddle shoes », insistait-
elle –, mais Jeane n'était pas la plupart des filles.

La deuxième tournée de boissons est arrivée alors que nous attendions notre plat principal. Sandra a commencé à me parler de son ex-mari, qui l'avait abandonnée avec une montagne de dettes et un ulcère de l'estomac. Je l'écoutais d'une oreille en observant Jeane et son père.

Roy disait quelque chose, Jeane lui répondait par des phrases si sèches qu'elles en étaient presque malpolies, mais pas tout à fait. Elle jetait sans cesse des coups d'œil méfiants en direction de son assiette, comme si celle-ci risquait à tout moment de lui sauter à la figure pour l'agresser. La lumière, en faisant scintiller son gilet argent, donnait à son visage une teinte fantomatique et en face, il y avait Roy avec sa cravate, sa calvitie mal camouflée, son air si triste et je me demandais : comment ces deux-là peuvent-ils être unis par les liens du sang ? Comment avaient-ils pu vivre sous le même toit pendant quinze ans ? Comment est-il possible que tu sois assis à leur table, dans ce restaurant sans intérêt ?

À cet instant, Jeane a levé les yeux de son assiette et a croisé les miens. Jamais je ne l'avais vue aussi désemparée. Elle paraissait aussi triste que Roy. J'ai eu soudain très envie de l'attraper par la main et de l'emmener dans un endroit où elle pourrait briller, être aussi exubérante et avaler autant de Haribo qu'elle le voudrait.

— C'est un enfer, m'a-t-elle soufflé. Et si on se cassait ?

J'y réfléchissais sérieusement, quand notre plat principal est arrivé. Il s'en est suivi une petite complication car la purée de Sandra semblait avoir été oubliée, mais tout s'est très vite arrangé et nous avons pu dîner, dans un silence tendu.

Lorsque le serveur est revenu chercher nos assiettes vides, Jeane a bondi sur ses pieds.

— Il faut que j'aille faire pipi, a-t-elle couiné en s'emparant de son sac avant de galoper en direction des toilettes.

Je savais pertinemment, tout comme je connaissais le nombre de buts marqués par Robin van Persie pour l'équipe d'Arsenal dans sa carrière, qu'elle allait soulager son angoisse dans une frénésie de tweets. Je me suis accroché à la carte des desserts comme à une bouée de sauvetage et j'ai souri mollement à Sandra et Roy.

— Je ne comprends pas, a dit ce dernier. Elle a à peine touché à son omelette.

— Elle n'avait peut-être plus faim après sa salade, ai-je répondu, bien que Jeane n'ait mangé que les croûtons.

Roy a secoué la tête.

— Elle adorait Garfunkel, quand elle était petite. Je n'ai jamais vu un enfant aussi excité à l'idée de manger des sundaes au chocolat.

Jeane était toujours cette petite fille. Elle était rarement plus heureuse que devant la télé, un sachet de bonbons à la main, mais je crois que Roy n'avait plus croisé cette fille-là depuis longtemps. Néanmoins, il lui a commandé un sundae au chocolat et, lorsqu'elle a réapparu, elle l'a remercié avec un sourire pincé – d'ordinaire, si qui que ce soit s'était aventuré à choisir à sa place, elle se serait embarquée dans une diatribe sur la relation complexe et conflictuelle qu'ont les filles avec leur corps et la nourriture, à laquelle elle aurait sûrement ajouté un couplet sur le patriarcat.

Je croyais détester au moins la moitié de ce qui caractérisait Jeane, mais finalement, ce que je détestais surtout, c'était cette Jeane taciturne au visage triste. Lorsqu'elle s'est assise, je n'ai pu m'empêcher de serrer sa main en cachette pour la réconforter, et le pire, c'est qu'elle m'a laissé faire.

— Alors, Jeane, nous avions dans l'idée, Roy et moi, de t'inviter à passer Noël avec nous… s'est lancée timidement Sandra tandis que Jeane s'attaquait à son sundae avec l'enthousiasme d'une fille condamnée aux travaux forcés. Il y a une famille adorable qui vient d'emménager dans notre immeuble, ce sont des gens de couleur, pourtant ils sont allemands, mais ils sont très gentils et puis ils ont deux filles qui doivent avoir à peu près ton âge, avec qui tu pourrais jouer.

Jeane n'a pas réagi tout de suite, elle essayait de récupérer un morceau de brownie au chocolat au fond de sa coupe glacée.

— Bon, je sais que tu penses que la Costa Brava n'est pas l'endroit le plus génial sur Terre, mais ce serait sympa de pouvoir passer Noël ensemble, a dit Roy en se frottant les mains nerveusement. J'ai un vieux téléviseur portatif dans la chambre d'amis, comme ça tu pourras regarder ce que tu veux.

— Ça a l'air super, vraiment, a répondu Jeane d'un ton plus plat que la Hollande.

Je la connaissais bien, maintenant. Et plus Jeane était en colère, plus sa voix devenait neutre, comme si elle n'osait pas laisser filtrer la moindre émotion de crainte de se mettre à hurler ou d'adopter tout autre comportement jugé peu classe. Elle ne me l'avait pas expliqué, mais à ce stade, je l'avais découvert d'expérience.

— J'aurais adoré, a-t-elle ajouté. Mais Bethan rentre à Londres pour Noël.

— Eh bien, ce serait formidable de vous voir toutes les deux, s'est enhardi Roy. Vous pourrez partager la chambre d'amis, même si c'est un peu serré et...

— Oui, mais nous avons déjà prévu quelque chose, parce que Bethan n'a pu avoir que quelques jours de congé. On a déjà réservé pour le dîner de Noël à Shoreditch House. C'est très cher, a-t-elle précisé avec un air préoccupé, pour bien insister. Mais c'est très gentil de l'avoir proposé. Je pourrais peut-être passer chez vous pour la nouvelle année.

De toute évidence, elle n'en avait aucunement l'intention, mais nous avons tous opiné, puis Jeane a sorti son téléphone et s'est mise à taper furieusement. Une seconde plus tard, mon portable vibrait et, sous la table, j'ai pu lire :

> Mon Dieu, combien de temps cette torture
> va-t-elle se prolonger ?

Pas trop longtemps, à en juger d'après la suite des événements. Roy n'a pas tardé à appeler le serveur pour lui demander la note, puis il a tiré une enveloppe kraft de la poche intérieure de son anorak.

— Quel dommage pour Noël, a-t-il lâché.

Jeane a soupiré.

— Sois honnête, Roy, au bout de six heures tu aurais eu envie de me tuer, tu le sais bien.

— Pourquoi tu ne peux pas faire davantage d'efforts pour être normale ? Ce serait tellement plus simple pour tout le monde, a commenté Roy en secouant la tête.

Pourtant, Jeane ne s'est pas énervée – cela dit, elle agrippait si fort sa cuillère à dessert que je suis bien étonné que celle-ci ait résisté.

— Bon, est-ce que tu as un truc qui copie les photos et les met sur ton ordinateur ? a ensuite demandé Roy.

— Tu veux dire un scanner ?

— Est-ce que c'est une photocopieuse domestique, Roy ? est intervenue Sandra et j'ai bel et bien entendu Jeane grincer des dents.

— J'en ai un, a répondu Jeane avec agressivité pour la première fois de la soirée. Que veux-tu scanner ?

— J'ai fait du tri dans les cartons… maintenant que Sandra m'a fait l'honneur, en quelque sorte, d'emménager dans mon appartement…

Plusieurs interminables secondes plus tard, Roy a enfin tendu l'enveloppe, qui contenait des photos de famille.

— Je suis sûr que ta mère aimerait avoir des doubles. Tu peux refaire des photos une fois que tu les auras copiées ? a-t-il ajouté.

— Oui, bien sûr, sinon je te les envoie par e-mail ou je les mets sur Flickr, a suggéré Jeane à Roy, dont le visage trahissait une totale incompréhension. Écoute, je te les enverrai par e-mail et je te ferai des copies sur papier photo, que je posterai avec les originaux.

— Elles risquent de se perdre comme ça, ma puce.

— Raison pour laquelle je les enverrai en recommandé, Sandra, a rétorqué Jeane de sa voix la plus morne.

C'était officiel. Elle était à bout. Elle s'est donc levée de table et m'a tiré par la manche pour que je fasse comme elle.

— *Vraiment*, merci pour ce dîner, c'était *super*, mais Michael et moi, nous devons filer, maintenant.

M'est avis que Jeane rendait aussi service à Roy et Sandra parce qu'ils n'ont pas fait mine d'avoir envie de la retenir pour un café ou de la revoir avant leur retour en Espagne. Roy ne s'est même pas levé, il n'a même pas essayé de serrer Jeane dans ses bras ou de l'embrasser. Il a juste hoché la tête et a dit :

— Tiens-nous au courant si tu changes d'avis pour Noël. Mais dis-nous ça la semaine prochaine, parce qu'on risque de partir en vacances si tu ne viens pas.

Jeane n'a pas commenté, mais sa mâchoire s'est agitée furieusement et, sur un salut ironique, elle a quitté le restaurant au pas de charge. Elle était déjà à moitié dans la rue quand j'ai réussi à la rattraper.

— Ça va ? ai-je demandé, assez inutilement.

— Très bien. Pourquoi ça n'irait pas ? Mon père vient en ville et m'emmène manger. Point à la ligne. Je n'ai vraiment pas de quoi me plaindre.

— C'est bizarre, parce que tu as un peu l'air de te plaindre, justement.

— Écoute, Michael, je sais que c'est notre mode de fonctionnement, on se taquine, on se moque, tous les deux, mais je ne suis pas d'humeur, là.

Elle s'est immobilisée.

— « Toutes les familles heureuses se ressemblent. Chaque famille malheureuse, au contraire, l'est à sa façon. » La mienne doit être la plus malheureuse ayant jamais existé.

Je savais, depuis que le club de lecture de ma mère s'était attaqué à *Guerre et Paix*, que quelqu'un qui cite Tolstoï se trouve, en général, au trente-sixième dessous. Pourtant, je ne savais vraiment pas comment la sortir de là.

— Allez, viens, a décrété Jeane.

— On pourrait aller au cinéma, si tu veux, ou il doit bien y avoir un concert ou…

— On s'en va, c'est tout.

Nous avons pris le métro en silence. Attendu le bus sans échanger un mot. Je sentais le malheur de Jeane présent entre nous, comme s'il s'agissait d'une véritable personne, qui nous enveloppait de sa tristesse. Jeane fixait le panneau des horaires de bus, ses lèvres remuaient en silence, bras croisés, et tout à coup, je me suis senti en colère.

J'avais sacrifié ma soirée pour rencontrer son père, et elle ne m'avait même pas remercié. Je m'étais soumis à un interrogatoire en règle, j'avais mangé des trucs que je n'aimais pas, tout ça pour elle, et voilà qu'elle ne m'adressait même plus la parole. Je n'en aurais pas fait la moitié pour une vraie petite amie.

Le bus est arrivé. Nous avions dix minutes de trajet pour rallier notre quartier. Je savais qu'après ces dix minutes, j'allais devoir rompre avec elle. Pour ma santé mentale et plus important, ma réputation, parce qu'à ce rythme-là, j'allais finir contaminé par la geekitude de Jeane. Par exemple, je n'avais pas jugé la tenue de ce soir si moche que ça, alors qu'elle portait un gilet et un pull en matériau argenté qui gratte, avec une jupe rouge flash – plus je passais de temps avec elle, plus j'étais immunisé au joyeux fouillis de son look. Même pas joyeux d'ailleurs, juste fouillis.

J'ai regardé avec irritation Jeane progresser dans l'allée du bus de son pas décidé. Soudain, avant de s'asseoir, elle s'est retournée vers moi avec un sourire. C'était un sourire peu vaillant, de guingois. Quel que soit l'enfer que j'avais pu traverser ce soir, ça avait été pire pour Jeane, certes. N'empêche. Ce qu'elle pouvait être égocentrique. Elle aurait tout de même pu me remercier. Au lieu de ça, surprise, surprise, elle s'est emparée de son téléphone et ses doigts se sont agités sur son écran.

Je me suis assis sur le siège juste devant elle pour réfléchir à la manière dont j'allais rompre. J'allais sûrement être forcé de faire ça par SMS, pour être bien certain d'avoir toute son attention. J'ai donc sorti mon vieux BlackBerry en piteux état et, en douce, j'ai jeté un coup d'œil à l'activité du compte Twitter de Jeane.

 irresistibly_geek Jeane Smith
J'ai vu l'enfer. Ça ressemble beaucoup au buffet de salades d'un Garfunkel.

irresistibly_geek Jeane Smith
Plus jamais tu ne rentreras chez toi. Clair.

 irresistibly_geek Jeane Smith
Ils te niquent, tes père et mère. Ils le cherchent pas,
mais c'est comme ça…

 irresistibly_geek Jeane Smith
Ils t'infligent leurs travers. Et rajoutent même un p'tit
chouïa – rien que pour toi… Je me sens un peu trop
comme Philip Larkin* ce soir.

 irresistibly_geek Jeane Smith
J'aime trop les gâteaux chinois à la pâte de haricots
rouges et les gens qui m'achètent des gâteaux chinois
à la pâte de haricots rouges.

Je sentais la colère s'évanouir un peu, devenir plus floue,
moins vive et, tout à coup, Jeane s'est penchée pour m'embrasser dans la nuque, tout doucement (et de façon totalement
imprévisible). J'ai failli faire un bond d'un mètre sur mon
siège et j'étais en train de planquer frénétiquement mon téléphone lorsqu'elle a remis ça. Elle a déposé un second baiser
dans mon cou.

— Ce repas aurait été un milliard de fois plus insupportable si tu n'avais pas été là, a-t-elle murmuré. Je vais faire un
truc de DINGUE pour te remercier. Je ne sais pas trop quoi
encore, mais tu n'en croiras pas tes yeux.

Parfois, il est impossible de rester fâché contre Jeane.

---

* Poéte britannique (1922-1985). Les précédents tweets de Jeane reprennent des vers
du poème « Tel soit le Dit » (in *La Vie avec un trou dedans*, ed. Thierry Marchaisse,
trad. G. Le Gaufey av. D. Hirson).

— Mes parents passent le week-end dans le Devon pour récupérer mes sœurs, l'ai-je informée.

— C'est vrai ? Comme c'est intéressant.

Je sentais son souffle chaud sur ma nuque.

— Serais-tu en train de suggérer ce que tu es en train de suggérer, Michael Lee ? a-t-elle ajouté.

— Eh bien, je n'ai pas entraînement de foot demain, alors je pourrais aller chez toi, mais j'ai un frigo rempli de bonnes choses à la maison, et au moins je suis sûr de ne pas finir avec un Haribo collé à ma chaussette en traversant le salon.

Jeane a posé les bras sur le haut de mon dossier.

— Ça n'est arrivé qu'une fois, mais j'avoue que tu me tentes avec ton frigo. On peut passer chez moi que je prenne deux-trois affaires ?

— Bien sûr.

Sa main a effleuré ma joue, j'en ai eu des frissons, de ceux qui font du bien.

— Tu sais que nous ne sommes pas censés nous toucher en public. On risque de nous voir, lui ai-je fait remarquer.

J'ai cru l'entendre glousser, pourtant, en général, ce n'est pas son genre.

— Il n'y a personne dans ce bus dans la tranche d'âge susceptible de nous reconnaître et, même si c'était le cas, nous n'aurions qu'à tout nier en bloc.

Elle avait raison. Ça n'avait aucune importance. Il y avait plus essentiel :

— Quand je n'apprécie pas un repas, même s'il se compose d'une entrée, d'un plat, d'un dessert, j'ai faim comme si je n'avais rien mangé, ai-je observé.

— Ça doit avoir un rapport avec le cerveau et ses neuro-transmetteurs de plaisir, tu devrais poser la question à Barney, il adore toutes ces conneries-là.

— Tu as faim aussi, toi ? Je crois que ma mère m'a préparé du hachis parmentier avant de partir.

Jeane a collé son visage contre le mien.

— Je suis carrément *affamée*.

~ 23 ~

D'habitude, quand la morosité me gagne, elle peut mettre des jours, des semaines, même, à disparaître, raison pour laquelle j'évite les situations susceptibles de me plonger dans le cafard. Mais, je ne sais trop comment, Michael réussissait toujours à tordre le cou au cafard.

Par exemple, il a paru comprendre, d'instinct, que je ne pouvais pas supporter de rester seule après une visite parentale. Du coup, après un saut chez moi pour récupérer un pyjama, ma brosse à dents et la centaine d'autres objets indispensables pour une absence de vingt-quatre heures, je me suis retrouvée assise sur son lit à manger un hachis parmentier devant une série télé. Nous avions la maison pour nous seuls, mais je préférais de loin la chambre de Michael.

Se trouvant dans les combles, elle était pleine de recoins bizarres, et tellement bien rangée. Tellement propre. Tellement ordonnée. Et sans qu'il ait besoin d'être harcelé par sa mère. J'avais vu de mes propres yeux Michael aller me chercher des serviettes d'invité (des *serviettes d'invité*, mais enfin ?) et les plier soigneusement avant de les déposer sur le lit.

Par respect pour ma fragilité émotionnelle, il n'a pas essayé de m'embrasser, alors que d'ordinaire, dans les cinq secondes suivant notre arrivée, nous ravagions le lissé parfait de sa couette. Il a gentiment mangé son hachis parmentier en faisant mine d'être subjugué par mon analyse perspicace de la série et de sa représentation des nerds à la télévision. Il a même accepté, sans que j'aie besoin de trop insister, de me prêter son scanner, parce que je voulais me débarrasser de ces fameuses photos de famille.

Je l'ai eu sur le dos un moment, le temps qu'il s'assure de la propreté de mes mains avant qu'elles approchent de son clavier immaculé, mais lorsqu'il a constaté que mes doigts étaient irréprochables et que je ne comptais pas fouiller l'historique de son navigateur Web pour connaître ses goûts en matière de porno, il m'a laissée faire et s'est mis à jouer à *L.A. Noire* sur sa PlayStation.

J'ai découvert que je pouvais très bien scanner les photos sans les voir. Déjà, je les plaçais à l'envers sur la machine, et après, il suffisait de fixer dans le vide lorsqu'elles apparaissaient à l'écran, de sorte qu'elles semblaient de simples taches couleur chair. J'avais presque terminé, quand Michael a donné un petit coup de pied dans l'arrière du fauteuil où j'étais installée.

— Tu pourrais quand même me montrer une photo de toi enfant.

— Tu peux toujours rêver, ça ne risque pas d'arriver, ai-je rétorqué en continuant de cliquer.

— Je ne peux pas croire que les vêtements que te mettaient tes parents puissent être pires que ceux que tu choisis de porter maintenant, a insisté Michael.

Je me suis retournée pour le fusiller du regard, et je me suis rendu compte qu'il se trouvait juste derrière moi.

— Allez, Jeane, il doit bien y avoir un portrait de toi toute nue ou en couche sur une fausse peau de mouton. C'est la règle.

— Dans notre famille, on ne prend pas beaucoup de photos, ai-je répondu, et c'était la vérité – du moins au moment où je suis née. En plus toutes ces photos remontent bien avant moi.

— Tu es sûre que tu ne dis pas ça simplement parce que, quand tu étais petite, tu adorais t'habiller en princesse ? m'a taquinée Michael en posant le menton sur mon épaule, ce que j'ai trouvé très agaçant.

— Tu crois vraiment que j'étais ce genre de petite fille ? Pour ton information, j'avais un costume fait maison d'une super-héroïne de mon invention, que j'avais baptisée Super Fille, ai-je avoué.

Dans un carton, quelque part au fin fond de mon appartement, se trouvaient les planches mal dessinées des aventures de Super Fille et de Vilain Chien, son fidèle compagnon canin. Pat et Roy étant vigoureusement anti-télévision, il fallait bien que je m'amuse par mes propres moyens.

Mon accès de nostalgie, comme la mission réussie de Super Fille et de Vilain Chien pour débarrasser le monde des légumes, s'est terminé de façon abrupte, lorsque j'ai senti Michael m'enfoncer un doigt dans les côtes.

— Tu me dois bien ça ! Ton père m'a quand même demandé comment je comptais rembourser mon prêt étudiant alors que j'en ai même pas encore.

Michael avait l'air de s'énerver carrément, tout à coup.

— Oh, là, il n'y a rien à voir, ai-je expliqué en sélectionnant toutes les photos déjà scannées pour en faire un diaporama. Voilà Roy avec Pat, enceinte de Bethan, Bethan, Bethan, Bethan, Pat, Roy avec Bethan et…

— Voilà ! a triomphé Michael en désignant la diapositive suivante. Jeane bébé. Je savais bien qu'il devait exister des preuves photographiques.

Il a collé sa figure contre la mienne.

— Dis donc, tu en avais, de bonnes joues, a-t-il observé.

Je l'ai repoussé.

— Ce n'est pas moi, ai-je répliqué d'un ton sec. C'est Andrew et je pourrais l'appeler mon grand frère, mais il est mort bien avant que je sois née, alors ça m'a toujours paru bizarre de lui donner ce nom.

Michael a ouvert la bouche, mais il n'a rien dit durant tout le temps qu'a duré le diaporama, qui réunissait des clichés de Bethan et Andrew dans une série d'immondes tenues années 1980, si immondes que même moi, je ne leur trouvais aucune qualité. Ensuite venaient les photos qui expliquaient pourquoi tous ces souvenirs avaient passé tant d'années fourrés dans une enveloppe, loin des regards : Andrew plus pâle, plus fragile, parvenant à sourire faiblement pour l'appareil, puis son onzième anniversaire, le dernier, sur un lit d'hôpital entouré de ballons gonflés à l'hélium et d'équipements médicaux qui ne présageaient rien de bon. Je crois qu'il était mort une semaine plus tard, mais je n'étais pas très au fait des détails.

— Merde, Jeane, je suis vraiment désolé. Je n'aurais pas plaisanté si j'avais su, a lâché Michael d'un ton lourd, et je sentais son regard sur moi, très intense. Ça va… Enfin, je veux dire, d'être obligée de voir toutes ces photos ?

— Oui… ai-je répondu en haussant les épaules. Bien sûr, c'est triste qu'il soit mort. C'est horrible, mais je n'étais pas là. C'est quelque chose qui est arrivé à ma famille, même si aucun d'entre eux ne s'en est jamais remis, je crois. Si, Bethan, peut-être, mais à mon avis, elle ne consacrerait pas soixante-dix heures par semaine à son internat de pédiatrie si son frère aîné n'avait pas été victime d'une forme rare de leucémie alors qu'elle avait sept ans.

— Ton père, il a vraiment l'air *tellement* triste. Il a toujours été comme ça ?

La plupart des gens se seraient refusés à poser des questions sur ce sujet, trop gênant, trop personnel, mais Michael ne semblait pas voir ça sous cet angle. C'est alors que je me suis rendu compte que je n'en avais jamais parlé. Je n'avais jamais parlé d'Andrew avec personne. De temps en temps, Bethan me racontait une anecdote à son sujet, mais si je commençais à l'interroger – Est-ce que vous vous disputiez ? Est-ce qu'il avait peur du noir ? Pat et Roy étaient-ils différents à cette époque-là, étiez-vous tous heureux avant qu'il tombe malade ? –, nous n'allions jamais très loin parce que Bethan fondait en larmes. Plus de vingt ans s'étaient écoulés, pourtant elle était secouée de sanglots à vous retourner les tripes comme s'il était mort la veille.

Du coup, je n'avais jamais parlé d'Andrew parce que j'avais toujours eu le sentiment que sa mort n'avait aucun rapport avec moi. Alors qu'à bien y réfléchir, sans lui, je n'aurais pas existé.

— Oui, ai-je fini par répondre. Mon père a toujours été comme ça. Pat, ma mère, aussi, mais en plus hargneuse.

Michael s'est assis au pied de son lit, j'ai fait pivoter mon siège pour me retrouver face à lui, parce que j'avais l'impression que le sujet était loin d'être clos.

J'avais raison.

— Ça ne devait pas être très marrant de grandir dans une maison où tout le monde était triste en permanence, a lancé Michael l'air de rien.

S'il m'avait bombardée de questions, s'il avait sous-entendu que mes parents m'avaient « niquée » pour reprendre les mots du poème de Philip Larkin, j'aurais été sur la défensive, je serais montée sur mes grands chevaux, j'aurais peut-être même quitté la pièce, mais il ne l'a pas fait, donc moi non plus.

— Ils ne se traînaient pas en larmes du matin au soir en se lamentant sur leur tristesse, ai-je expliqué. C'est plutôt qu'ils n'étaient pas vraiment là. Un peu absents, en fait. Moi, ça me convenait bien. Je me suis construite toute seule, en gros.

— Ah, je m'étais toujours dit que tu avais dû être élevée par des loups, a répliqué Michael avec un petit sourire. Des loups amateurs de sucreries.

— Attention, il y a des tas de gens qui ont eu une enfance pire que la mienne, mais…

Je me suis interrompue parce que certaines choses restent difficiles à dire, même quand on y a beaucoup réfléchi ou qu'on a essayé de toutes ses forces de tout refouler, d'ailleurs.

Michael a pris ma main et s'est mis à tracer des cercles sur ma paume.

— Mais quoi ?

Il a approché ma main de sa bouche pour déposer un baiser à l'endroit qu'il venait de caresser. Là, je me suis demandé ce que Scarlett avait dans le crâne parce qu'à comparer Michael et Barney pour savoir quel était le meilleur petit ami, franchement, Michael gagnait haut la main. Barney ne le surpassait qu'à *Guitar Hero* (sérieux, il était comme possédé quand il y jouait) et pour démonter et remonter mon ordinateur en un week-end pour le rendre plus rapide, efficace et silencieux.

— Tu me peux dire des trucs, Jeane. Je ne répéterai rien à personne, a-t-il insisté.

J'ai hoché la tête. Il avait raison et puis ce n'était pas comme s'il était équipé d'un micro – selon toute vraisemblance, du moins.

— En fait, ils auraient dû divorcer après la mort d'Andrew. Apparemment, ça arrive souvent quand des parents perdent un enfant. Ça ne les rapproche pas ; ça les déchire. Il y a eu des études sur le sujet et tout.

Je me suis gardée de préciser que j'avais passé des heures à me renseigner là-dessus.

— Bref, ai-je repris. Pat et Roy n'ont pas choisi cette option. Ils ont décidé d'avoir un autre enfant, pour atténuer la douleur, comme quand on remplace son chien qui vient de mourir par un chiot un mois après. Sauf qu'ils n'ont pas eu droit au joli petit bébé souriant qui aurait redonné un sens à leur vie, ils m'ont eue, moi, et voilà qu'ils se retrouvaient coincés tous les deux pour dix-huit années de plus…

— Oui, mais au final, ça n'a pas duré dix-huit ans, a souligné Michael. Tu n'en as que dix-sept et tu m'as dit que tu vivais seule avec ta sœur depuis l'âge de quinze ans, alors ils ont dû se séparer à peu près à ce moment-là.

— J'y viens.

J'étais fière de la suite de l'histoire, car elle prouvait que j'avais davantage de bon sens que ces deux adultes censés m'élever, et n'y réussissant pas si bien que ça.

— C'était un dimanche, Bethan, qui travaillait de nuit, avait passé la journée au lit, Pat à rédiger son mémoire sur Écologie et macramé, Roy à picoler dans sa cabane au fond du jardin, ai-je commencé à raconter. Au moment du dîner, des spaghettis bolognaise végétariens, parce que Pat est persuadée que la viande rouge donne le cancer des intestins (en fait, elle pense que tout est cancérigène, d'une façon ou d'une autre), je me suis rendu compte que c'était la première fois du week-end que nous nous trouvions tous les quatre dans la même pièce. La vache, je suis en roue libre complet, là, non ?

— Ne t'en fais pas, je suis habitué à tes phrases qui n'en finissent plus, maintenant, a dit Michael. Alors, vous étiez tous en train de manger votre bolognaise végétarienne et que s'est-il passé ?

— Pas grand-chose, j'ai simplement annoncé que je ne voyais pas l'intérêt de rester ensemble rien que pour moi, alors que mon bien-être mental se trouverait sûrement amélioré s'ils se séparaient.

Michael a eu l'air horrifié, surtout quand j'ai gloussé – non parce que j'étais sans cœur, plutôt au souvenir du plan audacieux que j'avais échafaudé pour m'émanciper légalement de mes parents.

— Bien entendu, ils ont protesté que c'était ridicule, que tout allait bien, ai-je poursuivi. Mais c'était tellement évident que rien n'allait, il a suffi de trois mois de campagne intensive pour qu'ils se rallient à ma suggestion.

— Parce qu'au final, il est plus facile de céder que de te dire non ?

— Quelque chose dans ce goût-là, ai-je convenu, consciente que c'était effectivement mon mode de fonctionnement – si la raison n'y faisait rien, en général, la répétition et le volume finissaient par me faire parvenir à mes fins. Bref, ils ont divorcé, vendu la maison, acheté l'appartement que tu connais pour Bethan et moi, puis Pat est partie terminer son doctorat au Pérou et Roy ouvrir un bar en Espagne. Du coup, quand Bethan a obtenu son internat à Chicago, il était trop tard pour changer la donne.

Michael avait gardé son air horrifié, et il paraissait également désolé pour moi, alors qu'il n'y avait pas de quoi.

— Pauvre…

J'ai plaqué la main sur sa bouche.

— Pauvre rien du tout.

Il a chassé ma main d'une petite tape, avec une facilité désarmante.

— Excuse-moi, mais tu as quand même l'air d'avoir eu une enfance merdique.

— Peu importe. Je ne serais sûrement pas aussi géniale que je le suis aujourd'hui si je n'avais pas appris depuis toute petite à ne compter que sur moi-même. Ou alors peut-être que je suis née excentrique et fière de l'être. Qui sait ? Tout le monde subit des traumatismes en grandissant, non ?

Michael a secoué la tête.

— Pas moi.

Il a pincé les lèvres, comme s'il réfléchissait très sérieusement aux traumatismes potentiels de sa vie.

— Enfin, à part le fait d'avoir été enfant unique pendant dix ans jusqu'à ce que Melly débarque. Ça m'a fait un choc, après tout ce temps à me croire le centre du monde.

Son visage s'est éclairé.

— J'imagine que le truc le plus bizarre, dans notre famille, c'est que, d'un point de vue biologique, Alice et Melly sont jumelles.

— Comment est-ce possible, Melly a sept ans et Alice, quoi, cinq ?

— Je ne connais pas tous les détails, mais mes parents ont eu des problèmes pour avoir d'autres enfants après moi, alors ils sont passés par la fécondation in vitro. Ils ont congelé plusieurs embryons, ils ont eu Melly, ont décongelé le reste et ils ont eu Alice.

— Je ne vois toujours pas en quoi ça fait d'elles des jumelles, ai-je avancé.

Si Michael essayait ainsi de me faire oublier mes malheurs, eh bien, mon Dieu, ça fonctionnait.

— Non, Melly non plus d'ailleurs. Quand les parents ont essayé de lui expliquer, ils se sont embarqués dans toute une histoire de spermatozoïdes et d'ovules, qui n'a servi qu'à l'embrouiller davantage. Après ça, Alice a voulu savoir pourquoi elle avait passé deux ans dans un congélateur.

Michael s'est étranglé de rire.

— Un jour, je les ai trouvées toutes les deux debout sur une chaise à fouiller dans le congélateur pour voir s'il restait des minibébés en éprouvette cachés derrière les poissons panés.

Je n'ai pas pu m'en empêcher, je me suis esclaffée, tout en faisant de mon mieux pour ne pas partir dans un fou rire.

— Si c'est tout ce que tu as eu en matière de traumatisme d'enfance, c'est plutôt mignon. Enfin, ça et le fait que tes parents soient hyper à l'aise sur le thème de la fabrication des enfants, ai-je frissonné. Franchement, je n'aurais pas pu. Je préfère de loin la négligence bénigne de Pat et Roy.

— Je crois qu'on risque une fois de plus de se disputer, a annoncé Michael en redressant le haut de son corps.

Je redoutais ce qu'il s'apprêtait à ajouter. En temps normal, j'adore les engueulades, mais j'étais trop lessivée pour me chamailler à cette heure.

— Pourquoi ? ai-je demandé d'un ton soupçonneux.

— Parce que, en réalité, ma mère m'a tout l'air d'avoir raison avec son style super-protecteur.

Il avait l'air tellement surpris de considérer sa mère comme une chance que je suis repartie dans un éclat de rire.

— Qu'est-ce qu'il y a de drôle ? a-t-il voulu savoir.

— C'est toi qui me fais rire, lui ai-je répondu. (J'ai glissé de ma chaise pour m'installer sur ses genoux et ensuite l'allonger de force sur le lit, en bloquant ses bras au-dessus de sa tête.) Tout se voit sur ta figure. Je sais toujours exactement ce que tu penses.

— Pas du tout, a-t-il ronchonné avec un effort symbolique pour tenter de se libérer, mais sans y mettre la moindre conviction. Je garde un certain mystère.

— Mais non, absolument pas.

Cette fois, il commençait à vraiment essayer de se dégager de ma faible étreinte.

— Tu es totalement dépourvu de mystère, ai-je insisté. De toute façon, le mystère, c'est assez surfait.

Bien sûr, Michael avait peut-être quelques tares, son besoin maladif d'être aimé de tous et d'autres, gentiment léguées par sa mère ultra-dirigiste, mais on lisait en lui comme dans un livre ouvert. Un livre pas très compliqué, avec ça.

— Ce que tu peux être garce, parfois, a-t-il grogné en nous retournant d'un mouvement, de sorte que je me suis retrouvée à gigoter en dessous de lui. Tu ne sais pas tout. Par exemple, ce que j'ai dans la tête à cet instant précis.

Oh, si. Il me maintenait de tout son corps, moi je me tortillais pour me libérer et soudain, ce qu'il pouvait bien avoir dans la tête m'a paru très, *très* évident. Et, oui, je savais aussi exactement quels mots allaient sortir de sa bouche.

— Enfin, en dehors de *ça*, évidemment, je parie que tu ne sais pas ce que je pense, a-t-il rebondi.

— Que tu as vraiment envie de me tuer et puis tu te demandes aussi comment tu peux fréquenter une fille aussi dérangée que moi bla-bla-bla-bla-bla, ai-je résumé d'une voix chantante.

Sur ce, il m'a embrassée et ses baisers ont chassé les derniers nuages noirs de mon esprit. Il s'était montré fiable, solide comme un roc, tout à fait à la hauteur d'un petit ami digne de ce nom durant toute cette soirée horrible, de bout en bout, jusque dans les détails. Au lieu de taquiner Michael, j'aurais mieux fait de réfléchir à un moyen de lui retourner sa gentillesse.

Au bout d'un moment, il a cessé de me plaquer sur le lit, il m'a juste serrée contre lui, ses baisers sont devenus plus doux, plus intenses, les miens aussi… Jamais je ne trouverais comment le remercier assez quand soudain, alors qu'il décollait sa bouche de la mienne pour pouvoir respirer, j'ai eu une idée lumineuse.

— Viens à New York avec moi ! me suis-je exclamée, hors d'haleine. Je t'invite !

— Quoi ?

Il a tenté de m'embrasser à nouveau, mais je l'en ai empêché.

— Allez, encore, s'est-il plaint.

— Pas maintenant. Je suis sérieuse. Je dois donner une conférence à New York dans quinze jours et toi, tu vas *trop* venir avec moi.

Il a secoué la tête.

— Trop *pas*. New York dans deux semaines ? Tu es dingue ou quoi ?

— Je n'ai jamais été aussi saine d'esprit. Viens à New York ! Ce sera cool !

Je riais. Michael aussi, tout en secouant la tête.

— Non !

— Si !

— Non !

— Si ! Tu en rêves, ne dis pas le contraire.

— Non ! Jamais ! Pas le moins du monde. Maintenant tais-toi et embrasse-moi, ou rentre chez toi.

J'ai obéi, mais nous n'en avions pas terminé avec cette conversation. Je savais que d'ici vingt-quatre heures, Michael se rallierait à mon point de vue. Ça finissait toujours comme ça.

~ 24 ~

— Michael, tu viens à New York. Point barre. J'ai échangé ma classe affaires contre deux classe éco. Mon sacrifice ne signifie donc rien pour toi ? Vraiment ? Quel genre de brute insensible es-tu ?

J'avais cru que Jeane exagérait, comme d'habitude, lorsqu'elle avait raconté avoir harcelé ses parents pour qu'ils divorcent, mais après cinq jours de harcèlement, de persécution et de brimades, je commençais à la croire.

Je lui avais pourtant répété qu'il était impossible, même en cas d'apocalypse imminente, que mes parents acceptent que je l'accompagne à New York pour le week-end. Sans parler de rater les cours du vendredi – autant envisager un voyage dans la Lune. Ils exigeaient que je demande leur autorisation pour me servir dans le réfrigérateur !

Bien sûr, lorsque j'en avais informé Jeane, en omettant ce dernier détail, histoire de ne pas passer pour un loser complet, elle avait eu l'air atterrée.

— Mais merde, tu ne pourrais pas leur mentir comme un ado normal ? Je vais t'expliquer ce que tu vas leur dire. Ça n'a rien de très sorcier, Michael.

Je m'étais souvent demandé comment Jeane, dont la vie était si chaotique et désorganisée, parvenait à gérer son empire geek… jusqu'à ce que je reçoive un plan d'action détaillé.

Ta check-list New York

1. Fais croire à tes parents que tu pars visiter une université. Tu dois bien avoir un ami plus vieux que toi qui va à la fac quelque part. Fais comme si tu dormais chez lui. J'ai vérifié ton emploi du temps, tu n'as pas grand-chose le vendredi, juste informatique et maths. Tu t'en remettras, je crois.

2. Il faut que je t'inscrive pour la conférence. Pour être tout à fait franche, les autres intervenants seront sûrement méga-chiants. Mais moi non, promis. Je ferai des tas de trucs super grâce à PowerPoint et à la vidéo.

3. Il est interdit de transporter de grosses quantités de liquide dans ton bagage à main alors tu devras mettre ton gel coiffant dans ta valise. Mieux, essaie de te débrouiller sans, pendant un week-end. Je ne suis pas certaine que cette sorte de crête généralement réservée aux lesbiennes d'un certain âge soit bien vue à New York. Je dis ça, je dis rien…

4. J'ai besoin des détails de ton passeport pour le billet d'avion. Tu veux quoi comme repas ? Pour varier un peu, j'ai pris l'option casher.

5. Va sur ce site Web pour ta demande d'exemption de visa américain MAINTENANT. Il faut le faire AU MOINS trois jours avant d'arriver aux États-Unis, sans quoi on te remet dans le premier avion en partance pour Londres (tu imagines le tarif ?) ou tu te retrouves en état d'arrestation sous la menace d'une arme, voire de quelques chiens énervés, puis tu es placé dans un

centre de détention pour immigrants illégaux (ce serait con).

6. Contacte ton opérateur de téléphonie pour désactiver ta messagerie. Coupe aussi l'option internationale, sinon ça va te coûter bonbon. Ne t'inquiète pas, je te le rappellerai toutes les demi-heures jusqu'à ce que tu t'exécutes.

7. Je suis sûre qu'il y a d'autres trucs. Je te dirai.

Plus que huit jours avant le départ de Jeane pour New York et elle redoublait d'efforts. Vu que c'était déjà du non-stop, cela signifiait qu'il ne restait pas un seul moment où elle ne me prenait pas la tête à propos de ce foutu voyage.

— Tu ne préférerais pas que je vienne parce que j'en ai envie et non parce que tu m'aurais tellement harcelé que je finirais par céder ? ai-je demandé à Jeane.

Nous nous trouvions dans le débarras à fournitures situé au fond du sous-sol du lycée. J'ignore comment Jeane avait pu mettre la main sur la clé, tout comme j'ignorais que le lycée regorgeait à ce point de planques où il était possible de se retrouver pour quelques bisous et un petit câlin (parfois déboutonné), mais aujourd'hui, Jeane m'y avait attiré sous un faux prétexte.

Nous nous embrassions depuis dix minutes seulement quand elle m'a repoussé et s'est lancée dans son grand marathon de New York du harcèlement.

Elle s'est assise sur un casier métallique déglingué et a posé sur moi un regard sérieux.

— Je me fiche de ce qui motive ta venue à New York, tant que tu viens. Pourquoi tu te fais prier comme ça ? C'est vraiment chiant.

— Si je suis si chiant, tu ne voudras pas me traîner pendant trois jours.

— Je ne parle pas de toi, mais de la *situation* et techniquement, ce serait plutôt quatre jours, mais peu importe. Raconte à tes parents que tu rentres de ta visite à la fac chez ton vieux copain de foot très tôt le lundi matin et que tu iras directement en cours.

Elle a levé son menton d'un air de défi, comme toujours.

— Vraiment, peut-on faire plus simple ? a-t-elle conclu.

— Une opération à cœur ouvert serait plus facile à organiser. Tu as déjà rencontré ma mère, non ?

Jeane a grommelé quelque chose dans sa barbe et s'est mise à bouder. Certaines filles sont craquantes quand elles boudent, mais Jeane non, ça lui donnait seulement un air ronchon et mal luné.

— Nous savons l'un comme l'autre que tu finiras par céder tôt ou tard, ça me simplifierait la vie si c'était tôt.

J'ai fait un pas en direction de la porte.

— Encore un mot sur New York et je me casse.

— Mais en secret, tu adorerais m'accompagner, non ? Reconnais-le.

Cette fois, j'ai avancé de trois pas.

— J'en ai assez.

— OK ! OK ! Je te promets de ne plus parler de tu-sais-quoi pendant dix minutes.

— Tu peux pas tenir dix secondes.

Je me suis retourné, elle faisait à nouveau la tête.

— Je peux, si tu m'embrasses, a-t-elle proposé.

Et vu sous cet angle, puisqu'il restait encore une bonne demi-heure avant les cours de l'après-midi, et que j'avais déjà avalé mon déjeuner, embrasser Jeane a paru beaucoup plus sympa que tourner les talons, fâché.

Assise sur ce meuble, Jeane était plus grande que moi pour une fois, ce qui imposait quelques ajustements intéressants. J'étais obligé de tendre le cou, et elle enserrait mon torse entre ses jambes ornées de collants à rayures rouges et bleues pour me rapprocher d'elle. Je ne sentais même pas la poignée de tiroir qui s'enfonçait dans mon ventre.

— Tu es tellement joli garçon, a murmuré Jeane.

J'aurais dû être vexé et la planter là parce que bon, aucun mec n'a envie d'être « joli », mais elle avait un petit air, je ne sais pas… mélancolique, en disant ça, comme si le joli lui plaisait bien, en fait, alors j'ai préféré laisser courir, pour cette fois.

Jeane a frissonné quand j'ai embrassé ses lèvres. Puis j'ai suivi un chemin sur sa joue, je me suis arrêté pour grignoter son lobe d'oreille, avant de m'attaquer à son cou. Elle sentait toujours si bon, la figue, la vanille et la lotion pour bébé, particulièrement à cet endroit où son pouls cognait fort et qui était si sensible chez elle, qu'elle ne pouvait s'empêcher de se tortiller en gloussant, chatouilleuse.

— Tu es trop mignonne comme ça, ai-je remarqué, ce qui m'a valu un coup de genou dans les côtes.

— Va te faire foutre. Je *ne suis pas* mignonne. Ce n'est pas du tout ce que je vise.

— Pas de chance. Tu es mignonne. Assume.

— Oh, tais-toi et embrasse-moi.

J'obéissais aux ordres, quand j'ai cru entendre quelque chose à l'extérieur, mais je venais de réussir à défaire le troisième bouton de la robe de Jeane, alors je ne faisais pas très attention, surtout qu'elle se collait complètement à moi.

Cependant, j'ai bien entendu le bruit de la poignée de porte, puis la voix de Barney qui disait :

— Il lui arrive de se planquer là-dedans. Elle a une cachette secrète de Haribo dans une boîte de feuilles A3. Tiens ! La porte n'est pas fermée.

Jeane et moi n'étions pas tout à fait décollés l'un de l'autre quand Barney a débarqué dans le débarras, Scarlett sur les talons. Tous deux ont laissé échapper un « Mais enfin !... » en chœur. La scène aurait été très drôle, si Jeane n'avait pas eu les jambes encore enroulées autour de moi, sa robe déboutonnée et si mon tee-shirt et mon sweat n'étaient pas posés sur un ventilateur cassé, un peu plus loin.

Il s'en est suivi le silence le plus terrible que j'aie jamais vécu. J'ai eu l'impression qu'il durait des heures, pourtant il a dû s'écouler au maximum une minute avant que Jeane, rhabillée, déclare, bras croisés :

— Voilà qui est embarrassant.

Barney m'a dévisagé moi, puis Jeane, puis il est revenu sur moi.

— Qu'est-ce qui se passe ? Enfin, pourquoi ? Vous deux ? C'est *trop* bizarre.

— Ça n'a rien de si bizarre, ai-je rétorqué du tac au tac.

J'ai récupéré et enfilé mon pull, parce que Scarlett n'osait pas me regarder en face et j'ignorais si c'était parce qu'elle nous avait vus, Jeane et moi, quasiment en train de baiser tout habillés ou bien si elle restait gênée par la vision de mon corps, comme du temps où nous sortions ensemble, elle et moi.

— Nous sommes dans le même lycée, ai-je ajouté. Nous vivons dans le même quartier, nous avons à peu près le même âge. Nous avons des tas de choses en commun.

— Nous n'avons rien en commun, l'a ramenée Jeane, écrabouillant au passage mon dernier fragment d'ego resté intact malgré tous ses efforts pour le détruire. Michael trouve que je suis une freak autoritaire et mal fringuée, quant à moi j'estime que c'est juste un beau gosse superficiel. Ce qu'on fait tous les deux ne signifie pas grand-chose, alors si l'un d'entre vous raconte ça à qui que ce soit…

Elle a marqué un temps d'arrêt.

— Tu te souviens de ce qui s'est passé en cours d'anglais, Scar ?

Celle-ci a opiné. Elle n'avait toujours pas retrouvé le pouvoir de la parole ; mon ego, quant à lui, était officiellement mort, sans espoir de guérison. Jeane était vraiment une garce hors catégorie.

— Eh bien, a repris cette dernière, je peux te faire pleurer comme ça jusqu'à la fin de ta vie scolaire. Je n'en ai pas envie, mais c'est pourtant ce que je ferai si j'entends quoi que ce soit nous concernant, Michael et moi. Ne serait-ce que *nos noms* prononcés dans la même phrase. Compris ?

— Comme si qui que ce soit allait y croire, s'est étranglée Scarlett. Je l'ai vu de mes yeux, mais mon cerveau refuse… Je ne peux pas digérer ça.

Ni aucun d'entre nous, d'ailleurs. Barney fusillait Jeane du regard parce qu'elle avait été méchante avec Scarlett. Scarlett fusillait Jeane du regard à cause de ses menaces et je fusillais Jeane du regard parce qu'elle n'avait aucun respect pour moi. Ai-je précisé, aussi, quelle sale garce c'était ?

Jeane, elle, ne fusillait personne du regard. Elle balançait les jambes, comme plongée dans ses pensées. Tout à coup, elle a relevé la tête, a lâché un petit couinement et elle est descendue d'un bond de son perchoir.

— Barnster, t'es un génie ! s'est-elle exclamée en se laissant tomber à genoux pour fouiller dans des boîtes poussiéreuses. J'avais complètement oublié que j'avais planqué des bonbons quelque part dans le coin. J'ai raté le déjeuner, j'ai vraiment la dalle.

Elle a mis la main sur un sachet de bonbons.

— Cela dit, je ne sais pas pourquoi j'ai choisi des bananes, ce n'est pas la plus grande réussite Haribo.

Du Jeane pur sucre. Faire diversion. Prendre la tangente. Jouer la fofolle. Comme ça, on finirait tous par oublier pourquoi on était en colère contre elle – d'ailleurs, Scarlett était déjà en train de piocher dans le sachet de bananes Haribo.

J'ai éclaté de rire. Jeane me rendait dingue et il y avait des tas de fois où je la trouvais pénible, mais c'était la seule partie de ma vie qui n'était pas planifiée et j'ai su, à cet instant, que je l'accompagnerais à New York, non parce qu'elle m'aurait eu à l'usure, mais parce que ce serait cool. Jeane était douée pour mettre de la fantaisie dans ma vie.

— Je ne sais pas pourquoi tu ris, a marmonné Barney, toujours fâché. Ça n'a rien de drôle.

Je me demandais s'il en pinçait toujours pour Jeane, mais sûrement que non, parce qu'il a attrapé Scarlett par la main et l'a entraînée en direction de la porte.

— Si tu t'en prends à Scarlett, tu auras de mes nouvelles, a-t-il prévenu, d'un ton qui ne lui ressemblait pas.

— C'est bon, Barns, je suis assez grande pour me défendre, a protesté Scarlett alors que ce n'était manifestement pas le cas. De toute façon, je ne dirai rien. Pas parce que j'ai peur de toi, Jeane, mais parce que je ne veux plus jamais repenser à ce que je viens de voir.

Sur ce, ils s'en sont allés et nous sommes restés là, tous les deux, Jeane et moi. Elle mâchait résolument ses Haribo, qui jamais ne remplaceraient dignement un sandwich, et a levé la main pour me signaler qu'elle souhaitait prendre la parole une fois sa mastication terminée.

— Tu n'es pas seulement un beau gosse, a-t-elle fini par articuler. Je sais bien que tu es beaucoup plus que ça, mais je ne pouvais quand même pas le dire devant Scarlett et Barney. Ça aurait encore compliqué les choses. Il vaut mieux qu'ils croient que c'est une affaire d'hormones entre nous.

— Ah bon, je ne suis pas superficiel, finalement ? ai-je demandé, bien conscient que Jeane ne ferait guère mieux en matière d'excuses, mais désireux de les faire durer le plus longtemps possible.

— C'est ce que je viens de dire, non ? Tu dois avoir à peu près ça de profondeur, a-t-elle ajouté en montrant un maigre espace entre son pouce et son index.

— Au moins, moi, j'ai la classe, l'ai-je taquinée. D'ailleurs, Fifi Brindacier a appelé, elle aimerait récupérer son ADN.

La main sur le cœur, elle a grimacé.

— Aïe. D'abord, je ne ressemble absolument pas à Fifi Brindacier et toi, le mec qui achète toutes ses fringues dans des magasins qui vaporisent du parfum qui pue et ne vendent aucun vêtement à la taille de vraies gens, toi, tu te moques de mon style vestimentaire ? On aura tout vu.

— Désolé que mon look te déplaise à ce point. Il vaut mieux qu'on continue à faire comme si on ne se connaissait pas, à New York – comme ça, si on croise un ami à toi, tu n'auras pas honte.

— Oh, je pourrai te faire passer pour un cousin pas très futé, quelque chose comme ça, m'a-t-elle assuré.

J'ai attendu qu'elle revienne en arrière, qu'elle rembobine ce que je venais de dire, et j'ai vu ses yeux s'écarquiller, l'air ébahi.

Jeane Smith. Muette. Putain, j'étais trop fort.

Elle s'est désignée, elle, puis moi, d'un doigt tremblant.

— Oui, Jeane. Toi et moi aller à New York ensemble, ai-je déclaré très lentement et très fort, comme si elle n'était pas bien maligne et que l'anglais n'était pas sa langue maternelle.

Sa mine à la fois renfrognée et ravie était l'une des expressions les plus comiques que j'aie vues de ma vie, et je me suis remis à rire.

J'ai ri jusqu'à ce qu'elle m'écrase le pied.

∾ 25 ∾

Je m'étais demandé s'il ne finirait pas par me lâcher au dernier moment, mais, à 14 heures, le vendredi, Michael était bel
et bien assis à côté de moi dans le vol au départ de Heathrow
à destination de JFK. À l'instant où s'est terminée l'annonce
des consignes de sécurité, alors que nous étions encore en
train de rouler sur la piste, il s'est tourné vers moi avec un sourire qui a véritablement fait bondir mon cœur ; or, en temps
normal, mon cœur ne fait pas de trucs idiots dans ce genre.

— Je rêve ! Je vais à New York, a-t-il dit. Ça ne semblait
pas réel, mais maintenant qu'on est sur le point de décoller,
je suis super-excité.

— Alléluia, pas trop tôt. Ce que tu as pu être stressé pour
toute cette histoire.

— Oui, mais c'est ta faute, aussi. Tu as continué de m'envoyer tes foutues listes même après que j'ai accepté de venir.

Il a tiré de la poche de son jean un morceau de papier
froissé.

— J'aurais quand même été capable de savoir tout seul
combien de paires de chaussettes il me fallait pour quatre
jours, tu sais.

Pas faux, mais j'étais habituée à être entourée de gens
bizarres.

— Je ne peux pas m'en empêcher. Je fais du micromanagement, comme ça après, s'il y a un pépin, je sais que ce n'est pas ma faute, vu que j'aurais fait le maximum pour que ça n'arrive pas.

— Tu peux appeler ça comme tu veux, moi je crois surtout que tu es quasi tyrannique.

— Tout ça, c'est du pareil au même, cher ami.

J'espérais qu'il ne continuerait pas à s'en prendre à moi comme ça une fois à New York, mais tout à coup, Michael m'a donné un petit coup de coude gentil, accompagné de l'un de ses jolis sourires.

— Bref, ce que je veux dire, c'est merci pour tout ça. Pour m'avoir proposé de me joindre à toi, et il va falloir que je trouve une confiscrie, que je puisse te rembourser en bonbons. C'est le minimum.

— Tu n'es pas obligé, ai-je répondu très vite en ajoutant mentalement Dylan's Candy Bar à l'itinéraire détaillé que j'avais déjà compilé. Ce voyage, c'est mon remerciement pour m'avoir aidée à affronter ma saleté de famille.

— Laisse tomber…

— Ouais, laisse tomber…

Il y a eu une secousse au moment où nous avons quitté le sol et quel que soit le nombre d'avions que j'aie pu prendre, je n'arrive à me détendre qu'en vol, une fois certaine que le décollage était réussi. J'étais tellement stressée que j'ai tenu la main de Michael tout le temps, je ne m'en suis rendu compte qu'au moment du signal sonore, lorsque j'ai voulu détacher ma ceinture.

Nous avons donc survolé l'Atlantique pendant environ sept heures. Michael a regardé trois films, j'ai mangé des Haribo en travaillant à ma présentation. Lorsque le moment serait venu de faire mon speech, j'aurais l'air d'improviser quand, en réalité, je l'aurais répété tant et tant de fois que je le saurais au mot près, sans même avoir besoin de jeter un coup d'œil à mes notes. Je rajouterais quelques « hum » et autres « euh », parce que personne n'aime voir une fille de dix-sept ans à l'aise à ce point à l'oral, et je bafouillerais sûrement sur quelques phrases au début, à cause du stress. Mais ensuite, j'avais bien l'intention d'être drôle, perspicace, la voix de ma génération – et je n'aurais pas trop de mal parce que ma génération manquait cruellement de talent pour s'exprimer.

Nous avons finalement atterri, arpenté des kilomètres et des kilomètres de couloirs, puis nous nous sommes placés dans une queue à la douane pour la vérification des passeports. À ce moment-là, Michael a commencé à stresser à l'idée qu'on scanne ses empreintes digitales et qu'on prenne sa photo.

— Mais pourquoi ? a-t-il insisté.

— Pour s'assurer que tu n'es pas un membre d'Al-Qaïda ou que tu n'es pas interdit d'entrée sur le territoire, lui ai-je soufflé.

— Évidemment que non, a-t-il murmuré. Ils gardent nos coordonnées ?

— Bien sûr, ai-je répondu bien que je n'en sache absolument rien.

Michael a frissonné et soudain j'ai compris.

— Je te promets qu'ils ne contacteront pas tes parents pour leur annoncer ton entrée aux États-Unis, l'ai-je rassuré.

— Je le sais bien, s'est-il vexé avant de soupirer. D'une certaine manière, je le sais, mais comme je n'ai jamais menti à ce point à mes parents, je m'attends à des représailles.

— Tu ne te drogues pas, tu ne te bourres pas la gueule, tu ne commets aucun acte de violence gratuit, alors il n'est pas question de représailles, ai-je décrété comme nous atteignions le guichet et qu'un douanier nous faisait signe

272

d'approcher. Tout va bien se passer. Maintenant, tais-toi et laisse-moi parler.

Il nous a fallu encore une heure pour récupérer nos bagages, franchir la zone « Rien à déclarer » et poser nos fesses à l'arrière d'un authentique taxi jaune new-yorkais. J'aurais été incapable de nous emmener jusqu'à notre hôtel en métro sans faire un détour involontaire par le Bronx.

Il n'était pas loin de 18 heures, la nuit était tombée, nous avons traversé l'immensité urbaine du Queens puis, une fois sur la voie rapide, nous avons découvert, par la fenêtre, l'île de Manhattan, tout éclairée et scintillante, comme un mirage à l'horizon.

— Waouh, a soufflé Michael. New York. Magique.

Moins magique, le temps passé dans les embouteillages de l'heure de pointe, mais notre taxi a finalement réussi à se faufiler dans les rues étroites du très branché Meatpacking District pour se garer devant l'hôtel Gansevoort. Avant même que j'aie réglé le chauffeur, un des portiers se chargeait de nos bagages, puis il nous a ouvert la voie vers l'hôtel, tout en verre et acier tubulaire, luxueux, mais moderne et design, très excitant, mais aussi un peu intimidant, étant donné que Michael portait un blouson de cuir, sweat à capuche et jean, et moi un bermuda, des collants roses épais et un anorak en fausse fourrure imprimé léopard.

Le réceptionniste, au physique de mannequin pour *GQ*, nous a attribué sans ciller une suite junior, puis m'a tendu de la paperasse en rapport avec la conférence, une pile de messages téléphoniques et notre clé. Cinq minutes plus tard, nous étions dans notre salon, à admirer avec des yeux éblouis l'énorme écran plasma, le ventilateur, les Marilyn d'Andy Warhol accrochées au mur et la vue. Ah, la vue ! Des gratte-ciel et des néons aussi loin que portait le regard.

— Oh, mon Dieu. Oh, mon Dieu.

Voilà tout ce qu'arrivait à dire Michael.

— Mon Dieu, vraiment, a-t-il ajouté.

— Dieu n'a rien à voir dans tout ça, ai-je remarqué.

Il m'a contemplée avec des yeux ébahis, émerveillés, comme jamais personne ne m'avait regardée.

— Cette conférence, Jeane, c'est vraiment un gros truc ? a-t-il demandé en englobant d'un geste la splendeur de l'environnement. Tu es si importante que ça ?

— Disons que je sais un certain nombre de choses, et puis je suis douée pour prendre la parole et théoriser, ai-je expliqué.

Je ne pouvais décemment pas commencer à me vanter d'être considérée comme une innovatrice, l'incarnation même de l'esprit de l'époque et la reine des électrons libres, pour reprendre les termes utilisés par les organisateurs de la conférence dans leur matériau publicitaire.

— Écoute, c'est juste des tas de gens qui innovent, chacun dans leur domaine. Il y aura des gens d'une start-up basée à Palo Alto, des créateurs de mode, un graphiste de Tokyo, plus un type pointu en gastronomie moléculaire, un scientifique, ils vont tous parler de l'avenir à un public d'hommes d'affaires et de spécialistes du capital risque. Moi, je passe à la fin, en guise de digestif en quelque sorte, pour représenter les jeunes, tu vois ?

Michael a secoué la tête.

— Non, franchement je ne vois pas. Mais du coup, ils paient pour tout ça, les gens de la conférence ?

— Évidemment ! Tu ne crois quand même pas que je passerais des semaines à bosser sur une présentation par bonté de cœur, si ? Heureusement, qu'ils me paient !

— Tu veux dire que non seulement, ils financent l'avion, l'hôtel et tout, mais en plus tu reçois de l'argent…

Il s'est tu et s'est laissé tomber dans un fauteuil en cuir. Ce n'était pas le moment de préciser la somme de dix mille livres sterling que j'empocherais – somme généralement considérée comme modique dans le circuit des conférenciers. Il risquerait d'halluciner – en plus, c'est vraiment de mauvais goût, de parler fric. Je me suis donc accroupie devant lui et j'ai posé les mains sur ses genoux.

— Tu es fatigué ? Il doit être minuit à Londres.

— Je suis trop excité pour ne serait-ce qu'envisager de me coucher.

— Tu as faim ?

Il a fait non de la tête.

— Ils n'ont pas arrêté de me fourrer de la nourriture dans la bouche, dans l'avion.

— Bon, tu ne veux ni dormir ni manger et si on reste ici, tu vas continuer à marmonner « Oh, mon Dieu » – ce qui est très agaçant –, alors partons explorer New York.

Je m'attendais à des protestations parce que Michael semblait tellement retourné qu'on aurait pu croire qu'il venait d'atterrir sur la Lune, mais un sourire est lentement apparu sur son visage.

— On peut prendre le métro ? Et puis j'achèterai un énorme bretzel à un vendeur de rue et aussi je veux faire une photo de l'Empire State Building tout éclairé, même si je ne pourrai la montrer à personne puisque personne ne sait que je suis là.

— Tout ça m'a l'air faisable, ai-je convenu en me levant pour lui permettre de quitter son fauteuil, mais il m'a attrapé la main, l'a portée à ses lèvres pour déposer un baiser sur mes jointures.

— Merci, Jeane, pour tout ça, sincèrement, a-t-il déclaré avec sérieux.

— Oh, arrête d'être aussi niais, me suis-je plainte en dégageant ma main. Allez hop, on y va, et mets une grosse veste, il fait froid dehors.

Nous avons sillonné New York autant qu'il était possible durant les cinq heures suivantes. J'ai emmené Michael en métro jusqu'au terminal de South Street pour prendre le ferry en direction de Staten Island, voir Ellis Island et la statue de la Liberté au passage, puis nous sommes revenus à Manhattan.

Ensuite, retour dans le métro, nous avons rallié Herald Square pour faire un tour chez Macy's où j'ai fait découvrir à Michael la marque Old Navy, dont les fringues étaient beaucoup moins chères que ses Abercrombie & Fitch adorés. Il était tellement heureux avec son bretzel géant qu'il n'a même pas râlé de mes erreurs à répétition dans le métro où chaque fois, je me trompais soit de quai, soit de ligne, soit de train. Il est très difficile de se repérer à New York. Oui, je sais que le plan est en quadrillage, mais je ne fonctionne qu'à base de droite et de gauche, pas d'est et d'ouest, et l'utilisation de Google Maps me pompait toute ma batterie d'iPhone. Pour finir, nous avons sauté dans un taxi en direction de Chinatown, où nous avons dîné de dimsums, servis par un personnel dont l'impolitesse confinait au sublime.

— Ils sont encore plus désagréables que ceux de Londres, s'est extasié Michael, lorsque nous avons ouvert nos petits beignets chinois pour y lire notre horoscope.

Il a parcouru le sien en ricanant.

— Je ne sais jamais si ces trucs sont profondément significatifs ou juste générés au hasard par un logiciel spécialisé, a-t-il constaté.

— Fais voir.

Il m'a tendu le minuscule bout de papier qui proclamait : *Vous progressez sur le chemin qui mène au bonheur.*

— Eh bien, tu es assis dans un bar à dimsums, à Chinatown, New York, et tu m'as l'air plutôt heureux, alors il doit y avoir un fond de vérité, ai-je lancé avec légèreté, non sans un accès de fierté.

Le bonheur de Michael, en cet instant précis, était entièrement de mon fait. Il était comblé grâce à moi, et c'était un domaine où j'excellais rarement. J'avais des tas de talents, vraiment, mais pas celui de rendre les autres heureux.

— Que dit le tien ? a demandé Michael.

J'ai déroulé le petit morceau de papier et, bien qu'il soit généré automatiquement par un logiciel spécialisé, à l'instant où j'ai lu les mots, mon cœur a eu un soubresaut, comme quand on tombe, en rêve : *Ne pleurez pas, la vie est dure.*

— Il est écrit : « Vous êtes destiné à de grandes choses », ai-je menti.

Cela dit, ce n'était pas tout à fait un mensonge, parce que j'étais bien destinée à de grandes choses. Clair. J'ai chiffonné ma prédiction et j'ai appelé le serveur pour avoir la note.

— Oh, allez, je t'ai montré le mien et toi non ? a protesté Michael tandis que je tentais d'attirer l'attention de quelqu'un.

Les serveurs m'ont tous ostensiblement ignorée, donc je n'ai eu d'autre choix que de me lever et d'agiter les bras en criant :

— Est-ce que je peux avoir l'addition s'il vous plaît ?

Il était super tard, minuit presque, autrement dit, près de 5 heures du matin à Londres, Michael prenait des accents grincheux, comme toujours quand je le forçais à rester éveillé bien au-delà de son heure habituelle.

Il n'y avait qu'une chose pour le faire changer d'humeur, quand il était fatigué et ronchon. J'ai baissé les cils et je l'ai regardé.

— Attends qu'on soit de retour à l'hôtel, ai-je soufflé.

Ça l'a aussitôt requinqué – cette promesse n'avait rien à voir avec mon horoscope chinois.

~ 26 ~

Quand je me suis réveillé à 8 h 30 en cette première matinée new-yorkaise, Jeane était déjà debout, à s'exciter sur son ordinateur. À côté d'elle, il y avait trois tasses de café vides et elle avait l'air d'avoir pillé le minibar de tous ses snacks.

— Tu y es depuis combien de temps ? ai-je demandé en me redressant péniblement.

Elle a à peine quitté son écran des yeux.

— Un moment, a-t-elle marmonné. J'ai rendez-vous avec le coordinateur de la conférence et le technicien dans une demi-heure, pour voir les spécificités techniques de mon intervention, et rien ne va.

Jeane portait encore le tee-shirt à l'effigie de Bikini Kill et le short à pois qui lui tenaient lieu de pyjama ; ses cheveux, qu'elle avait teints en couleur lavande la semaine précédente, semblaient avoir été soufflés par des rafales de vent. Elle avait les yeux tout rouges et bouffis, comme si elle n'avait pas dormi à dessein, alors que le manque de sommeil la rendait vraiment hargneuse. Là-dessus, elle buvait en général des litres et des litres de café, qui ne faisaient qu'empirer son hyperactivité. La journée s'annonçait très longue.

— Est-ce que je peux faire quelque chose pour toi ? ai-je demandé.

— Attends, a-t-elle répliqué en continuant de taper sur son clavier.

Là, elle a froncé les sourcils et s'est arrêtée.

— Tu peux appeler le service d'étage pour qu'ils m'apportent une cuve de café très fort et leurs pâtisseries les plus sucro-caloriques ? a-t-elle dit.

La veille, elle m'avait expliqué que tout était compris, du taxi à la chambre d'hôtel jusqu'au contenu du minibar et au service d'étage (« tant qu'on ne commence pas à commander n'importe quoi comme six bouteilles de champagne, du caviar, du homard, tu vois le genre »), cependant, ça me mettait mal à l'aise. La dame au téléphone s'est montrée très aimable, mais je m'attendais à tout moment à l'entendre s'exclamer : « Vous avez dix-huit ans, je refuse de vous autoriser l'accès au service d'étage, ne soyez pas ridicule ! »

Cela dit, Jeane n'a rien remarqué. D'ailleurs, il a fallu attendre l'arrivée du café et des viennoiseries pour qu'elle m'adresse enfin un sourire. Et quand je l'ai aidée à arranger une des diapositives de sa présentation PowerPoint, qui refusait de lui obéir, j'ai même eu droit à un petit câlin.

— Voilà, j'ai terminé, a-t-elle dit avant de sauvegarder son document cinq fois de suite, juste pour être sûre.

Elle a attrapé l'un des peignoirs moelleux que l'hôtel avait mis à disposition.

— Je vais au réglage son. J'en ai pour une heure, d'accord ?

— Tu vas à ton rendez-vous dans cette tenue ?

Elle se dirigeait déjà vers la sortie, son portable sous le bras. Elle s'est retournée vers moi, comme si c'était moi qui avais un comportement aberrant.

— Évidemment, comment veux-tu ? J'ai encore une heure et demie avant la conférence et ce n'est pas comme si j'avais le temps de me changer.

Elle a claqué la porte derrière elle. À son retour, j'avais eu le temps de bouder un peu, de passer une demi-heure sous une douche bien revigorante qui comptait parmi les expériences les plus mémorables de ma vie, de ruminer un peu, de chercher sur Internet des adresses où bruncher et je venais tout juste de mettre la touche finale à ma coiffure. Jeane affichait l'expression la plus férocement furieuse que je lui aie jamais vue, c'est dire.

— Comment ça s'est passé ? ai-je bien été obligé de demander.

Je n'en redoutais pas moins la tirade à laquelle cela m'exposait sûrement. Ça pouvait durer des heures, or je crevais de faim, j'aurais vraiment préféré qu'elle se douche et s'habille et qu'elle garde ses récriminations pour le brunch.

Elle a levé la main.

— Ne m'en parle même pas.

— Oh, ça ne devait pas être si affreux, ai-je insisté gaiement.

Elle s'est contentée de lever les yeux au ciel et de claquer la porte de la salle de bains derrière elle.

Elle a passé une éternité enfermée là-dedans, ce qui m'a largement permis de regretter ma décision de participer à ce voyage. Non seulement à cause de la toile de mensonges que j'avais dû tisser pour arriver jusqu'ici, mais aussi parce que j'étais à la merci des changements d'humeur d'une fille qui consacrait soixante-quinze pour cent du temps que nous passions ensemble à se disputer avec moi.

Je ne pouvais pas me conduire comme je le faisais à Londres quand elle m'énervait, autrement dit la planter là, tout en gardant un œil avisé sur Twitter pour savoir quand elle était calmée. J'étais coincé avec elle.

Et merde.

Lorsqu'elle a émergé de la salle de bains une heure plus tard, Jeane faisait toujours la tête. Elle avait remis son peignoir, mais ses cheveux lilas étaient remontés et elle était totalement maquillée, paillettes des pieds à la tête, rouge très rouge sur les lèvres, œil de biche épais à l'eye-liner. Elle m'a totalement ignoré et a entrepris de fouiller dans ses bagages à la recherche d'un truc fluo et mal assorti à enfiler.

— Tu veux qu'on aille bruncher ? ai-je suggéré.

Je savais que la réponse serait non, mais je tenais à lui rappeler que je me trouvais dans la même pièce, que je respirais le même oxygène qu'elle.

— Impossible. Je suis obligée d'assister aux interventions du matin, a-t-elle marmonné. Je te l'ai dit.

— En fait, non, tu ne m'avais rien dit.

— D'accord, mais tu aurais pu deviner. C'est vrai, ce ne serait pas très correct, si je n'y allais pas.

Elle a levé le nez de sa valise pour mieux me dévisager de son regard noir.

— Mais toi, tu n'as aucune obligation, a-t-elle repris. Tu peux sortir te perdre en métro en cherchant l'Empire State Building si ça te chante. Je m'en fiche.

— Je comprends que tu stresses, vraiment. Moi aussi, quand je participe à un débat au…

— Ça n'a *rien* à voir avec un pauvre débat sur la peine capitale avec les rejetons de salopards de conservateurs de l'école privée à l'autre bout du quartier et non, je ne stresse pas du tout. Je suis intervenue dans des *centaines* de conférences. Des centaines.

Elle a pointé un doigt dans ma direction.

— Bon, va-t'en maintenant. Tu me prends la tête.

— Je te prends la tête ? Je ne sais vraiment pas pourquoi tu voulais que je t'accompagne à New York…

— Moi non plus !

Son visage s'est tordu sous l'effet d'une grimace qui semblait être l'expression d'une souffrance intense.

— Va t'en ! a-t-elle lancé.

Je suis parti. Ça n'avait rien d'une punition. C'était plutôt excitant au contraire. J'avais New York pour moi tout seul et la ville était exactement comme dans les films, de la vapeur s'élevait des plaques d'égout, les rues s'étiraient, infinies, jusqu'à l'horizon et en cette belle journée de froid sec, le soleil faisait scintiller les gratte-ciel. Les taxis jaunes klaxonnaient, tous les gens que je croisais avaient un accent américain et quand je suis entré chez Starbucks pour m'offrir un cappuccino et un muffin, le barista m'a vraiment demandé sans rire, d'un air concerné : « Et *vous*, comment allez-vous ? »

En plus, le métro était très facile d'utilisation. Hypersimple. New York est organisé en quadrillage, la plupart des lignes allaient du nord au sud, quelques-unes étaient transversales. Facile : n'importe quel imbécile aurait compris. Je suis allé à Central Park – un grand parc, pour résumer –, après quoi j'ai marché jusqu'au musée d'Art moderne parce que j'avais le sentiment de devoir faire un truc culturel, quoique j'aie finalement passé le plus clair de mon temps à la boutique. Après ça, j'ai sauté dans un métro en direction de Dylan's Candy Bar, soit la meilleure confiserie de New York à en croire le buzz sur Internet.

Je devais des bonbons à Jeane. Elle ne les méritait pas, mais j'avais hâte de voir son air penaud au moment où je lui présenterais mon gros bocal rempli de mélange acidulé et de guimauve au chocolat – elle serait bien obligée de s'excuser. Mais surtout, j'aurais tellement aimé que Melly et

Alice soient avec moi, elles se seraient cru au paradis des friandises.

Je me suis ruiné en sucettes, distributeurs Pez, nounours en guimauve, barres chocolatées Wonka, parce que mes deux petites sœurs étaient obsédées par *Charlie et la chocolaterie*. Mon argent de poche dépendait de ce que je faisais à la maison en ménage et tâches administratives pour les parents, j'allais devoir redoubler d'efforts pour pouvoir offrir des cadeaux à Noël. Moi, je n'étais pas payé pour soûler les gens avec des conneries, comme Jeane.

C'était l'heure du déjeuner. J'ai décidé de regagner l'hôtel pour déposer mes achats et voir s'il ne traînait pas quelques restes de viennoiseries du petit déjeuner de Jeane dont je pourrais faire mon repas – j'étais même trop fauché désormais pour me payer un Burger King. Malheureusement, quand je suis arrivé dans notre suite, il ne restait plus la moindre trace de viennoiserie et si le stock du minibar avait été renouvelé, je n'allais sûrement pas alourdir la note de Jeane. D'ailleurs, si la situation ne s'arrangeait pas, je serais même forcé de dormir sur le canapé ce soir.

Sans trop savoir quoi faire, je suis redescendu dans le hall. Un peu malgré moi, j'ai suivi les panneaux indiquant la conférence et, comme personne ne m'en interdisait l'accès, je suis entré dans un petit salon attenant où était installé un buffet froid. Bingo !

Je me suis approché l'air de rien, comme si ce n'était pas ma première conférence, j'ai attrapé une assiette et je l'ai remplie de sushis. J'ai ensuite récupéré une bouteille de Coca et je m'apprêtais à partir me cacher dans notre suite, quand une femme s'est approchée d'un pas vif. Elle était toute de noir vêtue, les cheveux coupés très court, dans une coiffure sévère assortie à sa mine peu avenante.

Je ne pouvais pas me défiler, sauf peut-être à avoir recours à quelques mots de cantonais rouillé si nécessaire et faire comme si je ne comprenais pas un mot de ce qu'elle me racontait, mais elle vérifiait déjà son iPad.

— C'est vous l'invité de Jeane ? Michael Lee ? Vous savez que vous avez raté la session de ce matin ?

— Ah, non, j'ignorais.

— Vous avez aussi manqué les séances de groupe de la pause déjeuner, a-t-elle poursuivi d'un ton accusateur. Et puis vous risquez de rater le début du programme de l'après-midi.

Elle m'entraînait déjà en direction de la salle de conférences, d'une main de fer posée au creux de mon dos. Elle m'a pisté jusqu'à ce que je trouve un siège, puis elle est enfin partie. Cela dit, elle a réapparu une minute plus tard, comme si elle savait que j'avais prévu de m'éclipser, et elle m'a tendu une brochure en papier glacé et un sac en Néoprène, avant de se planter à côté de la porte. Au moins, j'étais au chaud et quand la relou aurait fini de me surveiller, je pourrais faire un petit somme.

Mais finalement, la conférence « Le Futur, c'est MAINTE-NANT ! » s'est révélée très intéressante. Qui l'eût cru ? Pas moi.

D'abord, un homme et une femme d'une agence de tendances mondiales, des lunettes très nerds assorties sur le nez, ont expliqué leurs méthodes de travail. Ils pistaient les tendances, dont ils trouvaient l'origine puis utilisaient l'information pour aider les sociétés à développer de nouveaux produits. Par exemple, un de leurs chasseurs de têtes pouvait découvrir des jeunes qui avaient monté leur propre club dans l'est de Londres et s'habillaient en gangsters vendeurs de bas nylon au marché noir des années 1940. En parallèle, leur bureau à Berlin remarquait d'autres jeunes qui adoptaient le style swing des Jeunes-Allemands de la même période, ces fans de jazz américain qui avaient refusé d'être enrôlés dans les Jeunesses hitlériennes. Là-dessus, à Tokyo, leurs contacts repéraient un DJ qui mixait de vieux arrangements de Benny Goodman avec des breakbeats. Le travail de l'agence consistait à réunir toutes ces informations et à présenter ça à leurs clients. Deux ans plus tard, la mode subissait une forte influence années 1940 et les réclames vintage fleurissaient sur les murs.

Ensuite, il y a eu l'intervention du scientifique. Vu que son thème de prédilection était les méchants super-virus mutants, résistants aux médicaments, le tout illustré de diapos géniales représentant des gens qui se faisaient bouffer la tronche, il aurait carrément pu viser un scénario à la *28 jours plus tard*. Pas du tout. Il a parlé, parlé. La dame aux cheveux qui font peur me fixait non-stop, alors je n'osais même pas cligner des yeux, de peur que, me croyant en train de m'assoupir, elle ne vienne me crier dessus. Juste pour passer le temps et montrer que je ne lui en voulais pas, j'ai envoyé un SMS à Jeane pour lui souhaiter bonne chance. Elle m'a répondu immédiatement :

Ça porte la poisse de souhaiter bonne chance
à quelqu'un. Tout le monde sait ça.

Là, je l'ai haïe de tout mon cœur.

Récapituler mentalement toutes les raisons pour lesquelles je déteste Jeane a suffi à m'occuper pendant la demi-heure suivante, jusqu'à ce que deux types coiffés comme moi débarquent d'un bond sur scène. Ils travaillaient à Palo Alto, en Californie, une région aussi connue sous le nom de Silicon Valley. C'était là qu'étaient nés Google, Facebook et Twitter.

Ils se sont mis à parler du produit d'intelligence artificielle qu'ils développaient et là, je me suis redressé sur mon siège pour bien écouter. J'ai même pris des notes lorsqu'ils ont expliqué comment leur technologie pouvait être utilisée dans à peu près tout, des jeux vidéo jusqu'à la microchirurgie. Ils étaient tellement passionnés, leur boulot semblait tellement cool (et ils avaient un mur d'escalade au beau milieu de leurs bureaux), que j'ai eu envie de tout plaquer et de m'envoler pour San Francisco pour les supplier de m'embaucher comme stagiaire préposé à la préparation du thé.

Ils ont bondi hors de scène, aussitôt remplacés par l'animateur de la conférence.

— Cette journée nous a permis de découvrir de quelle manière le futur est déjà là, a-t-il commencé. Et maintenant, je vais laisser la conclusion à une jeune femme remarquable, tellement au-delà du futur qu'on la décrit parfois comme l'incarnation adolescente de l'esprit de l'époque.

Tandis qu'il continuait ainsi à tresser des lauriers à Jeane, j'hésitais quant à moi entre me redresser ou me tasser sur mon siège. Pas étonnant qu'elle ait la grosse tête.

— Jeane va nous parler de l'avenir tel qu'il sera défini par ses pairs adolescents, ces rejetons des baby-boomers, la génération Y. Je discutais avec Jeane durant les séances de groupe du déjeuner et, comme je lui demandais de se décrire en une phrase, elle m'a répondu : « Selon le *Guardian*, je suis une iconoclaste, selon mon demi-million de followers sur Twitter, je devrais passer plus de temps à sélectionner des liens de vidéos YouTube de chiens mignons, mais si j'en crois mon petit ami, je suis une idiote. »

Il a marqué un temps d'arrêt pour permettre aux rires de se calmer. Pour ma part, je ne riais pas. J'étais mortifié. Jamais je ne l'aurais traitée d'idiote et depuis quand se croyait-elle autorisée à me qualifier de « petit ami » ? En plus, cette conférence était filmée. Imaginons que ça se retrouve sur Internet et que quelqu'un me repère dans la salle, il suffirait d'en tirer les conclusions qui s'imposaient, pour détenir la preuve que j'étais le petit ami de Jeane.

Le temps que je finisse de ruminer, Jeane a déboulé sur scène et là, j'ai grimacé d'horreur. J'étais habitué à son apparence, pourtant, j'ai eu l'impression de la découvrir pour la première fois et, pire, j'entendais autour de moi les gens se moquer d'elle. Pas étonnant. Elle avait revêtu sa robe de bal vintage débile, dont la couleur était vert d'eau, m'avait-elle informé, plus une cape de soirée noire pailletée, des grosses boots de motard et sur la tête, un turban. Pas un turban comme le père de Hardeep, qui est sikh, mais un en velours rouge du genre de ceux que portent les vieilles dames chic quand Alzheimer commence à faire sentir ses effets. Assez incroyable que je sache identifier des objets pareils.

Elle se tenait sur l'avant de la scène en faisant ce truc assez bizarre, comme si elle se marchait sur le pied tout en croisant les chevilles, du coup il semblait tout à fait possible qu'elle finisse par s'écraser au sol. Elle avait la tête baissée, on aurait dit qu'elle allait juste rester là, sans rien dire, à stresser.

Soudain, elle a levé le nez et avec un petit sourire narquois, elle a lancé, d'un air de conspiratrice :

— Écoutez, vous voulez que je vous dise ? Quatre-vingt-dix-neuf virgule neuf pour cent des ados ne s'habillent pas comme moi. Tant pis pour eux.

Cette fois, les gens ont ri avec elle, non plus pour se moquer. Jeane a souri une fois encore et a cliqué sur sa première diapositive.

— Bienvenue dans l'univers de la génération Y. Merci de bien garder les bras à l'intérieur des voitures et de ne pas nourrir les animaux. Je m'appelle Jeane, je serai votre guide. Grâce à moi, vous saurez tout sur cette bête étrange, « le jeune ». Ses pensées, ses rêves, ses passions, ses ambitions et les raisons pour lesquelles sa seule existence donnerait presque envie de rétablir le service militaire.

« Car, oui, vous pouvez avoir peur de la génération Y. Elle est la concrétisation de tous vos pires cauchemars.

« Ces ados sont feignants, apathiques, sans originalité aucune, ils n'aiment pas l'innovation, la différence, ils n'aiment rien.

« Ils se soûlent. Confondent le sexe et l'intimité. Seraient absolument incapables de citer plus de cinq capitales. Et sont vraiment persuadés que Justin Bieber est le Christ réincarné. Seuls cinquante pour cent de la génération Y possèdent plus de deux livres et oui, ils écoutent de la musique, mais ils la téléchargent sur Internet, parce que c'est gratuit, yo. Je veux, je prends, je l'ai, tel est leur cri de guerre.

« Mesdames et messieurs, voilà ma génération, une génération gravement foutue.

« Ma génération a été élevée, non par des parents, mais par *Sex and the City* et la télé-réalité.

« Les jeunes veulent des marques, des logos. Louis Vuitton, Chanel, de préférence, mais Abercrombie & Fitch et Hollister feront l'affaire pourvu que le style soit imprégné de nostalgie pour une époque que nous n'avons jamais connue.

« Mais ce que veut la génération Y, plus que tout, plus qu'un iPhone, c'est devenir célèbre. Vraiment célèbre. Tapis rouge et compagnie. Présenté par son seul prénom. Chacun s'imaginant unique en son genre estime mériter tout ce qui va avec la célébrité, vêtements gratuits, voitures qui brillent, accueil VIP à l'entrée de boîtes de nuit hors de prix, champagne en open bar.

« Peu importe comment on devient célèbre. Pour être sortie avec un footballeur, ou encore mieux, l'avoir épousé, pour avoir remporté le *X Factor* ou une émission de télé-réalité. Tout le monde répète à ces jeunes qu'ils sont incroyablement talentueux et beaux – et après tout, si la nana de *Jersey Shore* avec sa grosse tignasse et sa tendance à finir toutes les soirées sous la table peut devenir une méga-célébrité, pourquoi tout le monde ne le pourrait-il pas ?

« Donc, récapitulons. La génération Y. Superficielle. Narcissique. Autocentrée. Pour paraphraser Oscar Wilde, la génération Y connaît le prix de tout et la valeur de rien.

LES ROIS DU STRESS
Pourquoi le burn-out est le nouveau noir.

« En réalité, à moins de succomber aux sirènes de cette garce de célébrité, les jeunes de la génération Y sont promis à un avenir plutôt sombre. Cette génération sera la première à moins bien gagner sa vie que ses parents. On n'attendra pas d'eux qu'ils améliorent leur condition en allant à l'université, parce qu'après tout, quel intérêt de consacrer des milliers de livres sterling ou de dollars aux frais d'inscription, de contracter des prêts étudiants, quand les chances pour décrocher un boulot à la fin sont aussi maigres ?

« Alors franchement, comment ne pas préférer la voie rapide vers la gloire et la richesse, si l'alternative, c'est un job dans un centre d'appels téléphoniques ou proposer à des gens de rajouter une grande frite à leur commande ?

ALORS, LA RÉBELLION, C'EST FINI ?

« Eh non. Loin de là. Je vous disais que les ados ne s'habillent pas comme moi. Ils ne pensent pas comme moi non plus, mais je suis une meneuse, dans mon genre. J'ai un temps d'avance, mais d'ici deux ans, tout le monde suivra. J'ai rejoint Twitter quand les deux seuls inscrits étaient un homme et son chien, j'ai été la première du lycée à porter des collants avec des sandales à bout ouvert, alors je crois sincèrement que ce que je vous raconte aujourd'hui fait peu à peu son chemin dans le cerveau des gens de ma tranche d'âge, et devrait arriver à maturation d'ici deux ans.

« Si je vous le dis, c'est que ça va arriver.

« Alors, je vous l'annonce : nous commençons, tout doucement, à rejeter votre culture consumériste de produits de masse. Nous vous rejetons parce que vous voulez récupérer notre jeunesse. Nous ne voulons pas que vous achetiez des vêtements dans les mêmes magasins que nous. Nous ne voulons pas regarder les mêmes émissions de télé que vous. Et non, trois fois non, nous ne voulons pas entendre nos mères s'extasier sur le beau gosse de *Twilight*. Mais il est très compliqué de se trouver sa propre identité alors que la culture ado n'existe plus, puisque tout a déjà été fait.

« Il y a très, très longtemps, il existait une scène underground où des jeunes faisaient de la musique, de l'art, géraient des clubs, faisaient ce qu'ils aimaient en se languissant dans l'obscurité, parce qu'il s'écoulerait des années avant que leurs petites cliques ne soient à la mode. Aujourd'hui, il y a Internet et en cinq minutes, n'importe quelle nouvelle tendance fait son apparition sur Twitter, est débattue sur Gawker. com et, à la fin du mois, elle se retrouve en une des tabloïds.

« Voilà pourquoi j'ai lancé Irresistibly Geek. C'était à l'origine un blog où je compilais toutes les merveilleuses bizarreries de bric et de broc qui me plaisaient, mais très vite, c'est devenu un cahier des charges, mon avantage unique, un appel aux armes. Oui, c'est vrai, c'est en train de devenir une marque lifestyle, oui, je gagne de l'argent en repérant et répertoriant les tendances de la rue, mais l'éthique au cœur d'Irresistibly Geek, c'est la célébration de la culture jeune, celle qui n'a pas été créée par les grosses multinationales simplement pour nous vendre des tas de cochonneries dont nous n'avons ni besoin ni envie.

« Irresistibly Geek, c'est déchirer les logos des vêtements, les customiser au marqueur.

« Nous échangeons des lettres ou des compilations sur CD par la poste.

« Nous organisons nos ventes de gâteaux maison, plutôt que de nous gaver de vos doughnuts industriels trop chers, merci bien.

« Nous refusons votre mode prête-à-jeter produite par de la main-d'œuvre exploitée, nous apprendrons à fabriquer nos propres vêtements.

« Nous ne voulons pas de musique manipulée par les gros doigts de Simon Cowell. Si nous ne pouvons pas la faire nous-mêmes, nous redécouvrirons la joie des vieux disques qui n'ont jamais été mainstream.

« Mais plus que tout, nous refusons l'avenir étriqué et misérable que nos parents et le gouvernement envisagent pour nous. Nous vivrons nos propres rêves.

« Irresistibly Geek ne parle plus seulement de moi. Il s'agit d'un réseau organique, souple et de forme libre, qui unit des âmes de même sensibilité. Nous subirons peut-être des humiliations pour notre manière de penser, de nous habiller et parce que nous n'avons pas peur de ce que nous sommes, mais je vous le dis, nous avons les yeux tournés vers les étoiles.

GÉNÉRATION Y,
LA GÉNÉRATION DES POSSIBLES ?
Aujourd'hui, c'est déjà demain.

« Assez parlé de moi. Je suis payée pour évoquer ma génération, et j'ai été assez dure avec elle. Alors, malgré le désespoir qui a tendance à m'envahir chaque matin, en franchissant le portail du lycée, malgré mon envie de secouer les gens et de leur crier à la figure, pour les forcer à *ressentir* quelque chose, il m'arrive aussi d'être fière d'appartenir à cette génération.

« Ces dernières années, en Grande-Bretagne, des coupes budgétaires ont été pratiquées dans les services sociaux, l'éducation, ainsi que dans énormément de domaines qui touchent les membres les plus vulnérables de notre société. Cela m'a mise très en colère, j'ai rédigé quelques posts passionnés sur mon blog, je me suis même exprimée à la BBC lors d'un débat, durant lequel je me suis mise en rogne contre un ministre. À ce moment-là, une grosse manifestation avait été organisée. J'ai distribué des tracts dans tout le lycée, en me demandant si ça en valait bien la peine, puisque tout le monde considérait la politique comme un truc super-chiant.

« Le matin de la manifestation, je suis allée au lycée. Puis, à midi, au beau milieu du cours d'entrepreneuriat, je me suis levée pour annoncer à M. Latymer, notre professeur, que je m'apprêtais à quitter le lycée pour protester contre la dégradation de mes libertés civiques. Pour être honnête, j'aurais pu attendre la sonnerie annonçant la pause déjeuner, mais les femmes silencieuses changent rarement le cours de l'Histoire.

« J'allais sortir de la salle quand deux garçons à qui je n'avais jamais adressé la parole ont à leur tour levé la main pour dire qu'ils rejoignaient également la manif. Un par un, tous les élèves se sont mis debout, style « Je suis Spartacus », et ils m'ont suivie, en envoyant des SMS à leurs copains. Du coup, nous étions plusieurs centaines rassemblés dans la cour, à la fin. J'ai pensé que, pour beaucoup, c'était une excuse pour filer chez Starbucks, mais non, mes camarades étaient super en colère de voir disparaître leur droit à l'éducation et aux soins gratuits, ils avaient tous la ferme intention de descendre dans la rue avec moi et si, en prime, ils avaient l'occasion d'insulter un ou deux flics, ce serait encore mieux.

« Ils ont donc défilé, se sont pris en photo dans la manif, ont partagé tout ça sur Facebook, on a failli faire une visite au poste, et puis le lendemain, retour au lycée, ils ont recommencé à m'ignorer, et moi à les prendre de haut, mais c'était un petit pas pour la génération Y.

« Avec la récession, nos perspectives sont de plus en plus sombres, et moi je me sens enthousiaste. J'observe le passé pour voir à quoi ressemblera notre avenir. En période de rigueur économique et gouvernementale, de guerres vaines et de chômage de masse, sont apparus le pop art et le punk, le hip-hop et le graff, l'acid house et le mouvement riot grrrl.

« L'art, la musique, la littérature atteignaient une perfection absolue capable de vous mettre à genoux. Parce que, quand tout disparaît, il ne nous reste plus que notre imagination.

« Alors, vous savez quoi ? Je ne suis pas prête à faire une croix sur la génération Y, et vous ne devriez pas, vous non plus, parce que je crois qu'en grandissant, elle devrait donner quelque chose d'intéressant. Eh oui, je le reconnais du bout des lèvres : ils ne sont pas si mal, ces jeunes.

« Je comptais lever le poing à ce moment précis, mais maintenant je trouve ça un peu kitsch, alors je vais me contenter de croiser les bras dans le dos, pour vous faire comprendre que j'ai terminé.

～ 27 ～

Applaudissements.

Le public m'applaudissait, mais mon corps restait douloureusement tendu parce qu'après tout, comment savoir si ce n'était pas par soulagement, sur le mode « Dieu merci, cette folle en a terminé, on peut rejoindre le bar ».

Mais cela s'éternisait et les gens étaient en train de se lever, non pour partir, mais pour applaudir plus fort ; j'ai forcé mes yeux à regarder vraiment et j'ai pu constater que les visages face à moi étaient plutôt contents. Je crois que c'est ce qui s'appelle une standing ovation.

Oh, yes, Jeane, tu n'as pas perdu ton fluide. Comme si j'en avais douté.

Après ça, John-Paul, l'hôte, est arrivé sur scène et j'ai dû répondre aux questions du public, qui auraient toutes pu se résumer en une seule – comment vendre nos produits à votre génération ? J'avais vraiment envie de leur demander s'ils avaient écouté un seul mot de ce que je venais de leur raconter.

Pour finir, une espèce de snobinard branchouille a commenté que je n'étais pas une ado moyenne, à quoi j'ai rétorqué « Ah ouais ?! » avant de prendre conscience que ma réponse manquait un peu de tact :

— C'est tout l'intérêt, ai-je donc consenti à développer. Je suis parmi eux sans en être, Dieu merci.

Et ça s'est terminé sur ces mots. John-Paul était content. Même Oona, la très revêche organisatrice de la conférence, paraissait satisfaite. J'ai rejoint le foyer, où j'ai dû poser pour les photographes en compagnie des autres intervenants et proférer quelques enchaînements de phrases, mais à mesure que s'évanouissaient la tension et l'adrénaline, j'en ai été réduite à produire quelques grognements et, au mieux, à radoter un peu.

Pendant que ce scientifique très chiant m'entretenait de sujets scientifiques vraiment très chiants, j'ai balayé la pièce du regard et j'ai aperçu Michael, qu'Oona était en train de forcer à entrer. Il n'a pas eu l'air ravi de me voir. J'ai haussé les épaules avec une grimace, manière de signaler que mon comportement d'avant la conférence ne pouvait pas être retenu contre moi, vu l'état de mes nerfs.

Le don de télépathie de Michael devait s'améliorer parce qu'il a souri un peu. Plus il approchait de moi, plus son sourire s'élargissait. Et tout à coup, il m'a soulevée dans ses bras et m'a fait tourner malgré mes menaces de mort et mes coups de poing dans son dos.

— Tu as été géniale, a-t-il couiné lorsqu'il m'a reposée. Sérieux. Je n'ai pas aimé toute la partie sur la génération Y « ils sont nuls, ils veulent juste être célèbres et comment allons-nous faire en cas de guerre » et puis tu m'as encore énervé à t'en prendre aux tee-shirts de marque, mais après ça, ton virage à cent quatre-vingts degrés, genre personne ne va nous cantonner dans un coin et nous allons renverser le capitalisme, et je me suis même senti un peu ému.

— C'est vrai ? ai-je demandé, dubitative. Parce que ce n'est pas tout à fait ce que j'ai dit.

— Mais oui c'est vrai. Et tu sais quoi ?

Michael m'a attrapé les mains, les a serrées un peu. Maintenant que j'avais dépassé mon angoisse préconférence, son enthousiasme, son exubérance, son approbation se révélaient super-contagieux, du coup j'ai souri à mon tour et j'ai entremêlé mes doigts aux siens.

— Non, je ne sais pas, quoi ?

— Moi aussi, j'ai quitté les cours pour rejoindre cette manif ! J'y avais réfléchi, mais je n'avais pas le cran de me lancer, jusqu'à ce que je voie les première passer dans le couloir. Là, je suis sorti du cours de maths et la moitié de la classe m'a suivi.

Michael était rayonnant.

— Je n'avais jamais vraiment compris comment nous avions tous décidé soudain de participer à ce mouvement, mais j'aurais dû me douter que tu étais derrière tout ça. C'était signé, a-t-il ajouté.

— Pour être tout à fait juste, c'était plus une sorte d'hystérie collective, comme…

— Oh, je t'en prie, tu sais que la modestie ne te va pas du tout, a raillé Michael. Bref, c'était génial. À un moment, j'ai même pu crier dans un mégaphone. C'était une des meilleures expériences de ma vie. J'avais vraiment l'impression d'avoir mon mot à dire sur l'avenir, tu vois ?

Je voyais. Michael m'a à nouveau serrée dans ses bras, très fort.

— Quand tu étais sur cette scène, j'étais tellement fier de toi que j'aurais pu exploser, m'a-t-il glissé à l'oreille.

— Ça n'aurait pas été beau à voir, ai-je répliqué.

Je ne suis pas sûre d'avoir prononcé cette dernière phrase, cela dit, parce que je sentais une énorme boule dans ma gorge. Je ne sais pas pourquoi, savoir Michael fier de moi semblait plus important qu'une standing ovation, ou une requête du *New York Times* pour citer mes propos dans leurs colonnes, ou encore John-Paul et Oona qui voulaient connaître mes disponibilités pour une conférence à Tokyo. *Tokyo !* Mais Michael était fier de moi, il ne pouvait s'empêcher de sourire, il n'avait pas lâché ma main et rien d'autre ne paraissait aussi essentiel. À l'exception d'un détail.

— Écoute, je te demande pardon d'avoir été horrible ce matin.

Il a hoché la tête.

— Alors, tu vas avouer que tu te sentais nerveuse ?

Ma carapace blindée était réduite en miettes par ce main dans la main qui n'en finissait pas, mais là, c'était un principe auquel je ne pouvais pas déroger.

— Je n'étais pas nerveuse. J'étais stressée.

— Ben voyons. C'est pareil.

— Pas du tout. Être stressé, ce n'est pas du tout la même énergie qu'être nerveux, ai-je insisté. Bref, je suis désolée, et je tant que j'y suis, je m'excuse par avance de te traîner à la fête postconférence qui a lieu à l'un des bars à l'étage. Ça va sûrement être méga-chiant, mais on pourra filer après une heure.

Michael a souri.

— Boissons et nourriture gratuites dans un bar chicos plein à craquer de hipsters dont on va pouvoir se moquer ? Je suis partant.

Trois heures plus tard, nous étions installés sur une banquette en cuir dans un coin du bar, qui consistait plutôt en une sorte de jardin entièrement vitré. Le sol était dallé en ardoise, les chaises en fer forgé peintes en noir, bleu ou violet, et l'éclairage était assuré par d'énormes suspensions rouges au plafond.

J'avais ôté mes boots pour pouvoir replier les jambes sous moi et j'avais découvert que les Saint-Jacques enroulées dans du bacon japonais étaient mon nouveau plat préféré. Je les faisais descendre à grandes gorgées de Peachy Lychee, un cocktail censé être composé de vodka, que je ne sentais pas du tout, d'alcool de pêche et de jus de lychee. Miam-miam.

Quand je n'étais ni en train de bâfrer, ni en train de boire, j'avais la tête posée sur l'épaule de Michael et nous nous prenions en photo avec mon iPhone.

— On ne te reconnaît même pas, ai-je dit à Michael tandis que nous examinions les clichés. On voit juste ta narine gauche et ta bouche. Dommage, parce que sur celle-ci, je suis top.

— Eh bien, dans ce cas, si tu veux la poster sur Twitter, tu peux, a gentiment proposé Michael.

Il était d'une bonne humeur à toute épreuve et nous ne nous étions pas pris la tête depuis au moins une heure, un record personnel. Il avait voulu faire le tour de la réception, mais je lui avais fait remarquer que si nous passions toute la soirée au même endroit, tôt ou tard, tous ceux que nous avions envie de voir finiraient par s'en approcher. D'ailleurs, Adam et Kay, deux types de San Francisco qui bossaient dans l'intelligence artificielle dont le capital de départ se montait à quelques centaines de milliers de dollars, avaient fini par se pointer. Tandis que j'enchaînais les Peachy Lychee, tous trois avaient eu une conversation à base de génome humain, d'ADN et de Grand Theft Auto qui m'était passée au-dessus de la tête. J'en avais profité pour m'amuser à prendre en photo des canapés japonais et à les poster sur Twitter. Pour finir, Adam et Kay avaient proposé à Michael un stage à Palo Alto pour l'été. Depuis cet instant, rien de ce que je pouvais faire ne semblait une mauvaise idée aux yeux de Michael.

Il faut dire qu'il avait bu pas mal de saké, pourtant assez dégueu. Je crois que nous n'étions ni l'un ni l'autre tout à fait dans notre état normal à ce moment-là, après toute la tension, puis cette hyper-bonne humeur qui survient à la disparition de la tension, surtout si l'on ajoute l'alcool, les petits câlins, voire les gros bisous échangés entre deux visites d'invités à notre table. Tout ça cumulé a affecté mon jugement, devenu aussi brumeux que le ciel un jour froid et humide de novembre. Je précise, juste.

Sur le moment, en revanche, j'ai dit :

— Alors, c'est cool, je peux poster cette photo sur Twitter ?

— Mais oui, on s'en fiche, a affirmé Michael en agitant la main avec langueur pour bien me montrer qu'il s'en souciait peu. Si tu veux mon avis, la plupart des gens sont sur Facebook, pas Twitter.

Bientôt, Twitter serait envahi de hordes de banlieusards en quête de LOL, mais j'étais à peu près persuadée que personne au lycée ne suivait mon compte et puis il s'agissait seulement d'une photo de moi toute mignonne à côté de la narine et de la bouche de Michael. Je l'ai postée sur Twitter. Après ça, Michael, pour ne pas être en reste, a glandouillé un peu sur son antique BlackBerry et nous avons recommencé à nous rouler des pelles, jusqu'à ce que les serveurs nous apportent une nouvelle tournée de Saint-Jacques.

28

Lors des six nuits que nous avions passées ensemble jusque-là, j'avais eu l'impression que Jeane ne dormait jamais. Au moment où je sombrais, elle était toujours scotchée à une machine électronique ou une autre. Et à mon réveil, plusieurs heures après, je la trouvais déjà occupée à parcourir les commentaires de son blog.

Mais quand j'ai ouvert les yeux le dimanche à 8 heures, Jeane était plongée dans un profond sommeil. Elle dormait vraiment bien, couchée sur le flanc, la couette serrée autour d'elle. Elle ne s'était pas démaquillée la veille, il y avait des traces de mascara et de paillettes partout sur l'oreiller et elle respirait doucement par le nez. Je ne l'avais jamais vue aussi immobile, je n'ai pas eu le cœur de la réveiller.

Malgré ses quelques remarques assez garces et humiliantes, Jeane avait assuré grave, pendant son intervention, et puis elle m'avait présenté les deux types de la start-up d'intelligence artificielle de San Francisco et exigé qu'ils m'acceptent en stage. Et puis toute la soirée, elle avait siroté des cocktails à la pêche dont l'ingrédient principal était la vodka. J'étais passé du saké au soda pour pouvoir garder un œil sur elle, mais finalement, elle s'était révélée joyeuse et adorable, une fois soûle, alors le moins que je puisse faire pour elle, c'était de la laisser cuver tranquillement.

Je me suis levé, douché, habillé et, comme elle ne montrait toujours aucun signe de réveil, je me suis éclipsé sans un bruit pour aller me balader dans le quartier, le Meatpacking District. Toutes les boutiques étaient fermées, une balayeuse municipale faisait disparaître des trottoirs les vestiges du samedi soir. Bien qu'il fasse un froid terrible et que je sente le vent jusque sous ma veste, mon pull, ma chemise, mon tee-shirt, des tables étaient dressées à la terrasse des restaurants et des gens faisaient déjà la queue pour le premier service.

Je me suis arrêté dans un café pour acheter avec mes derniers dollars une boisson sucrée avec triple dose de caféine pour Jeane, puis je me suis empressé de regagner la chaleur de notre suite. Au moment où j'ai refermé la porte, Jeane a ouvert les paupières, elle s'est assise tout doucement. Elle portait toujours sa robe de bal, parce que nous n'avions fait que nous embrasser la veille. Ou bien peut-être étions-nous allés au-delà et je m'étais endormi ? Ce qui expliquerait son air boudeur ?

Ah, non, c'était juste un bâillement.

— Quelle heure est-il ? a-t-elle croassé.

— Presque 10 heures.

Elle s'est laissée retomber sur son oreiller avec un grognement fatigué.

— Je suis debout depuis un moment, mais je ne voulais pas te réveiller, ai-je ajouté.

Jeane a grommelé quelque chose d'inintelligible, mais j'ai vu son nez remuer. Scène étrange : elle a tendu une main en direction du café, l'autre vers son iPhone.

Je n'ai même pas essayé de lui parler tant qu'elle n'avait pas avalé sa dose de café et vérifié ses e-mails. Après quoi elle s'est redressée, à peu près éveillée, capable de tenir les yeux ouverts.

— Bon, allez, on file bruncher à Brooklyn, a-t-elle décrété. On saute dans un taxi ?

— On ne pourrait pas rester dans le coin ? J'ai repéré un chouette endroit à deux blocs d'ici.

Il faisait trop froid pour aller loin et je ne savais pas trop à quelle heure nous étions censés être à l'aéroport, mais Jeane m'a quasiment ri au nez.

— « À deux blocs d'ici » ? Tu te la joues à l'américaine, dis donc ! Hier soir, j'ai dit que ce serait vraiment pitoyable de venir jusqu'ici et de ne sortir de Manhattan que pour rejoindre l'aéroport et toi, tu étais d'accord !

— Je n'en ai aucun souvenir.

— Vu la quantité de saké que tu as avalée, tu dormais à moitié quand je t'ai parlé de toutes les super boutiques vintage qu'on peut trouver à Brooklyn. D'ailleurs, tu as même dit : « Tais-toi, j'essaie de dormir. »

Ce n'était pas tout à fait comme ça que je me rappelais les choses.

— Je n'ai bu que deux verres de saké.

— Certes, et environ quatre bouteilles de bière, a ajouté Jeane en s'extirpant de la couette.

Cela dit, elle ne semblait pas vexée que je me sois endormi pendant qu'elle me parlait, ni que j'aie été soûl. Enfin, soi-disant soûl. Parce qu'en fait, je ne l'avais pas vraiment été. De toute façon, tout le monde sait bien que les bières américaines ne contiennent pour ainsi dire pas d'alcool.

Jeane était en pleine traversée du lit, mais, au lieu de sauter au bout comme d'habitude (elle ne pouvait pas sortir du lit comme quelqu'un de normal, évidemment), elle s'est figée, les yeux écarquillés.

— Qu'est-ce que c'est ? a-t-elle demandé en désignant le bureau. Tu as gagné ton poids en bonbons ou quoi ?

J'ai suivi son regard jusqu'à l'endroit où j'avais entassé les nombreux sacs provenant de Dylan's Candy Bar.

— Non, j'ai juste acheté des bonbons, point.

Elle a porté la main à son cœur.

— Tout est pour moi ?

— Ils n'avaient pas de Haribo…

— Non, mais franchement, qu'est-ce que c'est que ce bled ?

— Mais j'ai réussi à dénicher des trucs qui plairaient à une fille obsédée par les bonbons gélifiés.

Je voyais bien que Jeane essayait, en vain, de soulever un unique sourcil. Elle a fini par opter pour un sourire en coin.

— Je ne sais pas pourquoi tu as l'air de sous-entendre que mon obsession est une mauvaise chose. C'en est une excellente, au contraire.

— Ça va te niquer les dents.

— Pas si je les brosse plusieurs fois par jour.

Parfois, il était inutile d'argumenter avec Jeane et, bien qu'elle ne soit pas du matin, elle avait gardé sa bonne humeur, résultat de ses triomphes de la veille, j'ai donc décidé de ne pas trop pousser.

— Quoi qu'il en soit, le plus gros est pour toi, le reste est pour Alice et Melly… Et merde !

— Pourquoi merde ? a demandé Jeane en se laissant tomber sur le lit avant de tapoter le matelas pour que je vienne m'asseoir. Qu'est-ce qu'il y a ?

— Je ne peux pas leur offrir des bonbons achetés à New York, en fait…

Je me suis installé à côté de Jeane et je l'ai laissée me caresser le dos. Elle revenait sans cesse sur la même zone, on aurait cru qu'elle m'aidait à faire mon rot, mais j'appréciais quand même le geste.

— Vu que je ne suis pas censé être à New York, mais à Manchester, ai-je précisé.

Jeane s'est tue pendant une seconde.

— Tu n'auras qu'à dire qu'il y a une confiserie américaine hallucinante à Manchester et que c'est là que tu as tout acheté. Tu es vraiment nul pour mentir, Michael.

Jeane n'avait pas tort.

— Mais tu es douée pour deux, ça compense.

Elle m'a décoché un grand sourire.

— C'est vrai. Et tu m'as acheté des bonbons. Si je n'avais pas mon haleine matinale, chargée de caféine, en plus, et si je n'avais pas super envie de faire pipi, je t'embrasserais direct.

Il était plus de 13 heures quand nous sommes arrivés au café de Greenpoint que Jeane avait choisi pour notre brunch : elle avait passé plus d'une heure à se préparer avant de perdre un temps précieux à me supplier de me changer.

— Mais enfin Michael, plus personne ne porte de slim, avait-elle insisté. Surtout pas avec une chemise à carreaux. Le revival grunge, c'est fini.

J'avais refusé de l'écouter. À notre arrivée près du Café Colette, à Greenpoint, un quartier de toute apparence encore plus atrocement branché que Williamsburg, lui-même beaucoup plus que cool que Manhattan, à peu près tous les mecs portaient des jeans slim et des chemises à carreaux. Leurs cheveux semblaient avoir été taillés à l'aide d'un sécateur rouillé, alors entre eux et moi, j'avais largement l'avantage.

Vu la queue à la porte, j'étais partisan de chercher un autre endroit où bruncher, mais Jeane a insisté pour qu'on patiente.

Elle a aussi insisté pour régler et le brunch, et le taxi, ce qui m'a mis mal à l'aise, bien que je sache pertinemment que toutes ses dépenses étaient prises en charge. Mal à l'aise, comme si nous n'étions pas au même niveau, elle et moi. OK, j'avais déjà eu cette impression que Jeane vivait sur une autre planète, mais chez nous, nous fréquentions le même lycée, arpentions les mêmes rues, vidions nos réfrigérateurs respectifs. Ici, Jeane semblait la seule aux commandes. Je sais que je devrais me montrer plus éclairé et détendu vis-à-vis de son tout-puissant girl power, mais je ne l'étais pas. Malgré tous mes efforts.

— Hé, tu bloques la queue, m'a soudain dit Jeane.

Je ne m'étais pas rendu compte que nous étions enfin à l'intérieur et qu'il ne restait plus qu'un groupe à placer avant nous.

On nous a finalement guidés jusqu'aux tables pour deux alignées contre le mur du fond, et le téléphone de Jeane a commencé à biper. J'ai observé avec intérêt les autres clients ainsi que le gros comptoir à l'ancienne juste en face, pendant que Jeane, elle, restait scotchée à son portable.

— J'ai dû avoir cinquante messages ces dix dernières minutes, a-t-elle marmonné. Et le jour du Seigneur, en plus de ça.

Je me suis emparé de la carte, pressé de voir quelles options nous offrait ce brunch. Ce serait peut-être l'occasion d'ex-périmenter le bacon avec du sirop d'érable… Mais soudain, Jeane a levé les yeux de son téléphone et a couiné comme si elle venait de se faire mal.

— Quoi ? Qu'y a-t-il ? ai-je demandé.

Les deux filles à côté de nous l'ont dévisagée avec hostilité.

Jeane a observé la salle du café avec frénésie. Puis elle a désigné un présentoir à journaux près de la porte.

— Le *New York Times*, a-t-elle lâché d'une voix rauque, comme une grosse fumeuse de quarante clopes par jour. Est-ce qu'ils ont le *New York Times* ?

Puisque c'était elle qui régalait, pour à peu près tout d'ailleurs, je pouvais bien aller lui chercher le journal.

Elle me l'a arraché des mains sans même me remercier et a commencé à le feuilleter à toute vitesse.

— Chiant. Chiant. Difficultés économiques. Couverture universelle du système de santé. Bla-bla-bla. La vache ! Je n'y crois pas. Pince-moi.

J'ai été tenté de lui obéir, mais je me suis contenté de me pencher pour lire l'article à l'envers. Ce n'était pas très difficile, parce que même dans ce sens, on n'avait aucun mal à reconnaître l'énorme photographie de Jeane prise la veille sur scène.

Smells like Jeane Spirit, disait le titre, que j'ai lu à voix haute. *Rencontre avec cette ado britannique qui a transformé la geek-attitude en marque.*

Jeane a cligné des yeux au ralenti, les mains sur les joues, qui étaient toutes rouges.

— Waouh, a-t-elle fait. Oh, waouh. Je leur ai envoyé mon texte par e-mail juste après la conférence, mais je ne pensais pas qu'ils l'utiliseraient aussi vite. Ni que ça deviendrait un papier en soi. La vache.

— Le *New York Times*, ai-je répété doucement.

J'étais content pour elle, sincèrement, mais d'une certaine manière, je n'arrivais pas à transmettre ce sentiment dans ma voix.

— Et c'est important ? ai-je demandé.

— Il n'y a pas plus important.

Jeane contemplait cette photo d'elle-même, captivée, comme si elle découvrait son propre visage pour la première fois.

— Ça change complètement la donne, a-t-elle résumé.

Je ne voyais même pas ce que ça pouvait vouloir dire. Typiquement le genre de phrase à la con que sortent les candidats dans les émissions de coaching juste avant de se faire éliminer. Mais de toute façon, Jeane n'attendait pas ma réaction. Elle se contentait de faire courir ses doigts sur la page et il a fallu qu'un serveur vienne prendre notre commande pour qu'elle consente à détourner le regard, à contrecœur, pour jeter enfin un coup d'œil à la carte.

Elle ne m'a pas adressé un seul mot pendant la demi-heure qui a suivi. J'ignorais même qu'elle était capable de garder le silence aussi longtemps. Elle est restée assise là, dans son bermuda à carreaux, son tee-shirt Thundercats et son gilet orange, à grignoter une baguette tartinée de Nutella et de fromage frais en répondant à ses e-mails, au lieu de prendre un petit déjeuner correct.

J'avais cessé d'exister. En fait, je commençais même à me demander si j'étais devenu invisible quand mon téléphone a sonné. Au moins, il restait quelqu'un qui avait envie de me parler, même si cette personne s'est révélée être ma mère.

Pour être franc, j'ai été soulagé d'avoir une excuse pour quitter la table. Il y avait trop d'accents américains à proximité pour que je puisse répondre à cet appel ailleurs qu'à l'extérieur.

— Je reviens dans cinq minutes, ai-je informé Jeane, qui n'a ni levé le nez, ni hoché la tête, ni aucunement laissé entendre qu'elle savait que j'existais encore.

~ 29 ~

Je n'en ai pas cru mes yeux quand Michael a quitté la table, comme ça. C'était le jour le plus important de ma vie. Le truc le plus dément venait de se produire, pourtant j'avais eu la chance de connaître quelques succès, mais là, ça les surpassait tous. C'était to-ta-le-ment DINGUE. Et Michael ne s'est même pas donné la peine de dire « Bien joué » ou « Waouh, félicitations ».

Il était de mauvaise humeur depuis que nous étions arrivés à Greenpoint. Sûrement parce qu'il aurait préféré rester à Manhattan et faire un truc naze de touristes genre, je ne sais pas, moi, bruncher au Four Seasons. Mais nous avions déjà joué les touristes lors de notre première soirée à New York et, après mon stress de la veille, j'avais eu envie d'une demi-journée de balade à Brooklyn pour prendre des photos de gens intéressants, faire le tour des boutiques vintage du quartier, alors voilà, je plaide coupable.

Parfois, Michael pouvait se montrer gentil, prévenant, être le chéri absolu de mon cœur et puis d'autres fois, il lui arrivait d'être complètement con. Comme il ne revenait pas, après un bon quart d'heure à l'attendre toute seule à table, à abuser des rallonges de café sous le regard hostile de toutes les personnes dans la queue, j'ai préféré régler la note et sortir.

J'ai retrouvé Michael accroupi contre un mur, toujours au téléphone.

Je me suis postée juste au-dessus de lui, les mains sur les hanches, jusqu'à ce qu'il lève les yeux.

— Ma mère, a-t-il articulé en silence. Elle sait que je suis à New York.

Ouh, là, là. Donc, il était à New York, et pas à Manchester. Il serait privé de sortie, il écoperait sûrement d'un sermon super-chiant sur la responsabilité, le mensonge et l'importance d'être un modèle pour ses sœurs. Pas vraiment une affaire de vie ou de mort. Ce garçon manquait terriblement de recul.

Je n'ai pas eu l'occasion de lui en toucher un mot, parce qu'il était *toujours* au téléphone, il fronçait les sourcils en répétant une fois, deux fois qu'il était désolé, l'air d'avoir tout le poids du monde sur le dos. Alors que bon, on en était loin.

Il a enfin raccroché, s'est levé tout doucement, les épaules voûtées sous son sweat.

— Là, je suis dans la merde, grave, a-t-il annoncé d'une voix désespérée. Tu as mis une photo de nous sur Twitter hier soir, non ?

— *Quoi ?* ai-je rétorqué.

Je n'avais pas vérifié Twitter ce matin – j'avais été accaparée par mon e-mail à Oona, qui tenait absolument à me booker pour la conférence de Tokyo.

— Tu m'imagines être assez débile pour tweeter une photo de nous ensemble, à New York ou ailleurs ? Pourquoi j'aurais fait une chose pareille ? ai-je repris.

— Je ne sais pas, je me demande ? a-t-il répliqué sur un ton aussi agressif que le mien.

Il s'est ensuite lancé dans une longue histoire rocambolesque sur Sanjit, ce copain à qui il était censé rendre visite à l'université de Manchester, qui avait une petite sœur du même âge que Melly. Cette idiote de sœur avait organisé une soirée pyjama, à laquelle Melly avait été invitée. La mère de Michael, venue la chercher le lendemain, avait demandé des nouvelles de Sanjit et la mère de celui-ci lui avait raconté qu'il était à Leeds, pour rencontrer les parents de sa petite amie.

À ce moment-là, c'était presque l'aube, heure de New York, et comme ses parents ne parvenaient pas à joindre Michael, ils étaient allés sur Internet, où ils étaient tombés sur cette soi-disant photo.

J'ai sorti mon téléphone et je me suis connectée à Twitter pour voir ce fameux cliché et, lorsque est apparu ce portrait flou de moi à côté de la narine et de la moue de Michael, les événements de la nuit me sont revenus tout doucement. Du moins, en partie.

— J'étais bourrée ! Regarde, je n'ai même pas été capable d'écrire Gansevoort correctement, et puis tu m'as autorisée à envoyer cette photo. Oh, oh ! Un débile la retweetée. Qu'est-ce qui a bien pu lui passer par la tête à celui-là ?

— Je ne sais pas ! Et pourquoi faut-il que tu tweetes absolument tout ce qui t'arrive ?

Je l'ai ignoré et j'ai cliqué pour voir qui avait retweeté mon message. C'était un de mes followers appelé @superdimsum.

 superdimsum miam-miam
My girl et ma narine gauche RT @irresistibly_geek, NYC, baby ! Au Gansevort avec ML. Peachy Lychee toute la nuit !

Il m'a fallu à peu près cinq secondes pour faire le lien. @superdimsum avait une connaissance encyclopédique des gâteaux chinois, se projetait à fond en Jean-Paul Sartre, à qui il avait imaginé une mère soûlante et autoritaire, il savait toujours quand ça n'allait pas, même si je faisais tout pour faire bonne figure sur Twitter, et il m'envoyait des liens de vidéos de chiens adeptes des sports extrêmes.

Putain, superdimsum, c'était Michael. J'allais le pulvériser.

— Toi ! C'est toi ! ai-je bafouillé en lui collant le téléphone sous le nez. Ça t'a plu, de te payer ma tête ?

— Qu'est-ce que tu racontes ? a demandé Michael en m'attrapant le poignet pour voir ce que je lui montrais. Oh !

— N'essaie pas de nier, ai-je braillé en libérant ma main et en récupérant mon portable. Tu disais que tu n'étais même pas sur Twitter !

Michael a remué d'un pied sur l'autre, gêné.

— En réalité, j'ai dit que je ne comprenais rien à Twitter.

— Je crois que tu comprends très bien. Tu as trouvé ça drôle de jouer avec moi ? Tu en as parlé à tous tes potes pour pouvoir te marrer de m'avoir roulée comme ça ? De m'avoir bien rabattu le caquet ?

— Ce n'était pas ça, a protesté Michael, tout rouge, qui tirait sur son col comme s'il était en train de l'étrangler – j'aurais bien aimé. Je te connaissais à peine quand on a commencé à échanger sur Twitter…

— Tu me connaissais assez pour venir me harceler au lycée à propos de Barney et Scarlett, et tu me connaissais assez quand on couchait ensemble, mais tu n'as pas jugé bon de préciser qu'on communiquait par tweets, ai-je craché. C'est une invasion totale de mon intimité.

— Pas du tout. C'est un forum public et quoi qu'il en soit, c'était Internet. Ce n'est pas la réalité. Tu n'es pas la même sur Internet que dans la vraie vie et…

— Si, absolument ! Je suis moi sous mon meilleur jour. Sur Internet, je suis heureuse. C'est une sorte d'acte de foi, je pars du principe que les personnes avec qui j'interagis sont aussi honnêtes que moi…

— C'est ridicule ! Nous en avons déjà discuté. Tout le monde prétend être quelqu'un d'autre, en ligne. On a tous une personnalité Internet.

— Alors, qui es-tu ? La personne avec qui j'ai communiqué par tweets, c'est-à-dire un bon gros menteur…

— Rien de ce que j'ai pu écrire sur Twitter n'était un mensonge…

— Ou bien es-tu Michael Lee, cyber-harceleur flippant qui utilise toutes les infos que j'ai postées en ligne à ses propres fins diaboliques ? ai-je demandé, sans que la dramatisation soit exagérée, pour une fois.

Je détestais imaginer Michael scruter mes tweets à la recherche d'indices, flairer mes faiblesses. S'il s'était révélé plus tôt, ça n'aurait peut-être rien changé à ce que nous avions échangé par Twitter, ces tweets évaporés, mais maintenant, je n'en saurais jamais rien. Il ne m'avait pas laissé le choix.

— Tu ne devrais pas mettre sur Internet des choses que tu ne veux pas dire au grand jour, s'est obstiné Michael, au lieu de se répandre en excuses, de s'effondrer à genoux pour supplier ma clémence. L'idée, c'est de communiquer avec tout le monde, alors je ne vois pas le problème. OK, j'aurais peut-être dû jouer cartes sur table, mais…

— Il n'y a pas de peut-être ! Je ne parle pas seulement de tes tweets sous des prétextes fallacieux. Je t'ai confié des choses que je n'écrirais jamais sur Internet, j'avais confiance en toi…

J'ai été forcée de m'interrompre parce que ma voix était chargée de larmes, pourtant, j'étais bien décidée à ne pas craquer. Hors de question d'être de ces filles qui pleurnichent pour un mec.

— Et tout ce temps, toi, tu m'as trompée, ai-je conclu.

— Tu as une réaction disproportionnée, Jeane, a dit Michael, qui paraissait tout en contrôle, très patient, comme si ça n'était pas très important, alors qu'en fait si, et ma réaction était totalement appropriée. Et franchement, je n'ai pas besoin que tu me gueules dessus comme ça maintenant. Surtout que je suis dans une très mauvaise posture, au cas où tu ne l'aurais pas remarqué.

Là, j'ai tapé du pied.

— Ça n'est quand même pas dramatique, Michael, ai-je sifflé. Le pire qui puisse t'arriver, c'est de te voir privé d'argent de poche par tes parents, avec interdiction de revenir à New York pendant les trois prochaines années. Légalement, tu es un adulte responsable, merde, alors pourquoi tu ne te comporterais pas comme si tu en étais un, pour changer ? Quand ce sera le cas, on pourra peut-être recommencer à parler de moi.

Michael ne s'est même pas mis en colère. Il a juste semblé perplexe, comme si ma souffrance lui passait au-dessus de la tête.

— Mais on ne fait que ça, parler de toi, a-t-il répondu.

— Oh, excuse-moi de m'emballer parce que je suis publiée par le *New York Times*. Désolée que ça t'ait fait perdre tous tes moyens. Sans déconner, tu ne supportes pas le fait que je ne me contente pas de réviser pour mon bac et de préparer mes dossiers d'inscription en fac, comme tous les autres boulets avec qui tu passes ton temps. Tu ne peux même pas te réjouir que je sois dans le *New York Times* !

— Évidemment que je suis ravi pour toi, mais ça doit faire la cinquantième fois que tu le répètes, alors je commence à me lasser, a soupiré Michael, ce qui m'a totalement coupée dans mon élan, moi qui venais à peine de m'échauffer. De toute façon, il n'y a pas de quoi en faire tout un plat. Tu es constamment dans la presse. Tu es la fille vers qui tous les journalistes se tournent quand ils ont besoin d'une grande gueule de ton âge qui trouvera toujours quelque chose à dire.

Là, j'ai une nouvelle fois tapé du pied, et j'ai agité les bras, pour faire bonne mesure.

— Je ne suis pas que ça. Tu verras. Je peux faire de la télé si je veux. J'ai trois boîtes de prod qui me supplient de les rencontrer et un éditeur qui veut me faire écrire un livre. Et pourquoi je n'aurais pas ma propre chronique dans un journal ? J'ai des tas de choses à dire et je serai la voix des nerds, des geeks, des exclus, parce que nous ne voulons pas être récupérés par le grand public. Nous voulons imposer nos conditions et rien, personne, pas même…

— Oh, Jeane, tu veux bien la fermer, putain ? a soudain crié Michael.

Vraiment crié. Jusque-là, j'étais la seule sur ce terrain.

— Peu importent tes activités, a-t-il repris. Ouais, c'est cool, que tu puisses faire tout ça, mais je te rappelle que l'année prochaine, tu dois passer ton bac et bientôt, tu ne voudras même plus porter ce style de vêtements, tu te rendras compte qu'il vaut mieux calmer le jeu, sans quoi tu n'arriveras jamais à entrer à la fac, ou à trouver un boulot, ou de vrais amis à moins d'arrêter toutes tes conneries geek.

Je n'ai rien dit parce que j'étais tout simplement incapable de faire fonctionner ma bouche et de produire des mots. J'avais fait découvrir à Michael des facettes de ma vie que je n'avais jamais montrées à personne et non seulement il m'avait trahie en s'infiltrant parmi mes followers sous une fausse identité, mais encore il me renvoyait tout à la figure comme s'il voulait se venger d'un cadeau pourri que je lui aurais offert pour son anniversaire. Ça ne ressemblait pas du tout à ce qui s'était passé avec Barney. C'est vrai, j'avais traîné Barney au roller derby, je lui avais fait écouter Kitty, Daisy et Lewis, mais je ne l'avais jamais autorisé à accéder au cœur du plus sombre de ma geekitude.

— Ce ne sont pas des conneries, l'ai-je informé d'une voix tendue en frissonnant à cause des rafales de vent. C'est ce que je suis. Rien d'autre ne compte. Ni les diplômes, ni la fac, ni trouver un boulot. Mon boulot, c'est ça, c'est ce qui me définit. Si je meurs demain, au moins j'aurais fait quelque chose de ma vie. J'aurais laissé une trace et les gens sauront que j'ai existé. Irresistibly Geek, c'est tout ce que j'ai.

— Non, ce n'est pas tout ce que tu as, a affirmé Michael en avançant de trois pas pour se placer juste devant moi.

Il essayait de faire ce truc avec ses yeux, style « je suis hyper-perspicace ».

— Écoute, on s'est comportés comme des cons, toi et moi, a-t-il repris. On a dit des choses qu'on n'aurait pas dû dire, mais tu m'as, moi. Je ne compte pas disparaître de ta vie.

Putain, décidément il n'y comprenait rien. Ce mec ne me comprenait pas, quelle idiote j'avais été de croire le contraire.

— Je ne *t'ai* pas *toi*. Je ne veux pas de toi, surtout après ce que tu as fait. Et je n'ai pas besoin d'un petit ami pour exister, j'existe par moi-même.

— Si tu pouvais arrêter tout ça, la vie serait plus simple, a insisté Michael d'une voix assurée, comme s'il y avait longuement réfléchi. Et si tu n'en faisais pas des tonnes pour jouer l'excentrique, alors j'aurais peut-être moins honte d'être vu avec toi. Je pourrais vraiment te faciliter la vie.

— Non, mais quelles grosses conneries hétéronormées !

— Je peux savoir ce que ça veut dire ?

— Ça veut dire que je ne vais pas tirer un trait sur mes rêves pour décrocher un second rôle dans ton film pourri. Tu veux savoir ce que c'est, ton problème ? Pour une fois dans ta vie, tu ne te retrouves pas au centre de l'attention et ça, tu ne le supportes pas, hein ?

— Quant à toi, ton problème, c'est que tu es incapable de te comporter normalement, parce que si on enlève tes fringues immondes, tes mots à rallonge et toutes les lubies déjantées, dont tu croies qu'elles font de toi une fille différente des autres, il ne te reste pas grand-chose, en fait – t'es juste une meuf avec de sérieux troubles de la personnalité.

Les hipsters, les parents bobos avec leurs gosses aux prénoms absurdes comme Demeter et Minnesota, qui faisaient la queue dans le froid glacial pour avoir une table pour le brunch, nous regardaient nous crier dessus et pour tout dire, à ce moment-là, je ne me faisais pas l'effet d'être particulièrement extraordinaire. Juste une fille débile, avec des fringues débiles et mal assorties en train de hurler sur un garçon pas plus assorti non plus.

Michael Lee n'était rien de plus que ça, un garçon, et il fallait que je lui retire tout le pouvoir qu'il croyait avoir sur moi. L'écrabouiller pour qu'il se sente aussi petit que moi en ce moment.

— Casse-toi, va, cours retrouver papa maman pour qu'ils puissent te priver de télé et t'envoyer au lit sans manger.

— Et toi, va donc retrouver ton pauvre appart merdique où tu finiras par crever de bouffer des cochonneries, espèce de créature médiatique absurde ! a répliqué Michael.

Ça m'a tuée, vraiment tuée, de le laisser avoir le dernier mot, mais j'ai aperçu un taxi avec son signal allumé et, si je voulais monter dedans, il fallait que je traverse la route en courant… manquant d'être tuée pour de bon, d'ailleurs.

J'aurais préféré ne jamais revoir son visage, mais une fois de retour au Gansevoort, je me suis rendu compte que je ne pouvais pas l'abandonner. Je n'étais même pas sûre qu'il ait de quoi se payer un ticket de métro, et c'était moi qui avais nos billets d'avion, alors j'ai été obligée de lui envoyer un texto pour lui donner rendez-vous à JFK.

Il était là, à m'attendre à côté du comptoir de la classe éco quand je me suis pointée, avec mon chariot à bagages. Je le détestais, vraiment, mais quand je l'ai vu, mon cœur a fait un petit bond de joie, parce qu'il n'était pas encore habitué à le détester. J'avais la tête beaucoup plus dure, en revanche.

Il m'a regardée d'un air penaud en récupérant son sac.

— Hé, Jeane… Je sais que j'aurais dû te le dire, pour Twitter, mais plus je retardais le moment, plus c'était compliqué… a-t-il commencé, mais je l'ai ignoré pour me rendre à l'enregistrement.

Je devais continuer de me montrer forte. Moi, j'irais loin dans la vie et on avance plus vite quand on est seul.

— Nous ne voulons absolument pas être assis l'un à côté de l'autre, ai-je annoncé à l'hôtesse au guichet. Si nécessaire, je suis prête à payer pour être surclassée.

— Je n'y crois pas, a sifflé Michael.

Nous nous trouvions dans un aéroport, il ne pouvait même pas me faire une scène, il se serait fait embarquer direct, soupçonné d'être un gros terroriste.

On m'a donc proposé de rejoindre la sécurité du salon business et, bien que nos regards se soient brièvement croisés à la montée dans l'avion, j'ai bientôt été installée dans ma propre suite équipée d'une grande table où j'ai pu allumer mon ordinateur et commencer à dresser des listes et des plans. Irresistibly Geek était en train de monter en puissance et je n'allais sûrement pas me laisser emmerder.

~ 30 ~

 Michael Lee a changé son statut de « C'est compliqué » à « Célibataire ».

~ 31 ~

 irresistibly_geek Jeane Smith
Pause Twitter le temps de régler qqs trucs du genre
super. Vous avez le droit de m'envoyer des photos de
chiens mignons.

Cher Michael,

Comme convenu, voici ton programme pour le mois à venir. Nous le réexaminerons au moment des vacances de Noël, quand tu auras eu tout le loisir de réfléchir aux décisions malheureuses qui ont été les tiennes.

Maman et papa

Du lundi au vendredi

7 h 30 Nourrir le chat. Participer au petit déjeuner, débarrasser la table.

8 h 30 – 8 h 45 Tu te rendras directement à l'école, où tu passeras la journée complète. Si tu as une heure de libre, tu iras à la bibliothèque pour réviser. Après les cours, tu rentreras directement à la maison.*

17 h Aider Melly et Alice à faire leurs devoirs, lancer la préparation du dîner, nourrir le chat.

19 h Charger le lave-vaisselle, puis devoirs sur la table de la cuisine. Comme convenu, tu n'auras droit ni à la télé, ni à la console, ni à l'iPod et nous avons bloqué l'accès Wifi de ton ordinateur.

Si tu n'as pas de devoirs, le travail administratif pour ton père devrait suffire à t'occuper.

22 h 30 Extinction des feux !

*Nous avons longuement hésité à t'interdire tes activités extrascolaires, mais, pour le bien de ton dossier d'inscription à l'université, nous avons décidé de les autoriser.

Lundi – conseils de classe.

Mardi – entraînement de foot.

Mercredi – club de rhétorique.

Vendredi – entraînement de foot.

Samedi

7 h 30 Nourrir le chat. Participer au petit déjeuner, débarrasser la table.

9 h – 12 h Travail scolaire.

12 h – 13 h Déjeuner.

14 h – 17 h Match de foot.

18 h – 19 h Dîner, débarrasser la table.

19 h – 21 h DVD en famille ou lecture. Au choix.

23 h Extinction des feux !

Dimanche

7 h 30 Nourrir le chat. Participer au petit déjeuner, débarrasser la table.

9 h – 14 h Sortie en famille.

17 h Aider ton père à la préparation du repas.

19 h Débarrasser après le dîner.

20 h Préparer tes affaires pour l'école.

21 h – 22 h Révisions ou lecture.

22 h 30 Extinction des feux !

À : bethan.smith@cch.org
De : jcastillo@gvhschool.ac.uk
7 décembre 2011 08 : 28

Chère Mlle Smith,

Je vous écris au sujet de Jeane Smith. À en croire son dossier, vos parents vivant l'un comme l'autre à l'étranger, vous êtes la tutrice de votre jeune sœur, bien que selon les renseignements de la professeure principale de Jeane, Mlle Ferguson, vous vous trouviez actuellement aux États-Unis pour des raisons professionnelles. Je me dois de vous informer de l'absence de Jeane au lycée ces trois dernières semaines, elle ne s'est pas non plus acquittée du contrôle continu pour cette même période.

Tous les efforts ont été faits pour joindre Jeane par téléphone et par e-mail, car son avenir dans cet établissement comme son projet de passer le baccalauréat l'année prochaine sont désormais sérieusement compromis. Je n'avais d'autre choix que de vous contacter pour vous demander de forcer Jeane à ouvrir les yeux sur les conséquences potentielles de ses actes.

Si le comportement de Jeane a parfois laissé à désirer, ses résultats scolaires sont en revanche excellents et je ne doute pas que notre lycée saura lui apporter soutien et solutions pour lui permettre de reprendre ses études malgré cette interruption. Je serais plus que ravie d'envisager cela avec vous par téléphone, si vous vouliez bien m'appeler.

Lorsque vous parviendrez à joindre votre sœur, pourriez-vous lui demander de nous contacter, soit moi, soit Mlle Ferguson, pour que nous prenions rendez-vous afin de résoudre les problèmes que rencontre Jeane, quels qu'ils soient ?

J'attends de vos nouvelles, en espérant que nous travaillerons ensemble à une issue favorable à cette situation.

Cordialement,

Jane Castillo,

Proviseure adjointe.

Michael ! qd se termine ta punition ? Tu ns manques ! Heidi bizz

C une longue histoire. P-ê pour Noël si je me tiens
à carreau. Michael.

keski C passé ? les gens disent que t'as mis la folle enceinte !!!!
que vs êtes partis à NYC !!! Tu sortais avec L ? bizz H

J & moi on était potes. Mais elle est ouf. Je sais pas pk
les gens répandent des rumeurs. M.

klR ! Les gens st méchants ! Je vais démentir.
Mè pk tu es puni ? C ridicule. Tu as 18 ans.

je bossais sur mon dossier pr Cambridge & mes renps m'ont
surpris avec 1 bière. Grav !

on ne te voit plus o lycée non plus. tu manques à tt le md. Pas
que moi. Mais surtt moi !!!!!! je te prépare 1 truc spécial
à faire qd tu seras libre. H. bizz bizz

OK, faut que je file. À 2m1 o lycée. M.

OK chéri. jtm. H. bizz bizz.

LE POST LE PLUS GEEKTASTIC DE L'HISTOIRE DES BLOGS, YO !!!

Hello ! Hola ! Buenos días ! Guten Tag ! Insérez ici la salutation dans la langue de votre choix.

Alors, comment ça va chez vous ?

Les rumeurs concernant mon décès prématuré sont largement exagérées. Je suis bien en vie et à peu près un trilliard de fois plus geek parce que – roulements de tambour, s'il vous plaît, maestro – Irresistibly Geek se métamorphose en plate-forme multimédia incontournable !

C'est vrai, j'aurais pu continuer à bloguer, à vidéo-bloguer, à tweeter tous ces trucs cool que je déniche au hasard des rares moments où je ne suis pas occupée à réviser pour le lycée, mais franchement ! Quel intérêt de rester coincée dans une salle de classe avec vingt-neuf anti-geeks aux yeux morts avec lesquels je n'ai rien en commun si ce n'est l'âge ? Aucun. Alors que je peux mobiliser tout mon temps et mon énergie à répéter partout ce message : les geeks régneront sur la planète.

Donc, j'ai consacré ce mois à enchaîner les réunions (au point d'être désormais allergique à la simple vue d'un plateau de viennoiseries ou d'un tableau de conférences), mais ça valait le coup. (Bien que je ne puisse plus jamais avaler le moindre pain au chocolat.) OK, attachez vos ceintures, je vous emmène faire le tour du propriétaire.

Irresistibly Geek – l'émission télé

L'année prochaine, je tournerai une série de documentaires pour Channel 4. Il s'agira de montrer ce que signifie être un outsider dans ce monde consumériste de dingues dans lequel nous sommes obligés de vivre. Je passerai un certain temps au camp rock pour les filles de Molly Montgomery (de Duckie, mon héroïne toutes catégories). J'irai à Tokyo vous chercher une boîte de Kit Kat au thé vert et passer du temps avec la photographe des rues et déesse de tous les temps, Keiko Ono. Oh, ces endroits que je vais découvrir : la Suède, le Brésil, l'Amérique – la Chine, même, si l'on arrive à se faufiler entre deux coups de tampon et trois formulaires.

Irresistibly Geek – le livre

J'ai également signé un contrat pour deux romans de vampires. Ha ! N'importe quoi ! Cependant, je vais bien écrire deux livres. Le premier s'appellera *Irresistibly Geek – Comment je suis devenue la reine des nerds*, entre le manifeste, les Mémoires et le pamphlet. Il réunira des photos, des recettes et même une bande dessinée. J'ignore totalement en quoi consistera le second, mais évitons de le préciser à mon éditeur.

Irresistibly Geek – la chronique

Chaque vendredi, vous trouverez huit cents mots de ma plume dans le *Guardian*. Je philospherai sur la manière dont les cupcakes ont réussi à envahir le monde, chercherai à savoir si les chiots sont vraiment les plus forts, démontrerai pourquoi les coupes budgétaires dans l'éducation sont un stratagème pour nous forcer à rester tout en bas de l'échelle, bref, sur tous mes sujets préférés.

Irresistibly Geek – le site Web

Oui, j'ai déjà un site Web, mais celui-ci sera un vrai site, avec un peu d'argent derrière, pour que vous ne soyez plus obligés de passer des heures à observer la poussière s'accumuler sous l'objectif de ma DustCam. J'ai tellement d'amis doués de talents pas possibles, irresistiblygeek.com deviendra l'endroit où ils vous en feront la démonstration (et vous aussi j'espère). Il y aura des articles, des films, des chiots, et ce sera un endroit plein d'amour et de sarcasme.

Irresistibly Geek – la tournée

Je passerai beaucoup de temps à donner des conférences l'année prochaine. Vraiment, vraiment beaucoup. Certaines seront universitaires, mais je suis actuellement en lien avec des associations pour intervenir dans des écoles et des clubs de jeunes pour diriger des ateliers sur l'estime de soi et le fait de s'assumer. LA VACHE ! Je suis à la fois très excitée et très effrayée par tout ce qui m'arrive.

Enfin voilà. J'ai comme l'impression que j'en ai fait un peu trop, mais je trouve important que quelqu'un dans mon genre prenne la parole. Je me trompe peut-être, mais je suis persuadée d'avoir des choses à dire que les gens n'entendent jamais et, si je peux subtiliser une heure de temps de cerveau disponible aux stars de la télé-réalité, c'est toujours ça de gagné.

Voilà, j'arrête pour aujourd'hui. Il doit bien y avoir quelque part sur Internet une vidéo de chiot qui fait un truc trop mignon que je n'ai pas encore vue et je me donne pour mission de la dénicher. À plus plus. Jeane.

~ 32 ~

Je n'avais même pas encore commencé mes recherches de vidéos de chiots que mon icône Skype s'est mise à sautiller et, machinalement, j'ai allumé ma webcam. Après réflexion, je me suis accroupie sous mon bureau, au cas où ce serait quelqu'un que je n'ai pas vraiment envie de voir... jusqu'à ce que j'entende une voix familière.

— Jeane ! Tu es où ?

Bethan ! Je me suis relevée d'un coup, je me suis cognée et je me suis rassise en massant la zone douloureuse sur ma tempe. Manquerait plus que j'hérite d'une lésion cérébrale.

— Regarde-toi dans ta blouse d'hôpital, on te croirait réchappée du tournage de *Grey's Anatomy*, ai-je lancé gaiement.

Bethan était installée sur le canapé, dans le salon de son appartement à Chicago. Elle avait l'air fatiguée, ses cheveux blonds étaient remontés en un chignon négligé, mais elle m'a fait un petit coucou débile, un sourire rigolo, j'ai répondu de la même façon et, tout de suite, j'ai eu l'impression d'être à la maison.

— Je viens de lire ton blog, donc je sais que tu es toujours en vie, m'a informée Bethan d'un ton sec. Dieu merci !

— Mais chaque fois que j'ai voulu te contacter par Skype, tu guérissais des enfants malades, lui ai-je rappelé. Et comme tu vis sur un autre continent, ça complique tout.

— Certes, a concédé Bethan. Les enfants ont pour mauvaise habitude de tomber des arbres et d'attraper des maladies, mais, hé, Jeane, les parents aussi ont essayé de te joindre, j'ai reçu des e-mails de ta prof principale et de la proviseure adjointe… Qu'est-ce qui se passe ? Tu ne peux pas arrêter l'école comme ça.

— Eh bien, si, la preuve, c'est un peu ce que j'ai fait, ai-je annoncé avec calme.

Ce qui était fait était fait et personne n'y pouvait plus rien.

— Écoute, je pourrais passer encore dix-huit mois au lycée, forcée de peindre des paysages marins et d'écrire des dissertations sur *La Source vive*, qui ne risquent ni l'un ni l'autre de m'apprendre grand-chose sur la vie, sinon je peux vraiment avoir un impact sur la vie des gens. Il n'y a pas photo.

Bethan a soupiré en repoussant les mèches qui s'échappaient de son chignon.

— Mais on avait un marché. Nous étions d'accord, tous les quatre, pour que tu vives seule si et seulement si tu tenais certaines promesses. Comme manger trois repas corrects par jour, faire en sorte que l'appartement soit propre et aller en cours.

— Mais…

— Bilan : tu ne t'es toujours pas débarrassée de cette caméra débile qui filme la poussière. Quand je constate le nombre de tweets que tu consacres aux Haribo, je commence à croire que tu n'as pas tes cinq fruits et légumes par jour. Et pour finir, tu as décidé que tu n'avais pas besoin de faire des études.

Elle a soupiré.

— Ce n'est pas cool, Jeane, a-t-elle conclu.

— L'appartement est propre, ai-je protesté. Regarde !

J'ai fait pivoter le portable pour qu'elle puisse avoir un panorama du salon, qui était carrément nickel. J'en avais assez que *certaines personnes* laissent entendre que je ne vivais pas dans la réalité, comme si j'étais incapable de gérer des trucs réels – pure calomnie. Bref, dans la réalité, les gens avaient des femmes de ménage. J'ai donc engagé celle de la mère de Ben, qui passait désormais chez moi une fois par semaine. Lydia était une Bulgare gravement obsédée par les vertus du vinaigre, censé éradiquer la moindre crasse domestique. Elle était aussi tellement effrayante que je rangeais un peu avant son arrivée, de peur qu'elle ne me crie dessus.

— Bon, ça a l'air à peu près correct, a reconnu Bethan. Et pour les fruits et légumes ?

Je lui ai tiré la langue.

— Rome ne s'est pas bâtie en un jour, tu sais.

— Jeane, tu avais promis que tu passerais ton bac. Tu as vraiment promis.

Bethan était atroce en mode culpabilisatrice. Sa voix oscillait entre chagrin et déception, et moi je me sentais mal.

— Bethan, ne sois pas en colère contre moi, l'ai-je suppliée. J'ai des tas de propositions hallucinantes qui auront disparu si j'attends d'avoir passé mon diplôme. C'est une chance – je vais voyager dans le monde entier, vivre des expériences passionnantes, écrire des livres et, en prime, je vais toucher des sommes d'argent hallucinantes.

— Tu es trop jeune ! Personne n'est là pour prendre soin de toi et tout ça, c'est ma faute. J'aurais dû rester à Londres et laisser tomber mon internat parce que…

— Pas du tout ! Tu l'avais mérité, ce poste à Chicago. Tu poursuis ton rêve et moi, je pars sur les traces du mien. Tu n'as aucune raison de culpabiliser.

— Je suis sûre qu'il y a des tas de gens qui profitent de toi…

J'adorais Bethan. Plus que tous les produits Apple et Haribo, plus que toutes les sublimes robes vintage du monde, mais quand elle prenait son air sérieux et triste, ça me tuait.

— Personne ne profite de moi, l'ai-je coupée. Je ne suis pas idiote. J'ai discuté avec des gens comme ma copine Molly, qui avait à peu près mon âge quand elle a été signée par sa maison de disques, et j'ai un contrat avec une agence d'artistes renommée, j'ai un comptable, un juriste. J'ai même un numéro de TVA. Tout va bien, Bethan. Vraiment très bien.

— Oh, Jeane… a gémi Bethan, qui paraissait sur le point de fondre en larmes. Non, rien ne va. Les choses ne devraient pas se passer comme ça.

— Si, au contraire, et si jamais tu es encore en colère contre moi quand tu débarques à Londres la semaine prochaine, tu auras le droit de me mettre une fessée. Tu pourras même faire semblant de m'envoyer dans ma chambre si ça peut te soulager.

Au moins, ça a réussi à lui arracher un sourire, même s'il était plutôt triste.

— D'ailleurs, que veux-tu que j'ajoute à ma liste de shopping pour Noël ? Une deuxième bûche peut-être ou bien une double dose de tartelettes aux fruits confits ? On n'en a jamais trop, des tartelettes. En général, on carbure à environ six par jour jusqu'à Noël, non ?

Je m'attendais à ce que ce rappel de la tradition familiale remonte le moral de Bethan là où tout le reste avait échoué, mais elle s'est avachie sur son canapé beige.

— Oh, non… a-t-elle fait.

— Quoi ? Tu es subitement devenue allergique aux fruits confits ?

Bethan s'est tournée vers sa droite, elle a dit quelque chose que je n'ai pas entendu, puis Alex, son petit ami, presque aussi musclé que mon voisin Gustav, et qui voulait être neurochirurgien quand il serait grand, est venu s'asseoir à côté d'elle.

— Salut, la sale gosse, quoi de neuf ? a-t-il dit.

— Salut, le Ricain, Bethan est fâchée contre moi, tu peux lui demander d'arrêter parce que c'est vraiment pénible ?

Alex a pris la main de Bethan, ils se sont serrés l'un contre l'autre en échangeant des messes basses, j'ai été obligée de donner un petit coup sur mon écran pour les rappeler à l'ordre.

Bethan a inspiré profondément.

— Alors, tu veux la bonne ou la mauvaise nouvelle ?

J'ai su tout de suite que la mauvaise serait bien plus difficile à avaler que la bonne. C'est toujours, *toujours* comme ça.

— La mauvaise, s'il te plaît.

Tous deux m'ont fusillée du regard.

— Il faut que tu commences par la bonne, a exigé Bethan.

— OK, peu importe, balance, ai-je dit avec impatience.

Bethan a levé la main. J'ai attendu la nouvelle, j'ai attendu un moment, puis deux.

— On peut accélérer, là, s'il vous plaît ? me suis-je agacée.

— Tu veux bien regarder ma main ? s'est énervée Bethan. L'annulaire.

J'ai scruté l'écran avec attention et j'ai vu une bague. Potentiellement un diamant, mais ça aurait aussi bien pu être une imitation.

— Euh… vous êtes fiancés ?

Alex a affiché ce sourire pour lequel il pouvait remercier son orthodontiste.

— J'ai fait ma demande à Bethan le week-end dernier et elle a accepté de faire de moi un homme honnête. Ça te fait quoi d'avoir un beau-frère ?

En toute franchise, je ne savais pas trop. Disons que j'étais contente pour eux. Mais Alex était américain et Bethan britannique et à la fin de son internat, ils allaient devoir décider sur quel continent ils souhaitaient vivre. C'est vrai, j'adorais mon indépendance et le fait que Bethan ne puisse pas m'enguirlander autrement que par Skype, mais elle n'était pas censée rester là-bas pour toujours.

J'ai réussi à coller un sourire sur mon visage.

— Hé ! Yes ! Super nouvelle ! Je suis trop contente pour vous et Alex, si tu jures de ne pas me prendre la tête parce que je ne mange pas de légumes, je serai ravie de te proposer ce poste de beau-frère.

Cette fois, le sourire de Bethan a paru presque sincère.

— Il y a autre chose, a-t-elle dit. Ce n'est jamais simple à annoncer, alors voilà : je suis enceinte.

— Oh, waouh ! D'accord. C'est pour ça que vous vous mariez ? ai-je demandé, de manière assez abrupte.

— En partie, mais surtout parce que j'aime cette espèce d'abruti, a répondu Bethan en passant la main dans les cheveux en brosse d'Alex qui continuait à me sourire de toutes ses dents. Et puis, il y a tous les problèmes d'immigration, c'est logique de se marier avant l'arrivée du bébé.

Il y avait tellement de questions que j'aurais dû poser, par exemple, quand était prévue la naissance, connaissaient-ils le sexe du bébé, avaient-ils déjà évoqué des prénoms, mais j'en étais incapable parce que j'étais certaine qu'à l'instant où j'ouvrirais la bouche, je dirais quelque chose d'horrible.

Dans le genre : Mais pourquoi tu veux un enfant ? Tu n'es pas inquiète à l'idée qu'il soit malade comme Andrew ? Tu n'as pas peur de ne pas aimer ce bébé, comme Pat et Roy ne m'ont jamais aimée ? Alors pourquoi tu le gardes, merde ?

Comment aurais-je pu dire toutes ces choses ? Mon sourire était en train de glisser, alors avant qu'il ne tombe complètement de mon visage, j'ai réussi à articuler un autre « waouh ».

— C'est un choc, non ? m'a demandé doucement Bethan.

J'ai hoché la tête.

— Oui, je ne réalise pas trop. Alors, c'était ça, la mauvaise nouvelle ?

— Oh, Jeane, ce que tu peux être pince-sans-rire !

Je n'avais jamais entendu personne s'esclaffer, mais c'était ce qu'Alex venait de faire.

— Bien sûr que non, ce n'est pas une mauvaise nouvelle, a-t-il continué. Nous sommes super-ravis tous les deux, et puis… disons que ça tombe à point, nous en avions bien besoin, parce que ma mère est gravement malade.

— Oh ! Je suis désolée.

C'était sincère.

— Est-ce que… est-ce qu'elle va guérir ? ai-je demandé.

Le sourire d'Alex s'est terni, il a secoué la tête.

— Il lui reste trois mois à vivre, mais elle compte bien tenir jusqu'à la naissance de son premier petit-enfant.

La vie, ça fait chier, parfois. À certains moments, il suffisait qu'il se passe quelque chose de vraiment génial, on avait l'impression d'avoir gagné au Loto pour qu'aussitôt un truc horrible se produise, histoire de bien nous remettre à notre place.

— Je suis vraiment, vraiment désolée. Ce n'est pas juste, hein ?

— Non, vraiment pas, a confirmé Alex, qui s'est tourné vers Bethan.

Elle l'a regardé, puis elle s'est mise face à moi, il y avait des larmes sur son visage.

— Je sais que c'est horrible, mais le bébé, c'est super, concentre-toi là-dessus, ai-je dit.

— Oh, Jeane, je ne peux pas venir à Noël, a-t-elle sorti tout d'une traite. C'est impossible. C'est le dernier Noël d'Alex avec sa mère, et comme on doit se marier très vite, il faut tout préparer, en plus je fais des gardes de douze heures. Je t'en supplie, ne m'en veux pas !

— Mais non. Jamais je ne t'en voudrai, lui ai-je assuré. Jamais je ne pourrais être en colère contre toi, quoi que tu fasses.

— Même quand je te dirai qu'on a essayé de te trouver un vol pour Chicago, mais que tout est complet, même avec une escale au Canada ? a sangloté Bethan. Tu peux aller passer Noël avec papa ? S'il te plaît ! Je ne peux pas supporter de te savoir seule pour les fêtes.

— Doux Jésus ! Je préfère encore être seule plutôt que de passer Noël en compagnie de Roy et Sandra ! Je te parie qu'ils vont réserver une table chez Garfunkel ! me suis-je écriée, ce n'était même pas une blague, mais Bethan s'est mise à glousser tout en pleurant.

— Jeane, je me sens vraiment mal à cause de tout ça, mais le mariage devrait avoir lieu en janvier et…

— Alors je te vois en janvier, et sache bien que n'importe quelle immonde robe de demoiselle d'honneur que tu me choisiras me plaira sûrement, même en satin puce. Ne me force pas à porter quoi que ce soit… *de bon goût*, ai-je averti en feignant un frisson, ce qui a fait rire Bethan et Alex. Ne t'inquiète pas pour moi, à Noël, je m'incrusterai chez Ben ou bien chez ma copine Tabitha, qui organise toujours une opération maison ouverte pour tous ceux qui ne savent pas trop quoi faire. Honnêtement, ça va aller.

— Je me déteste de faire une chose pareille.

— Bethan, c'est vraiment pénible, quand tu t'apitoies sur toi-même comme ça, alors arrête, ai-je commenté.

Je sentais toute la déception et l'amertume monter en moi, j'ai dû les ravaler comme de la bile. Jusque-là, je comptais les jours qui me séparaient de l'arrivée de Bethan à Heathrow et du gros, gros câlin avec lequel j'avais prévu de l'accueillir, avant de l'avoir pour moi toute seule toute une semaine. Elle ne serait plus jamais à moi toute seule. Je viendrais au bas de la liste après Alex et le nouveau bébé.

— Et puis arrête de pleurer, ça n'est sûrement pas bon pour le morpion. Il risque de naître avec des idées noires, ai-je ajouté.

— Oh, la ferme, a reniflé Bethan.

Cependant, elle a réussi à contrôler ses larmes, nous avons pu discuter pendant quelques minutes du super-cadeau de Noël qu'elle comptait m'offrir, je leur ai déconseillé un gâteau aux fruits bourratif pour leur mariage, parce que personne n'aimait ça, après ils ont dû raccrocher.

Quand je me suis enfin lancée en quête de chiots sur YouTube, ou de quoi que ce soit susceptible de me faire sourire, j'ai su que j'avais eu raison de tout laisser tomber pour poursuivre mes rêves. Irresistibly Geek me permettait de faire partie de quelque chose, sans ça, je n'avais rien.

~ 33 ~

Et, le matin du 24 décembre, après avoir servi environ deux cent trente-deux tasses de thé à mes parents en signe de pénitence, après avoir passé mon entretien à Cambridge (où, bien que je ne veuille pas tenter le sort, le professeur qui m'a reçu a conclu en me serrant la main qu'il avait hâte de me voir en septembre), j'ai eu droit à un cadeau de Noël en avance.

Le Wi-Fi a été réinstallé (je n'ai pas eu le cœur de leur révéler que j'avais hacké le routeur chaque fois que je souhaitais me connecter), ma PS3 a été cérémonieusement rétablie dans ses fonctions, ainsi que l'iPod, la télé et les clés de voiture.

J'avais retrouvé ma liberté. Il me restait trois heures pour boucler mes cadeaux de Noël avant de rejoindre toute la bande pour déjeuner.

— Si tu prends la voiture, ne bois pas plus d'un verre, m'a recommandé mon père tandis que la famille au complet se réunissait dans l'entrée pour me dire au revoir.

— Je ne trouverai jamais de place où me garer, je prends le bus, ai-je dit.

— N'oublie pas d'acheter du papier alu, m'a rappelé ma mère.

Tout était redevenu normal. Pendant deux semaines, je n'avais été autorisé à parler que si l'on m'adressait la parole, mais plus le rendez-vous à Cambridge approchait, plus mes parents avaient éprouvé le besoin d'évoquer avec moi les entretiens blancs, le nom du professeur que je rencontrerais, si je le connaissais, l'intérêt ou non de me procurer certains de ses livres pour me préparer convenablement, donc ça avait été supportable.

Mais aujourd'hui, ma mère a déposé un petit bisou sur ma joue et mon père a regardé en souriant mes deux sœurs s'accrocher à mes jambes.

— Tu as notre liste, hein ? m'a une nouvelle fois demandé Melly. C'est Percy Pig, pas Peppa Pig. C'est très important, Michael.

— Sois rentré pour regarder *Noël chez les Muppets*. Nous allons préparer des cupcakes spécial Muppets, a précisé Alice.

Ma mère a frissonné, anticipant les ravages qu'elles s'apprêtaient à infliger à la cuisine. J'en souriais encore lorsque j'ai atteint l'arrêt de bus.

N'étant pas une fille, et ayant déjà procédé à l'achat de la majeure partie de mes cadeaux de Noël durant les moments où j'avais été « autorisé » à accéder à Internet, j'ai terminé mes emplettes en trois heures. Dont une entière chez Claire's Accessories, à recevoir des coups de coude, de genoux et de poing de la part de préados qui avaient dû sniffer trop de paillettes. Chargé de mes sacs, je me suis présenté au pub gastronomique tenu par le père d'Ant.

J'essayais de me frayer un passage parmi la foule du bar quand soudain Heidi est apparue devant moi et s'est jetée à mon cou.

— Michael ! Je suis tellement contente que tu aies pu venir, a-t-elle minaudé avant de m'embrasser.

Genre, sur la bouche, puisqu'elle avait visiblement décrété que le speech « merci, mais non merci » que je lui avais servi au concert de Duckie était une manière pour moi de jouer les inaccessibles.

— Regarde-moi tous ces paquets ! a-t-elle continué. Y aurait-il un petit quelque chose pour moi là-dedans ?

J'ai réussi à l'éjecter avant qu'elle ne m'étrangle.

— Ça dépend si je suis tombé sur toi au tirage au sort du Noël des amis, pas vrai ?

Elle a fait une moue boudeuse et je voyais bien qu'elle s'apprêtait à glisser son bras sous le mien, mais après un habile pas de côté, je me suis retourné et j'ai repéré notre table, abandonnant derrière moi Heidi, qui vacillait sur ses talons si vertigineux qu'elle risquait sûrement un saignement de nez.

— Je t'ai gardé une place, m'a-t-elle lancé.

Cependant, il restait une chaise libre à côté de Scarlett, je me suis jeté dessus en échangeant un regard consterné avec Barney et elle.

Durant les semaines où j'avais été obligé de me rendre directement au lycée sans passer par la case départ – une punition que je continue de juger disproportionnée, il n'y avait pas eu mort d'homme et ma mère soûlait toutes ses copines avec mon stage à Palo Alto sûr à quatre-vingt-dix-neuf pour cent –, je n'ai eu le droit de voir des amis qu'à l'heure du déjeuner. La plupart du temps, j'avais passé ce moment en compagnie de Barney et Scarlett.

Comme ils étaient déjà au courant pour Jeane et moi, ils ne m'ont pas harcelé de questions, ni demandé de confirmer les rumeurs selon lesquelles Jeane était enceinte / avait émigré / avait été renvoyée. Certes, Scarlett, qui mourait d'envie de savoir ce qui s'était réellement passé, ne cessait de m'observer avec un air perplexe, sourcils froncés, yeux plissés, mais chaque fois qu'elle ouvrait la bouche et qu'elle commençait à dire « Alors comme ça, Jeane et toi… », Barney lui jetait un regard noir, ou lui donnait un coup de coude, une fois, il lui avait même envoyé une chips à la figure.

Ensuite, lorsqu'il était devenu évident que Jeane ne reviendrait plus au lycée, lorsque j'en ai eu plus qu'assez que les gens veuillent me parler d'elle, puisque non seulement tout s'était très mal terminé, mais c'était même la rupture la plus gore de l'univers, Barney et Scarlett avaient été là pour moi, comme une sorte de présence discrète, toute simple. Depuis qu'elle sortait avec Barney, Scarlett n'était plus aussi geignarde et chichiteuse, quant à Barney, eh bien, je crois pouvoir vraiment l'affirmer : c'est un pote. C'est quelqu'un de drôle, et nous discutions informatique ou *Star Wars* pendant que Scarlett se faisait les ongles. C'était comme si Jeane et moi avions réussi à faire apparaître le pire chez eux, mais ensemble, ils étaient bien, bien plus que la somme de leurs parties réunies.

Lorsque je les ai rejoints au pub, tous deux souriaient. Scarlett s'est lancée dans une anecdote interminable à propos de sa cousine, qui avait dû quitter son emploi à temps partiel chez Claire's Accessories, à cause des hurlements suraigus qui lui avaient perforé le tympan. Barney, lui, m'a lancé sur un problème informatique. En face, Heidi continuait de me faire la tronche, les bras croisés sous ses seins pour bien mettre en valeur son décolleté.

Tout le monde a fini par arriver, nous avons commandé à boire et à manger, fait exploser nos petits Christmas crackers, puis nous avons commencé la distribution des cadeaux-surprises. J'étais tombé sur Mads, vraiment pas de bol, parce que la consigne était de ne dépenser que cinq livres, or Mads n'était pas du genre bon marché.

— Je n'ai peut-être pas les moyens d'acheter ailleurs qu'à Topshop, mais dans mes rêves, je porte du Chanel, aimait-elle à dire.

J'avais dû passer par la boutique Cath Kidston pour trouver un cadeau à ma mère, j'en avais profité pour choisir une paire de barrettes ornées de petits terriers écossais pour Mads. Mignons. Toutes les filles aimaient les trucs mignons. C'est un fait. Du moins celles qui ne voulaient pas à tout prix imposer leur vision pervertie et toute personnelle du mignon au reste du monde.

J'ai pris conscience de mon erreur à l'instant où Mads a ouvert le paquet. Cette fille ne donnait pas vraiment dans le mignon, elle non plus, à moins qu'il soit accompagné d'un logo Chanel. Son sourire d'excitation a pâli, puis il est revenu, deux fois plus grand, mais deux fois moins sincère.

— Comme c'est chou, s'est-elle exclamée à peu près du même ton que précédemment, lorsqu'elle avait jugé « dégueu » le bloody mary de Dan. Très chou.

D'un regard peu amène, elle a fait le tour de la table.

— Alors, qui était tombé sur moi ?

J'ai timidement levé la main.

— Si elles ne te plaisent pas, je peux les offrir à une de mes frangines, je te file le fric à la place.

— Ne sois pas ridicule, a protesté Mads en serrant les barrettes contre son cœur comme si je m'apprêtais à les lui arracher des mains. Je les aime beaucoup. Elles sont vraiment, hum, originales.

— Oui, c'est vrai, a commenté Dan avec un petit sourire en coin. Un peu le genre de truc, disons, que tu offrirais à Jeane Smith si tu te la tapais, sauf qu'apparemment ce n'est pas le cas.

— Connard, ai-je rétorqué, parce que c'en était vraiment un. Je t'en prie, je ne manque pas de goût à ce point. Je ne couche pas avec elle. Jamais.

— En tout cas plus maintenant, a-t-il marmonné.

J'ai serré les poings, mais je n'ai pas réagi parce que si je commençais à l'insulter et à me mettre en colère, Dan aurait eu exactement ce qu'il voulait et tout le monde penserait que j'avais quelque chose à cacher. J'ai donc attendu un moment, le temps de concocter une réplique qui tue :

— Si tu es autant obsédé par ma vie sexuelle, c'est peut-être parce que tu ne baises pas assez.

— Hé, je n'ai aucun problème de ce côté, merci !

— Est-ce que ça compte, le fait de se branler une fois par heure ? a lancé Ant, provoquant la consternation de tous.

J'ai cru le sujet clos. Je me trompais.

— Allez, Michael, avoue que tu sortais avec elle, a dit Mads. Tu l'as accompagnée à New York et tu as carrément passé l'after du concert de Duckie à lui rouler des pelles. La grande sœur de la meilleure amie de ma cousine traîne avec la bande de Duckie, et elle m'a dit qu'elle t'avait vu là-bas. En plus, on te voit faire l'imbécile avec Molly et Jane sur les photos du groupe sur Flickr.

— Je n'avouerai rien du tout parce que ce n'est pas vrai, ai-je insisté.

Dan a tapé dans ses mains d'un air ravi – il faut dire qu'il a à peu près dix ans d'âge mental.

— Ha ! Deux négations font une affirmative !

— Non pas du tout et de toute façon…

— Mais elle est en cloque ou pas ? Comment est-il même possible que qui que ce soit ait envie de coucher avec cette fille ? Beurk, franchement je vois pas. Mais c'est pour ça qu'elle a quitté le lycée ? a demandé Heidi, boudeuse. Parce qu'elle a carrément, *carrément* été renvoyée, là. Pour de bon. C'est ce que j'ai entendu dire.

— Elle n'est *pas* enceinte, a affirmé Scarlett d'un ton brusque. Elle a arrêté les cours parce que, parce qu'elle… Qu'est-ce qu'elle fait, Barns ?

— Elle prépare la domination totale du monde par les geeks, a-t-il répondu. Émission de télé, site Web, livres, conférences, vide-greniers.

— Barney l'aide à concevoir son site Web, a précisé fièrement Scarlett. Pour l'instant, il bosse sur une animation qui montre Jeane en super-héroïne. Vraiment très cool. Quoique. Elle serait nulle comme super-héroïne, elle est beaucoup trop autoritaire en situation de crise.

— Je n'y crois même pas, a aboyé Heidi. Elle s'est fait renvoyer parce qu'elle ne travaille jamais et qu'elle est agressive avec les profs. Michael n'a sûrement pas couché avec elle, vu qu'elle s'habille comme une romano, et en plus elle est *grosse*.

J'aurais pu verser des larmes de joie en voyant deux serveurs approcher de notre table. Entre deux rafales de poivre et de parmesan, nous avons fini par changer de sujet. Qui sortait avec qui, qui avait largué qui, comment remplir le vide béant de nos vies maintenant que le *X Factor* était terminé, les cadeaux que les uns et les autres recevraient pour Noël, leur prix. N'y avait-il donc rien d'autre de plus intéressant, dont nous aurions pu discuter ? Pas forcément les solutions envisageables pour mettre un terme à la faim dans le monde, mais des thèmes un peu plus stimulants que « putain, c'est truqué, cette émission, je ne crois pas un mot de ce que dit le jury ».

— Courage, vieux, m'a soufflé Barney.

Je me suis rendu compte que j'étais avachi sur ma chaise, l'air renfrogné. Toutes ces conneries sur les geeks avaient dû finir par s'infiltrer dans mon crâne comme les gouttes d'eau creusent des fissures dans la roche, parce que j'étais assis là à trouver mes potes super-chiants, tous habillés pareil, à penser pareil. Avec les filles qui font semblant de ne pas vouloir de dessert pendant cinq minutes de suspense insoutenable avant de décider que ce n'était pas très grave d'en prendre un puisque tout le monde en prend. Tellement prévisibles. Tellement pénibles. J'avais envie de leur crier dessus, alors c'était peut-être aussi bien que mon téléphone ait sonné juste à ce moment-là.

Ce devait être ma mère qui, sous le prétexte de me rappeler le papier aluminium à acheter, voulait sûrement s'assurer que je n'étais ni soûl ni à l'étranger.

— Je n'ai bu qu'une bière, ai-je répondu sans même vérifier le numéro. Et non, je n'ai pas oublié que je dois rapporter du papier alu.

Je n'ai pas entendu de réponse, mais un simple reniflement étouffé et j'ai compris que ce ne devait pas être ma mère, parce que la personne au bout du fil pleurait et quand ma mère pleurait, ce qui n'arrivait pas très souvent, elle versait des larmes silencieuses.

J'ai écarté mon portable de mon oreille, pour découvrir, ce qui ne m'aidait pas franchement, que c'était un « numéro inconnu » – j'avais effacé son numéro de mon répertoire. Mais même si elle se contentait de pleurer sans rien dire, j'ai su tout de suite que c'était Jeane. Sans le moindre doute.

∽ 34 ∽

Et le 24 décembre est arrivé, l'univers s'est figé, silencieux.

Enfin non, j'invente. Ni silencieux. Ni figé – surtout pas à 8 heures du matin quand, après une nuit blanche à Shoreditch, j'ai décidé de faire un saut au supermarché pour acheter ma bouffe de Noël avant tout le monde.

En fait, tout le monde était déjà là. Sérieux, ça va bien dans la tête des gens ? On était à la veille de Noël et ils n'avaient rien de mieux à faire que se lever, s'habiller et foncer dans les magasins ?

Au moins, comme je ne m'étais pas couchée, j'avais gardé la robe de bal en lurex et taffetas doré que j'avais portée pour danser sur du breakbeat et du dubstep dans une ancienne supérette abandonnée. Faire ses courses de bouche pour Noël en rentrant chez soi après une fête, c'était quand même plus stylé que se lever à l'aube moins le quart pour faire pareil, mais en sweat-shirt et pantalon de survêtement.

Quoi qu'il en soit, ce n'était pas joli à voir. Les gens se poussaient, une femme accompagnée de deux gosses m'a carrément traitée de pouffiasse, parce que je venais de récupérer le dernier pot de brandy butter, quelqu'un d'autre m'a attrapée par l'arrière de mon faux manteau de fourrure pour m'écarter du rayon des bonbons. J'avais pogoté dans des fosses plus civilisées. Bien entendu, impossible de trouver un taxi, ni ma carte de transport, alors j'ai été obligée de rentrer à pied dans un froid polaire, avec mes quatre sacs bien lourds (qui aurait pu croire que les sucreries et les tortillas pouvaient peser à ce point ?), chaussée d'escarpins qui n'avaient pas été beaucoup portés par leur précédente propriétaire.

L'ampoule sur mon palier était grillée, et je savais que le concierge était en congés jusqu'au nouvel an, j'ai donc dû me débrouiller avec mes sacs et mes clés dans une semi-obscurité, mais enfin, j'ai réussi à rentrer chez moi.

À la maison.

J'avais l'impression de ne plus y avoir mis les pieds depuis des jours, des semaines même. L'appartement n'était plus qu'un endroit de passage où je venais me changer, recharger mon iPhone, mon iPad et mon MacBook, parfois dormir quelques heures, parce qu'honnêtement, j'avais passé ce dernier mois dans une sorte de brouillard.

Mes journées commençaient en général par une réunion autour d'un petit déjeuner, puis s'enchaînaient les réunions tout court et celles autour d'un déjeuner. Éditeurs, agents, responsables de la télé, de la publicité, du marketing, tous avaient besoin de « s'asseoir autour d'une table ». L'après-midi, l'Amérique était réveillée, il y avait des conférences téléphoniques et, parfois, je me rendais à la société de développement Web qui m'aidait à créer irresistiblygeek.com, ou à la boîte de Soho qui produisait mes documentaires.

J'aurais dû détester tout ça, mais non. C'était super-excitant de passer mes journées à parler à des gens qui écoutaient ce que j'avais à leur dire. En général, il fallait vraiment que j'y mette du mien pour trouver des personnes, en dehors de Twitter, qui comprenaient ma démarche, mais désormais, je les avais trouvées.

OK, ils avaient tous au moins dix ans de plus que moi, mais j'avais toujours su que j'étais bien plus mûre que les gens de mon âge. J'adorais particulièrement l'absence totale d'airs exaspérés dès que je la ramenais sur un sujet ou un autre. D'ailleurs, on m'encourageait même à la ramener sur à peu près tout, mais c'était aussi épuisant à tenir sur des heures d'affilée, sans compter que les gens paraissaient un peu déçus quand je n'avais rien à dire, un peu comme si j'étais une otarie dressée pour faire des tours ou je ne sais quoi.

Donc, après de longues journées à la ramener sur tout, j'avais besoin de me détendre, en soirée. Heureusement, j'avais de quoi m'occuper. Avant Noël, les soirées arrosées ne manquaient pas, les groupes jouaient leur dernier concert de l'année, les clubs organisaient des fêtes spéciales, les amis, des dîners de Noël alternatifs, parce qu'ils ne seraient pas à Londres pour la fin d'année. Même Ben disparaîtrait dans la nature… enfin, à Manchester pour une grande réunion de famille chez sa mamie.

Mais voilà, c'était la veille de Noël et le manège de folie sur lequel j'étais montée s'était arrêté. Ce n'était pas grave. J'avais carrément besoin de temps pour me ressourcer un peu. Et c'était aussi bien, finalement, que Bethan n'ait pas pu rentrer parce qu'à part ce saut à la fête de Noël chez Tabitha et Tom demain (note à moi-même : réserver un taxi), j'allais rester tranquille à la maison à travailler sur le premier jet de mon livre.

Ça allait être super. Comme avant. J'allais m'installer sur mon canapé en pyjama, manger des tas de trucs bourrés de sucre, regarder toutes les comédies musicales programmées à la télé sans exception, tout en rédigeant cent mille mots sur la vie et l'œuvre de Jeane Smith pour expliquer comme le monde irait franchement mieux si l'humanité dans son ensemble était un peu comme moi, yo.

Je n'avais plus ni réunions ni soirées prévues, ce qui ne m'empêchait pas d'être très occupée. Être occupée, c'était important, parce que dès que je ne l'étais plus, mon esprit commençait à divaguer. Il divaguait toujours dans la même direction et ce n'était pas une direction où j'avais envie de le laisser se balader.

Les occupations, c'était la clé. Donc, bien que je n'aie pour ainsi dire pas dormi, j'ai décrété que je n'irais pas me coucher, mais que je me mettrais directement au boulot. Si j'allais au lit maintenant, je me réveillerais au milieu de la journée, du coup, je passerais toute la nuit debout et, même si être seule à la maison ne me posait aucun problème, même si j'avais des trucs à faire et des tonnes de gourmandises à grignoter, se retrouver tout éveillée à l'aube le 25 décembre suffirait à ficher le cafard à n'importe qui, à moins d'attendre le passage du père Noël. Bref.

Le plus bizarre, c'était que mon appartement ne me semblait plus tout à fait chez moi. Il était trop propre. Lydia, ma femme de ménage, avait piqué une vraie crise de nerfs après sa première visite et m'avait forcée à acheter toutes ces étagères avec des noms ridicules. Elle avait fait mine de pas comprendre quand j'avais protesté contre l'Ikea-isation de ma sphère domestique. Elle avait également fait mine de ne pas comprendre quand je lui avais annoncé que ça ne fonctionnait pas entre nous et que je n'avais peut-être pas besoin d'une femme de ménage, finalement. Elle mettait de l'ordre partout. Le ménage, c'était sa drogue. Elle triait même mes chaussettes par paires dans leur tiroir (non que j'aie jamais eu un tiroir à chaussettes avant ça, mais elle avait décidé que chaque vêtement devait avoir son propre tiroir).

En rangeant mes courses de Noël dans la cuisine, j'ai constaté qu'elle avait même touché à mes Haribo, qu'elle avait soigneusement empilés dans le réfrigérateur. Malheureusement, elle n'avait pas remarqué que je n'avais plus de lait, elle ne m'en avait donc pas racheté, mais je n'avais plus l'énergie de ressortir et de me faire crier dessus par des enragés du Caddie.

Je me suis déshabillée, prenant un grand plaisir à abandonner mes fringues sur le sol de ma chambre puisque Lydia était partie en Bulgarie jusqu'au 3 janvier, j'ai enfilé un pyjama et j'ai commencé à écrire.

Il m'a fallu un bon moment pour me lancer, mais, très vite, j'ai été absorbée, ne me levant plus que pour me préparer une tasse de café bien noir ou aller aux toilettes – sauf que j'avais aussi oublié d'acheter du papier-toilette, j'ai dû improviser avec un paquet de mouchoirs Hello Kitty déniché au fond d'un sac à main. Bref, j'ai rédigé trois chapitres sur mes jeunes années, omettant tout ce qui pouvait avoir trait à Pat et Roy, parce qu'être élevée par eux était déjà bien assez chiant, je n'allais pas infliger ça aux lecteurs.

Je venais de terminer le résumé des incroyables aventures de Super Fille et de Vilain Chien quand je me suis rendu compte que j'avais du mal à distinguer l'écran de mon ordinateur, parce que la lumière du jour avait disparu et que la pièce était plongée dans la pénombre. J'avais une crampe à la main droite et une douleur dans la nuque à force de me pencher sur mon portable. Je me sentais aussi totalement crade, comme quand on a passé une nuit blanche, qu'il est 16 heures et qu'on n'est toujours pas douché, en fait.

Tout irait beaucoup mieux après une douche et, pourquoi pas, un repas fait maison. Ou préparé par le restaurant thaï d'à côté – ils avaient l'air tellement sympathiques, accueillants, même, quand ils prenaient ma commande au téléphone. Mais mon besoin de propreté était encore plus fort que celui de m'enfiler un pad thaï aux crevettes.

Je me suis traînée jusqu'à la salle de bains, et là je me suis souvenue que j'avais aussi oublié d'acheter du shampoing, mais je devais sûrement avoir quelques petits flacons piqués dans diverses chambres d'hôtel. Je suis donc partie à leur recherche en laissant couler l'eau pour qu'elle chauffe. Sauf que… quand j'ai voulu tirer la porte de ma douche, elle s'est mise à vaciller dangereusement, avant de se coincer au point que je ne pouvais même plus me faufiler dans la cabine.

C'était la faute de Lydia, pas de doute, parce que non seulement cette femme régentait mes normes de propreté, mais elle cassait toujours des trucs, à force de charger à travers l'appartement, un chiffon mouillé dans une main, l'aspirateur sur les talons.

Pendant un instant, l'énormité de cette impossibilité à entrer dans la douche a paru presque trop… énorme, et surtout ridicule. Ce n'était qu'une putain de porte de douche, je n'allais quand même pas me laisser abattre pour si peu. J'allais devoir faire appel au bon sens et, le cas échéant, à la force brute.

J'ai commencé par asperger le rail de lotion pour le corps, pour tenter de faire coulisser le panneau, mais ça n'a rien changé. Après, j'ai essayé de refermer la porte, mais elle était complètement bloquée. Alors, j'ai pris une grande inspiration, j'ai tendu tous mes muscles et je l'ai secouée de toutes mes forces, tout en la soulevant – en fait, je ne sais pas trop ce que j'ai fait, mais le panneau est sorti du rail en bas et putain, ce qu'il était lourd. J'ai fait mon possible pour le remettre en place sans me retrouver coincée dessous ou sans ravager la moitié du carrelage de la salle de bains, mais je n'ai pas réussi.

Je l'agrippais si fort que je me suis retourné un ongle et, quand le panneau m'a échappé des mains, j'ai dû faire barrage de tout mon corps pour l'empêcher de s'écraser sur le sol.

— Ça aurait pu être pire, ai-je constaté à voix haute.

C'était vrai. Il n'y avait rien de cassé, même si j'avais super mal aux doigts.

Donc, maintenant je ne pouvais plus prendre de douche, puisque la porte était posée devant le robinet, mais je pouvais demander au concierge de monter m'aider… sauf qu'il était en Écosse, Gustav et Harry en Australie, Ben à Manchester, Barney avec Scarlett et quel intérêt d'avoir tous ces gens qui travaillaient à la mise en place de ma marque, plus un demi-million de followers sur Twitter alors que c'était la veille de Noël, que je ne pouvais pas prendre de douche, qu'il n'y avait personne pour me rappeler d'acheter du lait, du shampoing et du papier-toilette parce que j'étais toute seule ?

J'étais l'unique responsable de cette situation.

Être seule et se sentir seule étaient deux choses différentes, cependant elles se ressemblaient beaucoup : c'était horrible. Une veille de Noël, c'était comme un dimanche soir, mais puissance mille. Et demain, ce serait le 25 décembre, ce serait encore pire d'être seule et de se sentir seule. En plus, j'avais trop attendu, je ne pourrais sûrement plus réserver de taxi pour aller chez Tabitha, de toute façon.

Je me suis rendu compte que j'étais en train de pleurer, alors qu'en général, les larmes, j'évite. Je ne voyais pas l'intérêt. Ça ne menait à rien. C'était inutile et on se sentait encore plus mal après.

J'étais tellement désespérée que j'ai récupéré mon téléphone pour appeler la seule personne à laquelle j'essayais de ne pas penser, parce que si je commençais à penser à lui, je ne pourrais plus m'arrêter. Nous nous détestions maintenant, nous ne nous étions plus adressé la parole depuis des semaines, mais je savais, je savais sans le moindre doute que si je lui demandais de venir, pour que cesse ma solitude, pour qu'il répare ma foutue porte de douche, il viendrait.

Pour moi.

~ 35 ~

— Salut, qu'est-ce qui se passe ? ai-je demandé en la rappelant, non sans gentillesse, mais pas non plus comme si tout allait bien entre nous, pour qu'il soit clair qu'elle ne pouvait pas m'appeler en cas de vague à l'âme passager.

— Je suis désolée, a-t-elle bafouillé. Tu étais la dernière personne à qui j'aurais voulu téléphoner, mais j'ai tenté de joindre tout le monde et tu es bien la dernière qui reste. La dernière !

Bon, je dois admettre qu'il aurait fallu avoir un cœur de pierre pour ne pas ressentir quelque chose quand la personne avec qui vous avez connu les pires et les meilleurs moments de votre vie était en larmes sans que vous ayez la moindre idée de ce qui se passait.

— Quel est le problème ? Tu vas bien ?

— Non. Rien ne va et je ne sais pas quoi faire.

Elle a conclu sa phrase par une plainte, après quoi elle s'est mise à sangloter de plus belle, au point de ne plus pouvoir articuler un mot.

— Est-ce que tu veux que je vienne ? ai-je demandé, mais je parlais dans le vide parce qu'elle avait déjà raccroché.

Alors, sans y réfléchir, parce que si je commençais à réfléchir, je serais resté où j'étais et j'aurais commandé un café, je me suis levé de table.

— Je dois filer, une urgence papier alu, ai-je lancé à la cantonade en récupérant mon portefeuille. Je vous laisse vingt livres pour ma part plus le pourboire ?

La réaction générale pouvait se résumer ainsi : « Mais non, reste. » Suivie de : « Tu n'as qu'à faire un saut à l'épicerie du coin qui ne ferme jamais », mais ce n'était pas aussi simple. Ce n'était jamais simple avec elle.

Ça m'a fait bizarre d'emprunter à nouveau la rue de Jeane, de me retrouver devant son immeuble, de sonner puis de crier « Jeane ? c'est moi » dans son Interphone. Elle n'a pas répondu, mais elle m'a ouvert. Quand je suis sorti de l'ascenseur, elle m'attendait dans le couloir sombre, la seule lumière provenait de la porte béante de son appartement.

J'avais oublié à quel point elle était petite. Elle portait un bas de pyjama violet à motif de chats noirs ondulants et par-dessus, un gros pull pelucheux. Elle avait les cheveux blancs, ce qui n'allait pas avec son visage, tout rouge et bouffi comme si elle pleurait depuis des heures. Je déteste quand les filles pleurent. C'est tellement injuste.

— Je ne m'attendais pas à ce que tu viennes, a-t-elle constaté d'une voix étranglée, comme si l'air ne passait pas dans sa trachée. Tu n'étais pas obligé.

— On aurait dit qu'il t'était arrivé un truc horrible. D'ailleurs, tu ne devrais pas ouvrir aux gens comme ça, j'aurais pu un être un violeur meurtrier et assassin.

Elle a reniflé.

— Assassin et meurtrier, ce n'est pas un peu la même chose ? Par exemple, on ne peut pas avoir un assassin qui ne soit pas aussi meurtrier.

— Si, s'il n'avait pas l'intention de tuer. Genre si c'est un crime passionnel, ai-je décrété.

Jeane a opiné avec lassitude, comme incapable de pinailler sur les détails et c'est là que j'ai compris que ça n'allait pas du tout : pour Jeane, pinailler, c'était aussi naturel que respirer. En plus, elle avait vraiment une mine épouvantable. Ça n'avait rien à voir avec ses défauts physiques ni les couleurs peu flatteuses dans lesquelles elle choisissait de teindre ses cheveux, ni sa tendance à s'habiller en clown ; épouvantable dans un autre genre.

Son visage, du moins les parties qui n'étaient ni rouges ni marbrées, était couleur mastic ; sa posture n'était pas droite, mais voûtée, les bras serrés autour d'elle. Elle puait l'échec, et franchement, je ne voyais pas pourquoi, puisque tout était censé aller pour le mieux dans sa vie. Elle était en train de conquérir le monde, un geek après l'autre.

— Je n'aurais pas dû t'appeler, a-t-elle dit. Maintenant que tu es là, j'ai honte, en plus tu vas me crier dessus parce que j'ai exagéré et, vu mon état, je ne vais pas supporter de me faire enguirlander.

— Dis-moi pourquoi tu m'as appelé et je te dirai si c'était abusé.

Elle a tracé un petit dessin du bout de l'orteil sur la moquette de son entrée.

— Ma réaction est sûrement disproportionnée.

L'éloignement n'avait pas renforcé mes sentiments. Plutôt mon exaspération.

— Jeane !

— OK, OK, a-t-elle marmonné.

Je l'ai suivie à l'intérieur, légèrement inquiet à l'idée de ce désastre tel qu'il l'avait privée de toute sa combativité. Roy et Sandra s'étaient peut-être pointés avec une carte de Noël et Jeane leur avait défoncé le crâne à l'aide d'un presse-purée.

— C'est propre chez toi, ai-je remarqué en jetant un coup d'œil dans le salon. Nickel, même. Comment ça se fait ?

— J'ai engagé une femme de ménage. Elle est bulgare, elle me crie dessus, elle m'a forcée à acheter un nouvel aspirateur et puis elle casse des trucs. Elle a cassé ma tasse préférée, aussi mon deuxième clavier préféré, parce qu'elle l'a nettoyé avec un chiffon mouillé. Et elle a dû faire quelque chose à la porte de la douche parce qu'elle ne bougeait plus et après elle est tombée.

— Qu'est-ce qui est tombé ?

Je n'avais pas tout suivi.

— La porte de la douche, m'a expliqué Jeane.

Elle m'a guidé jusqu'à la salle de bains et là, elle a à nouveau fondu en larmes.

Sans trop entrer dans les détails techniques, la cabine de douche de Jeane fermait grâce à deux panneaux coulissants, dont un devait glisser derrière l'autre pour permettre d'accéder au bac. Du moins quand il n'était pas posé contre le premier, en travers du bac.

— Ça ne vaut pas le coup de pleurer, ai-je remarqué.

Elle a secoué la tête en se blottissant contre le lavabo comme si je risquais de lui coller une baffe en lui criant d'arrêter de jouer les hystériques. Je ne l'ai pas fait, mais j'avoue que l'idée m'a traversé l'esprit.

Au lieu de ça, je me suis concentré sur les rails, puis sur la malheureuse porte de douche.

— Tu vois cette partie plus fine, là ? Elle est censée rentrer dans la fente, ai-je expliqué.

— Sans déconner, Sherlock.

De toute évidence, il ne fallait pas que je compte sur Jeane pour m'aider.

Avec une profonde inspiration, j'ai saisi le panneau avec fermeté, j'ai tendu mes muscles et j'ai soulevé. Sans résultat. J'ai réessayé une nouvelle fois, et j'ai dû réussir à la déplacer d'un centimètre.

— Comment tu as réussi à le bouger ? me suis-je exclamé. Il pèse une tonne !

Jeane pleurait encore plus fort et je confirme, cette réaction était totalement disproportionnée.

— Je vais voir à côté si Gustav et Harry sont dans le coin. Jamais je n'y arriverai tout seul.

Jeane a articulé quelque chose, que je n'ai pas réussi à décrypter tellement elle avait le nez bouché.

— Quoi ? Qu'est-ce que tu essaies de me dire ?

— Ils ne sont pas là ! Ils sont partis en Australie voir les parents de Harry et le concierge est en Écosse. Tous les gens de l'immeuble sont soit trop vieux, soit loin d'ici, à part la femme d'en dessous qui me déteste parce que selon elle je claque les portes. Ben est en famille à Manchester, Barney a encore moins de forces que moi et puis tout le monde est occupé par les conneries de Noël. Bethan devait être là pour les fêtes, mais elle va se marier et puis la mère de son copain est en train de mourir, alors elle a été obligée de rester à Chicago.

Jeane était toute rouge. Plus rouge que rouge. Il aurait fallu inventer une nouvelle teinte de rouge pour décrire la couleur de son visage. Elle a pris une grande inspiration tremblotante.

— Je n'avais personne d'autre vers qui me tourner. Tout le monde a sa famille, des endroits où aller, des trucs à faire, sauf moi. Moi, je n'ai personne. Je suis toute seule, c'est la veille de Noël et je ne peux même pas me doucher, merde, alors que ça fait huit heures d'affilée que je bosse, parce que la porte de ma douche est cassée et tout le monde s'en fout.

— Oh, Jeane, moi je ne m'en fous pas.

Et ce n'était pas seulement parce qu'il n'y avait rien d'autre à lui répondre dans ces circonstances. À la voir comme ça, tremblante, en larmes, comment aurais-je pu m'en foutre, alors que jamais quelqu'un ne m'avait semblé aussi désespéré ? C'était impossible.

— Tu mens, a-t-elle dit en partant dans une nouvelle crise de larmes.

Je détestais la voir dans cet état. Jeane était forte, solide, elle était capable de décrocher une conférence à New York au culot, de persuader des gens de lui confier des émissions de télé, de lui signer des contrats pour des bouquins. Elle ne baissait pas les bras devant une porte de douche cassée. Elle valait mieux que ça.

Jeane n'a pas paru convaincue par mon petit speech pour lui remonter le moral et, quand j'ai essayé de la serrer dans mes bras, elle s'est écartée. Comme je ne savais plus quoi faire pour la réconforter, ni pour remettre la porte sur ses rails, j'ai fait la seule chose qui me restait à faire.

J'ai appelé chez moi.

Quand mon père est arrivé, Jeane pleurait toujours, mais pour changer un peu, elle était lamentablement avachie sur le sol de la salle de bains.

J'avais expliqué au téléphone que Jeane traversait une sorte d'épisode psychotique, ma mère avait répondu que ce n'était pas une raison suffisante pour échapper à une punition. J'avais répliqué que je n'avais pas beaucoup bu et qu'ils n'avaient jamais précisé que le fait de voir Jeane était une infraction aux termes de ma liberté conditionnelle.

Dieu merci, il y avait eu une urgence en cuisine avec les cupcakes des filles et elle m'avait passé mon père. Voilà pourquoi il se trouvait désormais dans la salle de bains de Jeane, accroupi devant elle, un gant de toilette mouillé à la main.

— Tu te sentiras beaucoup mieux si tu te passes un coup sur la figure, a-t-il suggéré de la même voix qu'il employait avec Alice après une chute de vélo ou Melly en pleine crise pour ses devoirs d'orthographe.

Ça a fonctionné avec Jeane aussi. Une petite main a surgi du tas qu'elle formait sur le sol pour s'emparer du gant de toilette, les sanglots se sont calmés. Pour finir, elle s'est assise et a écarté les mèches de devant ses yeux.

Elle aurait fait fondre le cœur du plus dur, du plus intraitable des parents. Même ma mère aurait abandonné son petit ton désagréable avec elle pour lui préparer une tasse de thé. Mon père, lui, a simplement ôté son manteau pour le suspendre au porte-serviettes puis il a remonté ses manches.

— Bon, Michael, attaquons-nous à cette porte de douche.

Il nous a fallu quasiment une heure avant de reconnaître et d'avouer à Jeane (qui dès le départ s'était montrée assez dubitative quant à nos chances de réussite) que cette porte ne retrouverait pas sa place initiale.

— Elle semble trop grosse pour glisser dans la fente, a constaté mon père d'un air perplexe. Je suis vraiment désolé.

— Ce n'est pas grave, a répondu Jeane avec lassitude. Merci d'avoir essayé.

Un silence gêné s'en est suivi, parce que notre mission était accomplie, ou pas, en réalité, mais nous n'avions plus de raison de nous éterniser.

— Ça va aller, Jeane ? ai-je demandé.

J'ai cru qu'elle me répondrait d'un ton assuré que tout irait bien, qu'on ne s'en fasse pas pour elle, mais elle s'est contentée de déglutir avec difficulté.

— Bon, tu ne peux pas rester ici avec une douche dans cet état, a déclaré mon père avec fermeté. Mon ticket de stationnement se termine dans dix minutes, alors file préparer ton sac, on t'emmène.

— Je ne peux pas faire ça, a protesté Jeane.

Elle avait l'air consternée, ce qui était déjà un progrès par rapport à son précédent état catatonique.

— Je ne peux pas me pointer comme ça sans être invitée, a-t-elle ajouté.

— Je t'invite, a affirmé mon père avec calme. Allez, on y va.

Je n'étais pas franchement emballé de la tournure que prenaient les événements, mais l'idée de laisser Jeane toute seule, en vrac et en larmes sur le sol de sa salle de bains, ne me réjouissait pas follement non plus.

— Il y aura des cupcakes et *Noël chez les Muppets*, ai-je dit d'un ton cajoleur. Tu adores les Muppets.

— C'est vrai, a-t-elle convenu avant de se retourner au ralenti pour récupérer sa brosse à dents.

～ 36 ～

— Je suis vraiment désolée d'arriver à l'improviste comme ça, ai-je dit quand la mère de Michael a ouvert et m'a découverte sur le seuil, comme un colis abandonné sans le moindre mot du facteur pour justifier ma présence.

Michael et son père avaient fait un saut à l'épicerie du coin et m'avaient laissée me débrouiller en précisant gaiement : « Pas de problème, on l'a prévenue ! » Mais il y avait bien un problème, en fait.

— Et je vous demande pardon pour New York, ai-je donc ajouté.

Elle m'a scrutée longuement, d'un air implacable. Je préfère de loin le père de Michael. Il était tellement zen que j'avais toujours l'impression que sa sérénité déteignait un peu sur moi, alors que sa mère faisait se hérisser les poils de ma nuque.

— Tu ferais bien d'entrer, a-t-elle déclaré.

En temps normal, je me soucie peu de l'allure que j'ai, mais là, j'ai regretté d'être habillée de ce bas de pyjama à chats, avec mon blouson en fausse fourrure léopard et mes pantoufles à tête de lapin. Je regrettais également mon visage si bouffi par les larmes qu'on aurait cru qu'il avait servi de punching-ball.

Comme j'hésitais, elle a soupiré :

— Tu laisses entrer l'air froid.

Je n'ai donc eu d'autre choix que de franchir cette porte. Enfin, si, j'avais le choix, mais je ne me sentais pas trop de rentrer chez moi en pantoufles lapin.

— Je m'excuse pour tout, ai-je dit une fois encore.

Je n'étais pas persuadée d'être à ce point désolée, mais je ne pouvais pas supporter l'éventualité d'un retour dans mon appartement vide. J'en avais ras le bol d'être seule avec moi-même. D'ailleurs, je ne me reconnaissais même plus, parce qu'en général, je ne pleurais pas comme ça. La dernière fois que j'avais versé une larme, c'était le dernier jour du camp rock quand nous avions toutes improvisé un « Born this way » en chœur, mais il s'agissait de larmes de joie qui n'avaient duré que le temps qu'il m'avait fallu pour essuyer mes joues sans que personne le remarque. Jamais avant aujourd'hui, je n'avais pleuré pendant des heures, et surtout pas en raison d'un pépin domestique, certes agaçant, mais pas si dramatique.

Cela dit, je devais bien l'avouer, la raison de cet effondrement n'était peut-être pas la douche. Cette porte était en quelque sorte une métaphore. Elle représentait tout ce qui n'allait pas. C'est vrai, je vivais des choses formidables, mais aussi des tas d'autres, beaucoup plus moches, qui me touchaient profondément et dont je souffrais. Alors, me tenir dans l'entrée de Michael, le 24 décembre, même en pyjama, avec mes affaires à la main, devant sa mère qui me dévisageait comme si je venais d'essuyer mes pieds pleins de crotte de chien sur son tapis, c'était encore mieux que de rester chez moi.

— Oublions ce qui s'est passé il y a quelques semaines, a-t-elle décrété. Cette histoire est derrière nous et pour l'instant, ce qu'il te faut, c'est un bain chaud et une tasse de thé.

J'ai hoché la tête et j'ai suivi Mme Lee jusqu'à la cuisine, où elle a mis la bouilloire en route. Je me suis mentalement préparée à vingt minutes de conversation guindée autour d'une tasse de thé, ponctuées de quelques regards en chiens de faïence, quand soudain la porte donnant sur le salon s'est ouverte et deux têtes sont apparues.

— Oh ! C'est toi !

Sur ce, les deux petites sœurs de Michael ont débarqué dans la pièce, chacune vêtue d'un costume de fée, et m'ont grimpé dessus.

— On s'est déguisées au cas où on croiserait le père Noël !

— On lui a préparé des cupcakes Muppets !

— Pourquoi tu as les cheveux blancs ? Tu as eu un grand choc ?

— J'ai des pantoufles lapin exactement comme les tiennes ! Je vais les mettre comme ça on sera jumelles de pantoufles !

— Demain c'est Noël alors ce soir on mange des frites, des saucisses et *en plus* on a le droit de manger devant la télé !

— *Noël chez les Muppets !* C'est notre film préféré de tous les préférés !

— Sauf *Toy Story 2* ! Tu aimes *Noël chez les Muppets* ?

Elles parlaient vraiment comme ça, avec un point d'exclamation planté à la fin de chaque phrase haut perchée. C'était drôle et épuisant.

— Bien sûr que j'aime *Noël chez les Muppets*, c'est un classique, ai-je répondu et, de manière assez incroyable, la mère de Michael, qui épluchait des pommes de terre, a croisé mon regard et m'a souri.

Il s'en est suivi un débat échevelé sur nos Muppets préférés, elles n'étaient pas ravies que je choisisse Gonzo. Elles plaidaient la cause de Piggy la cochonne en stéréo dans mes oreilles, quand Michael et son père sont arrivés, chargés d'une caisse de bière et de quelques sacs de courses.

Michael m'a saluée de la tête avec froideur.

— Ça va ?

— Oui.

Ses parents se demandaient, en plaisantant, combien de temps ils tiendraient encore avant d'ouvrir la bouteille de vin, Melly et Alice se chamaillaient assez inutilement pour savoir combien de cupcakes elles étaient capables d'avaler sans vomir et, tandis que Michael passait devant sa mère pour mettre les bières au réfrigérateur, elle lui a caressé le bras, dans un geste bref, fugace qu'il n'a même pas remarqué. Moi qui avais eu l'impression d'être une outsider toute ma vie, jamais ce sentiment n'avait été aussi fort qu'en cet instant.

— Jeane va manger avec nous ? a tout à coup demandé Melly.

— Oui, a répondu Mme Lee avec assurance. Elle reste dormir.

Melly et Alice ont échangé un sourire maléfique.

— Quand la petite amie du frère de Katya reste la nuit, ils dorment dans le même lit, a annoncé Melly, ce qui a provoqué coups de coude et gloussements en série. Est-ce que Jeane va dormir dans la ch…

— Non ! ai-je explosé. Pas du tout !

— Jeane n'est pas ma petite amie, a rétorqué Michael. Et c'est malpoli de poser des questions indiscrètes.

— Mais comme tu ne m'as pas laissée terminer ma question, je n'ai pas vraiment été malpolie.

— En tout cas, c'était ta petite amie avant, a affirmé Melly après un petit coup d'œil en direction de ses parents, engagés dans une conversation tendue sur la graisse d'oie. Parce que c'est ce que maman a dit quand vous êtes partis à New York tous les deux et que Michael a été puni très fort. Il était de très, très, *très* mauvaise humeur. Il a fait croire que c'était à cause de son entretien à Cambridge, mais c'était il y a super longtemps, et depuis il est toujours de très, très, *très* mauvaise humeur.

Tout ça était très… intéressant. Michael ne m'avait pas manqué du tout, ou plutôt je ne m'y étais pas autorisée, j'étais tellement occupée, et puis je n'allais plus au lycée, donc je ne voyais plus ses pommettes, ses yeux en amande, ni son corps svelte et souple, ni sa jolie bouche pour l'heure réduite à une ligne pincée sur son visage. C'était très facile de s'arranger pour que quelqu'un ne vous manque pas quand il n'apparaissait plus dans votre vie, mais peut-être lui avais-je manqué. Un peu. Ou bien alors il m'en voulait encore de toutes les horreurs que je lui avais envoyées à la figure à New York. En plus, à notre arrivée à Heathrow, quand il avait tenté de m'aider avec mes bagages, je lui avais dit d'aller se faire foutre. On se relève difficilement de ce genre de choses.

— Si j'étais de très, très, *très* mauvaise humeur, Melly, c'est sûrement parce que j'ai deux sœurs très, très, *très* agaçantes, a répliqué Michael.

Toutes deux se sont indignées, outrées.

— T'es trop méchant, je vais cracher sur tes cupcakes, a lancé Alice à l'instant où Mme Lee sortait la tête du réfrigérateur.

— Moi, je connais deux petites filles qui risquent bien d'aller au lit sans dîner ni cupcakes, a-t-elle asséné avec sérieux.

Comment ne pas prendre en pitié ces deux petites filles en train de bouder ? Si Michael ne voulait même pas poser les yeux sur moi, tant pis. Je pouvais faire avec. Je prendrais mon bain, je mangerais un morceau et je rentrerais chez moi.

Si je ne suis pas rentrée, c'est parce que je me suis endormie au beau milieu de *Noël chez les Muppets*. J'avais bien mangé, bu des litres de thé, j'étais coincée entre Melly et Alice, avec qui je partageais un gros fauteuil et à un moment, Piggy la cochonne et Ebenezer Scrooge s'agitaient sur l'écran, et juste après Mme Lee m'a réveillée pour m'emmener me coucher dans la chambre d'amis. Elle m'a même bordée. Personne ne m'avait plus bordée depuis... Eh bien, je ne me souvenais pas que ça me soit un jour arrivé.

Pendant la nuit, Melly et Alice m'ont rejointe, elles avaient cru entendre un renne. Elles avaient dévoré tous les chocolats qu'elles avaient trouvés dans leur chaussette de Noël et se demandaient si je n'avais pas envie de regarder un dessin animé. Constatant que ce n'était pas le cas, elles s'étaient glissées sous la couette avec moi et j'avais commencé à leur raconter l'histoire de Sammy l'écureuil rockeur quand elles ont sombré, c'était aussi bien, vu que je ne voyais pas trop comment me dépêtrer de Sammy.

Et c'est ainsi que j'ai découvert que M. et Mme Lee ne se levaient pas à 5 heures le matin de Noël, mais qu'ils s'autorisaient à traîner au lit jusque 8 h 30 et, si Mme Lee gardait une quelconque rancune vis-à-vis de l'horrible fille qui avait kidnappé son fils, ce sentiment avait totalement disparu.

Peut-être était-ce dû aux treize heures de sommeil quasi ininterrompues, à ma crise de larmes de la veille ou simplement parce que j'avais pu recharger mes batteries, mais j'avais hâte de me lever et de filer de là. Je ne voulais pas être l'intruse dans leurs traditions familiales. De plus, Michael ne m'adressait pas la parole, ne me regardait pas, sauf à me passer le sucrier sans qu'il soit besoin que je le lui demande, parce qu'il savait que je mettais au moins trois sucres dans mon café.

— Tu es tout à fait la bienvenue, si tu souhaites rester, a dit Shen.

Ce qui a été confirmé par un hochement de tête de Kathy – je me sentais un peu obligée de l'appeler Kathy maintenant, et plus Mme Lee.

— On a tellement cuisiné qu'on mangera sûrement de la dinde jusqu'à Pâques, sinon, a-t-elle commenté.

— Je vais chez ma copine Tabitha plus tard, ai-je expliqué. Je lui ai promis un coup de main pour préparer ses feuilletés aux saucisses.

Moi qui avais déjà du mal à me faire mes propres tartines, mon aide pour les feuilletés serait sûrement limitée, mais ça donnait l'impression que j'étais impliquée dans d'autres préparatifs de Noël. Et puis, Kathy avait déjà enfourné la dinde, Shen épluchait les pommes de terre, Michael s'activait au-dessus d'une pile de choux de Bruxelles, alors je risquais surtout d'être dans leurs pattes.

— Tu es attendue pour le déjeuner, donc ? a demandé Kathy.

Je n'ai pas pu m'empêcher de pouffer, parce que Tabitha ne se levait jamais le matin à proprement parler, et elle m'avait déjà prévenue que son dîner de Noël se composerait de ce que Tom et elle auraient pu dégotter chez Lidl une demi-heure avant la fermeture la veille.

— Non, ce sera plutôt un dîner de fin d'après-midi et comme je n'ai pas réservé de taxi, je vais devoir aller jusqu'à Battersea en vélo et…

— Alors tu restes déjeuner, point barre, a décrété Kathy d'un ton ferme.

— Mais j'ai…

— Il me semble que nous avons terminé cette conversation. Si tu veux être utile, tu peux aller divertir Alice et Melly, qu'elles arrêtent de nous demander toutes les deux minutes quand on ouvre les cadeaux.

Kathy était forte – très forte, même, avec sa voix d'acier, l'éclat déterminé dans son regard, et je n'arrivais pas à imaginer pourquoi elle tenait tant à me garder chez elle, mais elle avait déjà posé la main sur mon épaule et m'orientait en direction du salon. J'ai juste eu le temps d'apercevoir la grimace qu'a faite Michael, comme si ma présence dans sa vie, dans sa maison, provoquait chez lui une douleur physique insoutenable.

Je ne voulais pas rester. Pas seulement parce que le fait de me retrouver dans la même pièce que Michael était comme avoir mes ongles de main, de pied, mes dents, mes poils de nez arrachés lentement l'un après l'autre, mais parce que je ne pouvais pas gérer toutes ces foutaises de famille heureuse. Sauf que ce n'étaient pas des foutaises – ils formaient véritablement une famille heureuse.

Pendant qu'ils ouvraient leurs cadeaux, j'ai opté pour un bain diplomatique histoire de ne pas les gêner parce que je ne leur avais rien acheté et vice versa. Mais quand je suis redescendue, Melly et Alice ont insisté pour m'offrir une paire d'ailes de fée et un Télécran tirés de leur butin commun. Il y avait également un coffret de chocolats Cadbury et une bougie parfumée à la vanille, parce que Kathy et Shen étaient ce genre de parents qui ont toujours un cadeau en réserve dans un coin, en cas d'invités de dernière minute. Michael s'est contenté d'un seul douloureux regard dans ma direction, quand j'ai aidé à mettre la table.

Le déjeuner de Noël s'est déroulé selon la tradition, banal, classique, ordinaire. Les Christmas crakers que nous avons fait exploser contenaient des petits chapeaux en papier, que nous avons mis sur notre tête, et des mauvaises blagues, que nous avons racontées, consternés. Il y a eu une dispute pour savoir qui aurait le dernier feuilleté à la saucisse et la sauce aux canneberges maison est partie très vite, parce que les filles s'en étaient versé plein l'assiette.

Tout cela était bel et bien conforme à la tradition de Noël, mais, en y réfléchissant, je me suis rendu compte que c'était surtout la tradition de Noël *des autres*. En dehors de l'année précédente, où Bethan était effectivement rentrée pour les fêtes, et où nous nous étions préparé un bon petit dîner de Noël, avant de passer la journée à regarder les DVD du coffret « comédies musicales de la MGM » que je venais de recevoir, les traditions de Noël de notre famille étaient vraiment à chier.

Pat et Roy nous levaient super tôt. Pas pour que nous puissions ouvrir nos cadeaux, mais parce que le déjeuner de Noël était servi à midi pile. Après ça, ils me laissaient débarrasser pendant qu'ils emmenaient Bethan fleurir la tombe d'Andrew dans ce cimetière écolo quelque part dans le Buckinghamshire ; il était enterré sous un merisier, non loin d'un banc écolo lui aussi. Ils ne m'avaient jamais proposé de les accompagner, alors ils m'abandonnaient avec une pile d'assiettes sales et une boîte de Quality Street.

À leur retour, Roy disparaissait dans sa cabane au fond du jardin, Pat se couchait avec une migraine terrible et Bethan restait avec moi, mais, en général, elle finissait par pleurer. Voilà à quoi ressemblait notre tradition de Noël. À cet instant, j'ai pensé que ce serait le premier Noël où personne n'irait sur la tombe d'Andrew – l'année précédente, Bethan y était allée le 26 – et je me suis sentie très déprimée, pire qu'au moment où j'avais vu chacun des membres de la famille Lee faire un vœu à leur première cuillerée de Christmas pudding.

Tout le monde répétait que les amis étaient la nouvelle famille, j'avais même écrit un post à ce sujet sur mon blog, mais assise à la table des Lee, entourée de vestiges de crackers, à écouter la version tonitruante de « Vive le vent » dont nous gratifiaient Melly et Alice, j'ai compris que je me plantais complètement.

Les amis ne devraient pas être la nouvelle famille. La famille, c'est la famille, les amis venaient se greffer pardessus. Seuls les gens sans famille ou avec une famille merdique avaient besoin d'amis comme substitut. Sans compter qu'il existait aussi des gens sans famille qui, à bien y réfléchir, n'avaient pas d'amis non plus.

Tout ça n'avait aucun rapport avec le fait que Michael Lee, qui se trouvait pile en face de moi à table, ne me parlait ni ne me regardait, et d'ailleurs moi non plus, OK ? Je n'étais même plus en colère contre lui, bien que je me sente encore un peu furax à propos de l'histoire de Twitter, et de sa difficulté à encaisser ma réussite personnelle. Cependant, je commençais à me demander si son problème n'était pas tant ma réussite que *moi*, parce que je n'étais pas simple à gérer.

J'ai soupiré. Kathy m'a jeté un regard. Pas un de ses regards qui semblaient regretter l'interdiction des châtiments corporels à l'école, plutôt un de ses tout nouveaux regards qui semblaient vouloir dire « Oh, pauvre petite Jeane ».

— Tout va bien ? m'a-t-elle demandé en penchant un peu la tête pour me faire comprendre qu'elle était là pour moi et, le pire, c'est que ça me faisait du bien de le savoir.

Je ne me reconnaissais plus.

— Tout va super bien, ai-je répondu avec un enthousiasme forcé.

Mon téléphone a sonné juste à ce moment, ce qui m'a épargné de devoir entrer dans les détails. C'était un message de Tabitha.

On est réveillés ! Ramène tes fesses par ici.
Mon rouleau à pâtisserie t'attend. Tab. bizz.

Pas étonnant que je sois en proie au doute. J'avais passé beaucoup trop de temps en compagnie des Lee. Qu'est-ce qui me prenait, tout à coup, de soupirer après ce grand bonheur familial ? Quel intérêt, de rêver de choses qu'on n'avait jamais eues ? C'était tout à fait vain. Je me sentirais beaucoup mieux une fois de retour parmi les miens.

Kathy, Shen et même Melly et Alice n'étaient pas ravis de me voir partir, Michael, lui, s'est contenté de grogner quelque chose avant de filer remplir le lave-vaisselle, pendant que je disais au revoir à tout le monde, en promettant bien de les appeler en rentrant chez moi le soir. Et si je le souhaitais, je pouvais venir passer quelques jours, ça ne posait aucun problème, malgré la visite de la tante de Kathy le lendemain, tante qui « sentait vraiment le pipi », avaient tenu à me prévenir Melly et Alice.

Ils sont allés jusqu'à évoquer de me ramener chez moi en voiture, mais j'ai insisté, à plusieurs reprises, et avec une certaine détermination, même, je pouvais tout à fait marcher. Donc, finalement, enfin, pour finir et après tout, on m'a ouvert la porte et j'ai retrouvé ma liberté.

~ 37 ~

Il était 18 h 30, c'était le soir de Noël et j'hésitais entre reprendre une tartelette, vomir ou tomber dans le coma par abus de nourriture.

J'étais avachi sur le sol du salon, adossé au canapé sur lequel les parents se tripotaient, bien qu'on leur ait déjà dit mille fois d'arrêter ça, parce que c'est vraiment répugnant de voir ses parents en train de se peloter. J'avais Melly et Alice blotties chacune d'un côté et nous regardions l'épisode spécial Noël de *Doctor Who*. Nous avions encore tous les cinq nos chapeaux en papier sur la tête et j'avais caché les trois dernières pommes de terre rôties au fond du réfrigérateur pour les grignoter en douce plus tard.

Je me rendais compte à quel point j'aimais Noël quand soudain mon tout nouvel iPhone a bipé.

J'avais reçu un e-mail de Jeane et, en un clin d'œil, ma douce quiétude a disparu et je me suis physiquement cru sur le point de vomir. Recevoir un message de Jeane, c'était un peu comme être suivi dans un magasin par le responsable de la sécurité. Ça ne présageait rien de bon et, bien que je n'aie rien fait de mal (du moins je le pensais, mais on ne savait jamais trop, avec Jeane), je me suis immédiatement senti coupable.

Parce que bon, c'est vrai, avec elle, c'était toujours moi, moi, moi, en permanence, mais je commençais à comprendre que si elle était aussi égocentrique, c'était parce qu'elle n'avait personne d'autre dans sa vie. Elle n'aurait pas dû avoir à gérer les trucs cassés chez elle – moi, je ne savais même pas mettre en route la machine à laver – et elle n'aurait pas dû se retrouver seule une veille de Noël. Et c'est vrai aussi, j'aurais dû lui dire pour Twitter et d'accord, j'avoue, j'aurais dû reconnaître que j'étais jaloux des choses hallucinantes qu'elle réussissait dans sa vie alors que moi... je ne savais même pas mettre en route la machine à laver.

Tout cela ne rendait pas sa présence chez moi plus facile à gérer, la voir là, toute pâle et fragile, en train de lécher les bottes de mes parents et de mes petites sœurs. J'étais toujours en colère à propos de son comportement à New York, mais j'aurais bien voulu ne plus l'être, alors, j'aurais très bien pu ignorer son e-mail pour me reconcentrer sur les aventures de Doctor Who, mais j'ai décidé de le lire et de lui répondre par un message gentil, mais pas trop non plus.

Salut Michael,

Je n'ai pas eu l'occasion de te le dire vraiment, alors voilà : Joyeux Noël et tout ça. Ai-je réussi à endormir ta méfiance avec ces vœux inattendus ? Sûrement pas, alors mieux vaut que je crache le morceau tout de suite.

En fait, je suis chez moi – le dîner de Noël chez Tabitha n'a jamais eu lieu parce que Glen le Cinglé et son pote alcoolique Phil en sont venus aux mains au sujet de faux After Eight achetés au Lidl, du coup Tab et Tom ont dû les emmener aux urgences. Donc voilà : j'ADORERAIS pouvoir passer quelques jours chez toi. Tes parents me l'ont tous les deux proposé à plusieurs reprises et je crois que ta mère et moi avons vraiment tourné la page à propos de New York. Quant à Melly et Alice, ce sont carrément mes jumelles spirituelles.

Il ne s'agit pas du tout d'un plan machiavélique pour m'incruster dans ta vie, ni, genre, dans ton lit. Je sais que c'est terminé entre nous et même quand ça ne l'était pas, nous savions l'un comme l'autre que c'était voué à l'échec. Ça n'est rien. Ça ne me pose pas de problème. Je ne t'en veux pas, parce que je suis consciente d'être impossible. Je le sais, Michael, et je sais aussi que toi, tu as un problème avec moi. Tu n'arrives même pas à m'adresser la parole ni à poser les yeux sur moi, j'apprécie d'autant plus que tu sois venu quand j'ai pété les plombs à cause de ma douche.

Donc, si la perspective de m'avoir chez toi pendant deux ou trois jours peut-être te paraît insupportable, je t'en prie, dis-le-moi, je comprendrai. Du moins j'ESSAIERAI (ma résolution pour la nouvelle année, améliorer ma capacité à l'empathie).

Réponds-moi. Je promets de me tenir du mieux que je peux, bien que ça ne veuille pas dire grand-chose, venant de moi.

Jeane

Elle avait raison. Elle était impossible. Comme il était impossible de lui refuser quoi que ce soit, parce qu'elle avait dix-sept ans, elle était seule, c'était Noël et même si je crois que je resterai toujours un peu fâché contre elle, elle ne méritait pas d'être seule pour les fêtes.

J'ai tourné la tête vers mes parents, toujours en train de se bécoter.

— Vous voulez bien arrêter ça ? Je viens de recevoir un message de Jeane, son dîner a été annulé, elle veut savoir si elle peut venir passer quelques jours ici, les ai-je informés en agitant mon téléphone.

Ça ne m'aurait pas dérangé si mon père avait râlé, si ma mère avait dit : « Moi qui lui avais proposé juste pour être polie. » Mais au lieu de ça, ma mère s'est tout de suite levée en déclarant :

— Je lui sors une serviette propre. Tu vas la chercher, chéri ?

Je ne savais pas trop à quel chéri elle s'adressait, mais mon père quittait déjà le canapé et les filles demandaient à l'accompagner parce que, je cite, « on voudrait vraiment voir la porte de douche et tu crois que Jeane aura les cheveux d'une nouvelle couleur ? ». Donc, même si ça m'avait dérangé – et c'était le cas, un tout petit peu –, j'étais en minorité. J'ai répondu à Jeane.

Pas de problème, mon père et les filles viennent te chercher.
J'espère que tu aimes la dinde froide parce qu'on ne mangera rien d'autre pendant quelques jours.

Une heure plus tard, Jeane était à la maison, chargée d'un panier garni de chez Fortnum & Mason, cadeau de son agent, qu'elle a offert à mes parents, et d'un tas de merdouilles bariolées pour les filles (elle en recevait sans cesse de la part de marques désireuses d'être mentionnées dans son blog) : des barrettes, des robots jouets, des montagnes de sucreries qui leur ont arraché des couinements ravis et stridents. Il n'y avait rien pour moi, mais tandis que Melly et Alice escortaient Jeane en grande pompe jusqu'à la chambre d'amis pour qu'elle puisse s'installer, j'ai jeté un coup d'œil à mon iPhone (ce que je faisais toutes les cinq minutes depuis que je l'avais configuré) et j'ai trouvé un e-mail d'iTunes qui m'informait que Jeane m'avait envoyé une carte-cadeau d'une valeur de cent livres sterling.

Je n'ai pas pu m'empêcher de remarquer la mention « envoyé de mon iPhone » en bas de ton message. Voilà qui devrait te permettre de commencer ta collection d'applis sur de bonnes bases.

Et bien qu'elle n'ait eu qu'une heure devant elle pour préparer son sac, elle en avait consacré une partie à m'écrire une liste détaillée de toutes les applications qu'il fallait *absolument* que j'achète.

Mais pas *Angry Birds*. Je t'en supplie, ne sois pas aussi prévisible.

Non, elle n'était pas pardonnée comme par magie, et non, je n'avais pas envie de reprendre là où nous en étions tous les deux, alors que ça n'aurait même jamais dû exister, mais s'il y avait bien un domaine où on ne pouvait pas la prendre en défaut, c'était la générosité. Même pendant cette dispute sur un trottoir de Greenpoint, malgré toutes les insultes qu'elle avait pu m'envoyer à la figure, pas une seule fois elle ne m'avait fait remarquer que sans elle, je ne me trouverais même pas sur ce trottoir de Greenpoint.

D'ailleurs, en repensant à New York, je me suis souvenu que j'avais encore la tonne de bonbons achetés pour elle chez Dylan's Candy Bar – elle avait fourré tous les sachets dans mes bagages, qu'elle avait été obligée de préparer à ma place. Je pouvais les lui offrir en guise de cadeau de Noël, mais j'ai eu beaucoup de mal à trouver le bon moment.

Le premier soir, Jeane est allée se coucher aussi ridiculement tôt que la veille, le lendemain, elle s'est surtout inté-
ressée à la confection de sandwichs à la dinde tartinés de
chutney, de pickles et autres condiments. À l'arrivée de la
grand-tante Mary, comme Alice refusait tout net de l'approcher (ce qui était parfaitement justifié parce qu'elle puait le
chien mouillé), Jeane a emmené les filles au parc avec leurs
toutes nouvelles trottinettes.

Lorsqu'elles sont rentrées, Jeane a papoté avec la grand-
tante Mary à propos de sa couleur de cheveux rosée, et au
départ de celle-ci, après que ma mère avait vaporisé un flacon
entier de Febreze sur le fauteuil dans lequel sa tante s'était
installée, les filles, Jeane et ma mère ont réquisitionné le
canapé et se sont mises à regarder des comédies musicales.
D'authentiques vieux films en Technicolor rutilant, durant
lesquels tout le monde n'arrête pas de danser et chanter sous
la pluie. C'était horrible. En temps normal, Melly et Alice
comptaient pour une personne, du coup les sexes étaient
représentés à parts égales, mais avec Jeane dans la place,
l'équilibre s'en trouvait modifié. Mon père a filé dans son
bureau pour regarder un documentaire sur la lèpre, quant à
moi, je me suis allongé sur mon lit pour jouer à *Angry Birds*
jusqu'à en avoir mal aux yeux.

Donc, Jeane m'avait laissé tranquille, je l'avais laissée
tranquille aussi, jusqu'au lendemain matin. Melly et Alice
étaient invitées à une fête d'anniversaire qui durerait toute la
journée. Mes parents avaient prévu d'affronter les hordes du
premier jour des soldes pour acheter une nouvelle machine
à laver.

— J'ai fait le plein de ta voiture hier soir, m'a informé
mon père alors que nous terminions le petit déjeuner. Jeane
et toi, vous n'avez qu'à aller faire un tour quelque part ?

— Oh, ce n'est pas la peine, a protesté Jeane, la bouche pleine.

Elle avait laissé Melly et Alice se charger de sa coiffure, elle devait avoir une vingtaine de barrettes et de nœuds dans les cheveux.

— Je suis tout à fait capable de m'occuper pendant quelques heures, a-t-elle ajouté.

— Ce serait bien que vous fassiez quelque chose tous les deux, a décrété ma mère en me jetant un regard entendu. Et j'aimerais vraiment que tu arrêtes de jouer à ce jeu débile avec des cochons, des oiseaux et cette musique incessante, Michael.

Je me suis tourné vers Jeane, dont le visage ne laissait rien transparaître, puis nous avons tous les deux regardé ma mère, qui avait sa tête de femme avec qui on ne discute pas, et une demi-heure plus tard, nous étions en voiture.

— Bon, où as-tu envie d'aller ? ai-je demandé à Jeane.

Je me montrais très poli, parce qu'elle était tellement copine avec ma mère que je risquais des ennuis au premier écart de langage. Je n'avais pas prévu d'être grossier, mais tout ça était vraiment trop bizarre. Jeane aussi était bizarre. Pas une seule fois, durant les trente-six heures qui venaient de s'écouler, elle n'avait mentionné un obscur groupe de filles ou vanté le divin génie de Haribo. Et comme je ne tenais pas spécialement à discuter de ce qui s'était passé entre nous, ni de ce qui pourrait nous arriver à l'avenir, parce que nous finirions par nous disputer, je ne savais pas trop quoi lui dire, en fait.

— Tu n'es pas obligé de m'emmener où que ce soit, a-t-elle déclaré en croisant les bras. Tu pourrais me laisser dans un café, j'y resterais quelques heures et personne n'en saurait rien.

Quant à moi, je serais forcé de me trouver un autre endroit où passer les quelques heures en question au cas où mes parents seraient de retour plus tôt que prévu, ce qui était complètement idiot.

— Écoute, on peut quand même se supporter une demi-journée, non ?

— Oui, ça devrait être possible, mais ça va être dur si tu comptes ne pas m'adresser la parole, a répondu Jeane calmement.

— Mais non, c'est toi qui ne me parles pas, ai-je répliqué, regrettant aussitôt mon ton geignard.

— Je pensais que c'était ce que tu voulais.

Je ne savais plus ce que je voulais, sauf éviter de me trouver coincé dans une impasse de conversation, ce dont Jeane se faisait une spécialité.

— Je démarre la voiture, ai-je annoncé. Où allons-nous ?

— Nous pourrions aller à la mer, j'imagine. La mer, l'hiver, c'est cool, mais tout doit sûrement être fermé, a réfléchi Jeane.

Comme de bien entendu, elle s'est mise à tripoter son iPhone, puis elle est passée au GPS hérité de mon père, qui en avait reçu un tout neuf pour Noël.

— Ça marche comment ce truc ? Il suffit que je tape un code postal ?

— Oui.

J'ai détaché les yeux de la route juste le temps de voir Jeane entrer une adresse.

— C'est où ? ai-je demandé.

Elle a froncé les sourcils.

— Je te le dirai quand on y sera. Ça ne sera pas très fun, comme balade, mais ça peut être le cadeau que tu me fais pour Noël.

— Je ne t'ai rien offert parce que j'ignorais que mes parents allaient soudain t'adopter ! J'ai encore les bonbons que je t'avais achetés à New York, j'attendais l'occasion de te les donner.

— Ce n'était pas une critique, et j'ai demandé ton autorisation avant de venir.

— Je me voyais mal refuser, ai-je objecté en jetant un coup d'œil dans sa direction.

Elle avait les bras croisés, serrés, et ses lèvres s'agitaient en silence. Il me semblait bien qu'elle comptait jusqu'à dix pour se retenir de me crier dessus.

— Ça ne me dérange pas que tu passes quelques jours à la maison, ai-je repris. C'est juste que je ne comprends pas pourquoi et j'avoue que la scène de la porte de douche m'a plutôt fait flipper.

— Oui, l'histoire de la douche a été comme une révélation, a commenté Jeane, ce qui ne m'a pas vraiment éclairé.

Après ça, elle a voulu savoir comment s'était passé mon entretien pour Cambridge, si j'avais l'intention de faire ce stage à San Francisco et, quand le GPS m'a indiqué qu'il fallait emprunter la prochaine sortie sur l'autoroute, je me suis rendu compte qu'une heure s'était écoulée sans la moindre dispute entre nous.

Jeane a demandé qu'on s'arrête à une station-service, puis elle est remontée en voiture équipée d'un sachet de Haribo et d'un bouquet de fleurs.

— C'est pour ma mère ?

— Eh non.

Je m'attendais à ce qu'elle reprenne la conversation, mais elle s'est contentée de fixer le trajet dessiné sur le GPS. Nous n'étions plus qu'à quelques kilomètres de notre terminus et j'aurais bien aimé savoir où nous allions, mais, apparemment, elle n'avait pas envie de me le dire.

Prochaine rue à gauche. Vous êtes arrivés à destination, a annoncé le GPS. La pancarte indiquait « lieu de sépulture naturel », mais ça ressemblait surtout à un cimetière.

— Qu'est-ce qu'on fait là ? C'est là que sont enterrés tes grands-parents ?

Jeane a secoué la tête.

— Andrew. Je t'ai parlé de lui, a-t-elle répondu avant de détacher sa ceinture de sécurité. Cela dit, maintenant qu'on est là, je me rends compte que je ne sais absolument pas où se trouve sa tombe. Il faut chercher un banc et un merisier. Tu sais à quoi ça ressemble, toi, un merisier ?

Il faisait un froid glacial, un vent mauvais, chargé d'humidité, soufflait depuis les grands champs alentour et, les pieds pataugeant dans un sol boueux, nous avons scruté les pierres tombales. Elles n'étaient pas soigneusement alignées, mais dispersées au hasard. C'était agréable, j'imagine, que chaque sépulture ait son propre espace, qu'elles ne soient pas toutes serrées les unes contre les autres, mais déambuler dans un cimetière, même écolo, restait plutôt déprimant.

Nous avons fini par localiser la bonne tombe, après avoir décrit une boucle compliquée qui nous avait presque ramenés à la voiture. Je suis resté en retrait pendant que Jeane s'agenouillait pour nettoyer la pierre, à l'aide de sa manche de blouson en fausse fourrure.

ANDREW SMITH

1983-1994

Fils chéri, frère bien-aimé, parti trop tôt.
Repose avec les anges, notre beau et courageux garçon.

Il y avait un banc en bois tout près, sous un arbre, un merisier peut-être, je m'y suis assis pendant que Jeane ôtait le bouquet desséché d'un vase au pied de la tombe et arrangeait ses fleurs à la place. Après quoi, elle a passé un moment accroupie, ce qui a dû lui faire super mal aux genoux, puis elle s'est redressée lentement et m'a rejoint.

— C'était le premier Noël où personne n'avait prévu de visiter sa tombe, a-t-elle dit en s'asseyant à côté de moi.

Il faisait encore plus froid désormais, un froid humide et glaçant qui semblait s'infiltrer jusque dans mes os, et Jeane frissonnait, alors j'ai posé le bras sur ses épaules. Ce n'était pas histoire d'en profiter au passage, plutôt comme des boy-scouts qui tenteraient de se réchauffer après avoir été séparés des autres lors d'une course d'orientation. Elle s'est immédiatement blottie contre moi.

— J'étais la seule à pouvoir venir cette année, a-t-elle ajouté.

— Ça te rend triste ? ai-je demandé avec curiosité, parce qu'elle ne paraissait pas triste, mais pensive.

— L'endroit n'a rien de franchement rigolo, mais c'est plutôt joli, pour se sentir proche de quelqu'un qu'on a perdu, a-t-elle remarqué, puis elle a plissé le nez. Cela dit, quand on y réfléchit, on n'est pas obligé de tout laisser tomber pour venir jusqu'ici pour se souvenir de quelqu'un. Soit cette personne est morte et voilà, soit il existe une forme de vie après la mort et elle reste toujours avec vous.

Elle a désigné la tombe de la tête.

— C'est juste ses os, ce n'est pas lui, a-t-elle résumé.

— Oh, Jeane, Jeane, Jeane… ai-je dit et, honnêtement, je ne trouvais pas les mots. Il y a vraiment quelque chose qui ne va pas, n'est-ce pas ?

— Oui, vraiment, mais je vais tout arranger. Parce que je ne veux pas mourir et que personne ne vienne se recueillir sur ma tombe.

— Tu ne vas pas mourir, ai-je répliqué en essayant de le prendre sur le mode de la plaisanterie, mais voilà que je m'inquiétais soudain qu'elle ait des pensées suicidaires.

— Bien sûr que non, a-t-elle rétorqué avec ce ton cinglant qu'elle avait autrefois, ce qui m'a un peu rassuré. Sauf si je me fais écraser par un bus, j'ai prévu de traîner dans le coin pendant un bout de temps, mais je n'ai pas envie de passer ma longue vie à me sentir seule et, si ça continue, c'est ce qui risque de m'arriver. Non, pire que ça. Je *serai* seule.

— Arrête. Tu as des tas d'amis qui...

— Des gens que je connais grâce à Internet, m'a-t-elle rappelé avec flegme. Michael, mes propres parents ne m'aiment pas.

— Mais si ! Ce sont tes parents, forcément, ils t'aiment.

— Ce n'est pas parce qu'ils sont censés m'aimer que c'est la réalité. Et certes, j'ai des amis, mais j'ai passé Noël avec ta famille, qui me connaît à peine. Quant à l'unique invitation que j'avais reçue, elle s'est trouvée annulée à cause d'une bagarre entre un type de quarante ans rendu cinglé par la drogue et son pote l'alcoolo pervers. Ça n'a rien de cool. Et la veille, quand la porte de ma douche s'est cassée, je me suis dit : j'ai dix-sept ans, je suis seule, c'est trop de responsabilités. Je me leurre quand je dis que tout va bien, que je me débrouille, mais ma vie n'est qu'une pauvre façade de bonbons Haribo agglutinés ensemble à la colle UHU. Quand j'ai vraiment eu besoin d'aide, je n'avais personne à appeler.

— Tu m'as appelé moi. J'étais vraiment ton dernier recours ?

— Le tout, tout dernier, mais je crois que je savais, au fond de moi, que tu viendrais, même si tu me détestes, maintenant.

Je l'ai serrée plus fort.

— Je ne te *déteste* pas. Tu n'es pas la personne que je préfère au monde, mais je commence à me laisser attendrir à nouveau.

— Oui, comme la viande sous les coups du boucher.

— Arrête, tu n'es pas si horrible, ai-je répliqué, ce qui m'a valu un sourire de Jeane. Tu te concentres sur tout ce qui ne va pas simplement parce que c'est Noël, et quand on n'a pas le moral, au moment des fêtes, on le ressent puissance mille. Il t'arrive des tas de trucs super. L'émission de télé, le bouquin, le site Web – ça m'apprendra à te traiter d'absurde créature médiatique.

J'ai pris une grande inspiration.

— Je suis désolé, à ce propos, au fait, ainsi que pour toutes les autres choses que je t'ai dites.

Jeane s'est mordu la lèvre, les yeux fixés au sol.

— Merci pour tes excuses, et moi je suis désolée de t'avoir dit… enfin, balancé des tas d'insultes à la figure, mais me suivre en cachette sur Twitter, ce n'était pas cool.

Je me suis agité un peu, en espérant que Jeane croyait que j'essayais de trouver une position plus confortable, alors qu'en réalité, je me tortillais de honte.

— Je sais, mais sans mentir, ça n'a jamais été une sorte de plan machiavélique pour jouer au plus malin avec toi. Et tu te montrais tellement plus sympa avec moi en ligne que dans la vraie vie. Après ça, on a commencé à se voir, et tu continuais d'être plus sympa en ligne. Adorable, en fait. Comme je te disais à l'aéroport à New York, j'avais laissé traîner si longtemps qu'à la fin, je ne pouvais plus te le dire.

Elle est restée silencieuse un long moment. Je n'étais même pas sûr qu'elle ait compris ce que j'essayais d'expliquer, mais elle a fait « hum », puis elle a presque gloussé.

— J'imagine que je peux comprendre ça… a-t-elle fini par lâcher. Le côté adorable, je veux dire. C'est pour ça que j'arrête tout. J'ai décidé de mettre un point final à Irresistibly Geek. Je ne ferai ni le livre ni l'émission télé, rien de tout ça. Je vais rendre l'argent ou je ne sais quoi.

— Quoi, putain, tu délires ? Mais t'es complètement dingue ?

— Je ne veux plus continuer Irresistibly Geek. Je ne veux plus être la geek de service. Je veux être comme les autres, arrêter de faire comme si c'était cool de s'exclure, comme si j'avais raison et le reste du monde tort, simplement à cause de discours et de fringues formatés. Je suis censée inciter les gens à être eux-mêmes, mais, en réalité, je les incite surtout à être comme je veux qu'ils soient. Et qu'est-ce que j'en sais, moi ? Rien, je ne sais rien de rien.

— Mais si, tu sais des tas de choses, Jeane. Ton intervention à la conférence était hallucinante. Une femme assise devant moi dans le public était en larmes.

— Elle devait sûrement avoir des problèmes personnels, a tempéré Jeane.

Elle s'est écartée de moi pour se rasseoir droite, j'ai eu froid sans la chaleur de son corps contre le mien.

— Je suis tellement hostile que je repousse les gens même quand je veux qu'ils soient proches. Comme toi. En quoi ça me dérange, que ta coupe de cheveux soit débile, que tu portes ces fringues trop chères et hyper-prétentieuses…

— Tu n'étais pas censée arrêter les remarques désobligeantes sur les gens juste parce que tu désapprouves leurs choix vestimentaires ? ai-je souligné, acerbe.

Elle a lâché un soupir outré. Je crois que Melly et Alice commençaient à déteindre sur elle.

— Justement, a-t-elle repris. Malgré ton style déplorable, tu es capable de penser par toi-même, tu sais des tas de trucs intéressants sur les ordinateurs, Hong Kong, l'intelligence artificielle. Tes parents sont cool et tu avais raison de ne pas vouloir leur mentir, mais moi je n'envisage les situations que de mon point de vue, or je me berce de sérieuses illusions. J'ai envie de faire partie du monde, au lieu de le regarder de haut en permanence, donc, à partir de maintenant, c'est ce que je vais faire.

J'entendais parfaitement ce que me disait Jeane. J'étais même d'accord avec son discours, en partie. Elle rabâchait sans cesse que les gens étaient trop superficiels, qu'il ne fallait pas juger sur la seule apparence, même décalée, même différente ; pourtant, de toutes les personnes que je connaissais, Jeane devait être celle qui s'érigeait le plus en juge. Et elle était aussi décalée, différente, et en toute confidentialité, je voulais bien l'admettre, c'était justement ce qui me plaisait le plus chez elle.

— Si j'étais toi, j'éviterais toute décision précipitée, lui ai-je conseillé. Pour l'instant, tu te sens un peu à vif, mais pourquoi arrêter Irresistibly Geek, les vide-greniers et tout ce qui va avec ?

— Il le faut. C'est mal. Ce n'est pas moi. Je ne veux plus m'habiller dans les vide-greniers. Je veux aller chez Topshop.

Je n'ai pas pu m'en empêcher. J'ai éclaté de rire. Il n'y avait qu'elle pour être aussi comique sans le vouloir, alors même qu'elle tentait d'être d'un sérieux absolu. Elle m'a frappé, ce qui ne m'a pas étonné… sauf qu'elle s'est excusée juste après parce que « je ne vais plus frapper les gens lorsqu'ils ne sont pas d'accord avec moi, désormais. Je vais être tellement sympa que plus personne ne sera en désaccord, de toute façon ».

Ce qui m'a fait rire encore plus. Je me suis levé.

— Tu ne peux pas changer ta personnalité. La contestation, c'est dans ton ADN.

— Tu verras bien, a-t-elle murmuré sombrement en me suivant jusqu'à la voiture. En route, on peut s'arrêter quelque part pour que je m'achète un jean ?

J'avais toujours considéré que la caractéristique de Jeane la plus bizarre – ce qui n'était pas peu dire – était qu'elle ne possédait aucun jean.

— Tu pourrais peut-être y aller doucement, ai-je suggéré en ouvrant la portière. Commence par un jean de couleur. Orange, peut-être ?

— Non, bleu, classique, a-t-elle confirmé avec assurance. Et il faut aussi que j'achète une couleur pour mes cheveux.

À chaque fois que je me croyais calmé, le rire me reprenait, au point que Jeane a été forcée de passer le voyage assise sur ses mains pour ne pas être tentée de me frapper.

~ 38 ~

C'EST FINI, LES AMIS !

Vous le savez, je dis toujours qu'Irresistibly Geek, c'est avant tout suivre sa propre voie, faire la nique (une expression dont le sens reste en partie mystérieux pour moi) au mainstream, qu'il s'agisse de mode, de musique ou de pensée.

Oui. Tout ça.

Eh bien, je retire mes propos. Jusqu'au dernier mot, la dernière virgule, le dernier point-virgule et point à la ligne.

Je m'élève contre la geek-attitude. Elle et moi, c'est fini. Nous avons décidé de divorcer suite à des divergences inconciliables.

Être original fait-il de vous automatiquement quelqu'un de meilleur ? Votre vie se transforme-t-elle aussitôt en un tourbillon de chiots, d'arcs-en-ciel et de joie ? Cette posture vous tient-elle chaud la nuit ? Vous prépare-t-elle des biscuits maison ? Vous masse-t-elle le dos quand vous n'allez pas bien ? Non. En valorisant la différence, je me suis fait du tort et je vous ai fait du tort. Être différent, c'est bien, mais peut-être pas tant que ça, parce que dès lors que ça devient un but, une obsession, on repousse tous ceux qui essaient de se rapprocher – c'est ce qui m'est arrivé.

C'est vrai, quel intérêt d'avoir un demi-million de personnes qui suivent mes tweets et d'être la reine de la blogosphère alors que je me suis retrouvée, le jour de Noël, tellement embourbée dans ma solitude que j'ai été forcée de m'en remettre à la merci d'inconnus ?

Tout s'est bien terminé, car ces inconnus étaient très accueillants, mais cela m'a obligée à faire un point sans concession sur moi et mon avenir. Il m'est apparu de manière assez claire que je finirais sûrement mes jours en vieille folle entourée de milliers de chats sauvages dont l'unique interaction humaine de la journée serait le livreur de repas à domicile pour les grabataires.

N'ayant pas vraiment envie d'un tel destin, je vais arrêter les frais.

Je mets un terme à la geek-attitude ! Il est temps de passer au côté obscur. Sauf que ça ne paraît pas du tout obscur. Au contraire, j'ai l'impression de me diriger vers la lumière.

Voilà, c'est moi Jeane, et je vous dis au revoir.

Terminé.

Dernier message.

~ 39 ~

Et finalement, être normale, c'était génial. Vraiment. Et tellement simple. Pourquoi personne ne me l'avait jamais dit ?

Pour commencer, j'ai teint mes cheveux en brun, au grand désespoir de Melly et Alice (qui m'ont même menacée de m'éjecter de leur club, le club de Melly et Alice, au sein duquel j'avais été accueillie en grande pompe). J'ai remisé toutes mes robes en polyester bariolées, mes collants fluo et je me suis rendue chez Hollister, Abercrombie & Fitch et American Apparel pour acheter des vêtements près du corps en bleu marine, gris et noir, des couleurs qui convenaient parfaitement puisqu'elles allaient avec tout. Je me nourrissais de trois repas équilibrés par jour, dont certains contenaient même des légumes, je me couchais à une heure décente pour me lever neuf heures plus tard. Je suis allée jusqu'à supprimer tous les groupes de filles un peu bruyants et les obscures bandes originales de film de mon iPod pour écouter de la musique commerciale. Je me suis également déconnectée d'Internet. Fini, le blog et les tweets. Je vivais le moment présent, *man*. En fait, je *vivais*, quoi. Et une fois débarrassée de toutes mes activités extrascolaires en lien avec Irresistibly Geek, j'avais tellement de temps libre. Trop, trop de temps libre ! Je savais à peine quoi en faire, d'ailleurs.

J'ai emmené Melly et Alice au cinéma. Nous étions cen- sées voir le dernier Pixar, mais la salle était pleine, nous nous sommes donc rabattues sur un film de princesses. Ça, il faut reconnaître, c'était assez dur, parce que le film était vraiment à chier. Non, je n'ai pas passé la séance à rédiger mentalement un post de blog sur le bourrage de crâne des petites filles à base de notions périmées sur le genre et la sexualité, ou sur le besoin de reprendre nos droits sur la couleur rose, avant qu'elle soit perdue à jamais et pour tou- jours, exclusivement associée aux princesses ou aux fées. Au lieu de tout ça, je me suis forcée à ne pas bouger de ma place en faisant de mon mieux pour maintenir ma tension à un niveau acceptable. Cela dit, à la fin du film, Melly et Alice ont, l'une comme l'autre, jugé la princesse débile, arguant qu'elle aurait mieux fait de se sauver elle-même plutôt que de chanter des chansons cucul en attendant que le prince vienne à sa rescousse. Comme quoi, il était inutile de s'inquiéter.

Oui, la normalité, c'était l'avenir. J'adorais avoir tout ce temps pour moi, en profiter pour me faire des masques de beauté en enchaînant les émissions de télé-réalité. Sous surveillance, je me suis même acquittée de quelques prépa- rations culinaires qui n'impliquaient pas de réchauffer au micro-ondes des restes de plats à emporter.

J'étais métamorphosée. En une Jeane irrésistible, en quelque sorte.

— Tu ne peux pas continuer comme ça éternellement, m'a annoncé Michael le quatrième jour de ma nouvelle et si excitante existence en tant que fille banale, ordinaire, dans la moyenne. Tu vas craquer. Je serais surpris que tu tiennes une semaine de plus.

— Je ne craquerai pas. J'adore ma nouvelle personnalité, ai-je déclaré alors que nous étions en train de remplir le lave-vaisselle après le dîner.

Nous avions enfin terminé la dinde et nous nous attaquions désormais à un imposant jambon qui n'avait pas été cuit le jour de Noël, faute de place dans le four.

Je n'en suis pas sûre à cent pour cent, mais j'aurais juré entendre Michael marmonner : « Eh bien, moi, cette nouvelle personnalité, je n'en raffole pas. » Mais lorsqu'il s'est redressé après avoir réarrangé de manière ergonomique les couverts que j'avais fourrés en vrac dans le lave-vaisselle, il affichait un sourire neutre.

— Enfin, ce que je veux dire, c'est que tu ne peux pas faire semblant d'être normale. Tu l'es ou tu ne l'es pas et toi, tu ne l'es pas.

— C'est là que tu te trompes. Par exemple, si je fais comme si j'étais normale, je finirai par y arriver pour de bon.

— Sauf que la plupart des gens ne considéreraient pas ça comme un but à atteindre, ils agiraient normalement, point.

Il a souri encore, parce qu'il était persuadé que tout ça n'était qu'une vaste farce, et pas une métamorphose existentielle. Je le surprenais sans cesse en train de me jeter des regards en coin bizarres, comme s'il s'attendait à tout moment à ce que je déchire mes nouveaux vêtements pour révéler une combinaison fluo, en hurlant de toutes mes forces : « Je t'ai eu ! »

Lui qui s'était toujours plaint de ma façon de m'habiller et qui s'énervait chaque fois que je lui faisais la leçon sur la parité ou que je lui relatais l'histoire de Haribo, j'aurais cru qu'il serait, disons, plus attiré par cette personnalité toute neuve. Désormais, il n'y avait plus rien de honteux à traîner en ma compagnie, Michael ne risquait plus de perdre des trilliards de points de coolitude, il aurait donc été parfaitement logique que nous sortions à nouveau ensemble.

Je ne manquais pas de temps à consacrer à un petit ami et si je sortais avec Michael Lee, si nous nous donnions la main en public, le monde entier pourrait se rendre compte que j'étais juste une fille normale, qui sortait avec un type normal. Circulez, il n'y a rien à voir. Sauf que… Maintenant que je jouais ma carte normale, j'étais bien obligée d'avouer que j'étais quelconque, très ordinaire physiquement, quand Michael, lui, avait gardé sa beauté exotique, sans compter qu'il n'avait perdu ni son poste d'avant-centre de l'équipe de foot ni celui de président des délégués, donc, dans un monde normal, lui et moi ne jouions pas dans la même catégorie.

Comme une sorte de rappel, à point nommé, que la normalité n'était pas si facile à assumer.

— Le réveillon, ce soir, qu'on soit bien clairs, nous n'y allons pas ensemble, m'a prévenue Michael au cas où j'aurais raté un épisode. Pas en tant que couple, je veux dire, en tant qu'amis simplement, pour que je puisse te présenter en bonne et due forme à tous mes potes que tu prends de haut depuis des années. Histoire de commencer à te sociabiliser un peu.

J'ai compté jusqu'à dix. C'était devenu une habitude, ces derniers jours.

— Bon. Je vais me changer. Je crois que je suis prête à porter mon jean en dehors de la maison.

Deux heures plus tard, j'étais prête à tout déchirer. Enfin… à me rendre à la fête de réveillon qu'organisait Ant, l'ami de Michael, pour la nouvelle année. Mes cheveux marron avaient subi un brushing. Mon maquillage était discret, de bon goût ; pour atténuer le côté porcin de mes yeux, j'avais appliqué deux couches de mascara brun (j'ignorais que le mascara pût être brun). Je portais un haut noir, un jean slim brut et des escarpins en daim noirs. Pas de broche accrochée à un endroit bizarre. Pas de paillettes. Ni d'imprimé animalier. J'allais ressembler à toutes les autres filles, cela dit, il y avait juste un problème…

— Je ne pensais pas que le jean grattait autant, ai-je confié à Michael en titubant à ses côtés.

Les talons hauts, lorsqu'ils n'avaient jamais été enfilés par qui que ce soit, me faisaient super mal aux pieds.

— Jeane en jean, ai-je ajouté. Ça ferait un super reportage photo pour mon blog, sauf que je ne blogue plus.

— Je crois qu'il y a beaucoup de personnes normales qui tiennent un blog, a remarqué Michael en me soulageant du gros Tupperware que j'avais dans les mains.

Pour bien montrer comme j'étais sympathique et amicale, j'avais confectionné des allumettes au fromage à partager avec les invités. Il faut dire que Kathy m'avait forcée à arrêter la télé après six épisodes d'affilée d'*America's Next Top Model*.

— En même temps, a repris Michael, j'imagine qu'une fois à ton ordinateur, tu risquerais la rechute, tu pourrais bien commencer à discourir sur le port du jean en tant que conspiration mondiale pour que les gens finissent tous par se ressembler.

— Va te faire foutre ! ai-je aboyé sans pouvoir me retenir.

— Et moi qui croyais que la Jeane normale serait moins agressive. Je devais me tromper.

Il ne s'était jamais montré aussi dur vis-à-vis de moi, même quand on couchait ensemble et qu'on se parlait assez mal le reste du temps.

— Heureusement que tu n'as pas fait ça en public, a-t-il conclu.

J'avais hâte d'arriver à la soirée, surtout parce que mes talons me torturaient particulièrement sur le pavé impitoyable. Au moment où j'ai posé les pieds sur l'épaisse moquette, chez Ant, c'est devenu supportable et j'ai pu me préparer au supplice qui s'annonçait. Je ne savais pas trop à quoi m'attendre, j'imaginais un blanc dans la playlist, toutes les têtes qui se tourneraient vers nous à l'instant où j'apparaîtrais aux côtés de Michael Lee, mais ça ne s'est pas du tout passé comme ça.

Tout le monde m'a ignorée. Tout le monde !

Alors que Michael, lui, était interpellé de droite et de gauche comme s'il était de retour après avoir combattu dans un conflit armé à l'étranger. Pourtant, il avait vu ses potes quelques heures plus tôt, pendant que je confectionnais mes allumettes au fromage tout en essayant de convaincre une commission d'enquête, composée de Melly et Alice, que j'avais toujours ma place au sein de leur club.

— Tu connais Jeane, du lycée, n'arrêtait pas de dire Michael, mais tout le monde faisait non de la tête ou bien répondait « ah, oui, Jeane », comme s'il ne voyait pas du tout qui je pouvais être.

Je me suis traînée jusqu'à la cuisine pour y déposer mes allumettes au fromage et, à mon retour, Michael avait disparu. Sûrement impatient de draguouiller Heidi/Hilda/quel que soit son nom, qui lui envoyait à peu près cinquante SMS par jour.

J'ai attrapé un gobelet de vin blanc et je me suis plantée à une place de choix dans le salon, près de la cheminée, pour ne gêner personne sur la piste de danse et me permettre de voir tous ceux qui entraient, pour les accueillir d'un sourire de bienvenue, manière de dire « Regardez comme je suis d'un abord facile et agréable. Venez donc me dire bonjour ». Sauf que personne ne m'a approchée, sauf cet abruti de Hardeep, qui était en cours d'entrepreneuriat avec moi depuis quatre ans.

— Hardy, c'est Jeane, je n'arrêtais pas de lui répéter.

Mais lui a continué à débiter ses conneries sur le foot et je ne sais quoi d'autre. Je savais que j'aurais pu lui clouer le bec en dix secondes, mais j'étais obligée de rester là avec mon sourire figé… jusqu'à ce qu'il conclue par :

— Eh bien, Jane, j'ai été ravi de te rencontrer, je vais me chercher une bière.

J'ai passé encore une demi-heure près de la cheminée. Ma vie d'autrefois était peut-être solitaire, mais en dehors des moments où j'étais en cours, je n'avais jamais côtoyé une aussi grande quantité d'imbéciles. J'ai même vu deux gars jouer, pour de vrai, à « tire sur mon doigt, ça va péter ». On croit rêver.

Pour finir, comme je sentais ma tension artérielle grimper en flèche et que compter jusqu'à dix n'y changeait pas grand-chose, j'ai titubé en direction de la cuisine, évité la fille en larmes réconfortée par ses copines (« Ce mec, c'est qu'un con, il ne pense qu'avec sa queue »), j'ai ouvert la porte de derrière et je suis sortie dans le jardin.

Le froid était polaire. Ma peau semblait se recroqueviller sur elle-même à chaque frisson. Il faisait même trop froid pour que les fumeurs aient envie de braver les éléments, j'avais donc toute liberté pour me lâcher. Ça ne comptait pas, s'il n'y avait personne pour m'entendre.

— Non, mais je rêve ! Ma génération se résume-t-elle donc à une bande de débiles sans la moindre idée originale ? Pourquoi ? Pour l'amour de Dieu, comment est-ce possible ? Et tu sais quoi, Hardeep, si tu avais regardé mon visage au lieu de mater mes seins inexistants, tu aurais remarqué que c'était Jeane que tu avais devant toi. Oui, Jeane ! Celle-là même qui t'avait donné un coup de manuel d'entrepreneuriat sur le crâne quand tu avais dit qu'il faudrait aux femmes une bonne paire de couilles pour se retrouver à la tête des plus grosses sociétés cotées en Bourse, et au fait, Hardeep, tant que j'y suis, l'unique raison pour laquelle tu ne crois pas au changement climatique, c'est parce que tu es trop idiot pour comprendre de quoi il retourne !

Je me sentais un peu mieux. Rien qu'un petit peu. Et je n'avais pas vraiment fini.

— Chers camarades de classe, j'aimerais ajouter un mot : se frotter contre le postérieur d'un membre du sexe opposé n'est pas danser. Techniquement, il s'agit d'une agression sexuelle et…

— Jeane, c'est toi ? Jeane ?

J'ai senti une main se poser sur mon épaule et j'ai failli crier. J'ai aussi manqué de tomber à la renverse en me retournant trop vite, pour découvrir Scarlett derrière moi, en compagnie d'un petit groupe de filles. Je pense qu'elles étaient au lycée avec nous, mais pour être tout à fait franche, à ce stade, tout le monde se ressemblait à mes yeux.

— Mais oui, c'est toi ! a repris Scarlett.

— Qui veux-tu que ce soit ? ai-je répliqué d'un ton hargneux, tellement j'étais à cran.

Elle a reculé, j'ai levé la main.

— Attends !

J'ai compté jusqu'à dix, vingt, trente…

— OK, je m'excuse. Salut, Scarlett. Comment ça va, toi ? J'adore ta coiffure.

— Tu as fumé quelque chose ? Il y avait de la drogue dans le punch ? s'est inquiétée Scarlett, avant d'agiter les doigts devant mes yeux. Que t'est-il arrivé ?

— Rien, je n'ai rien fait. Enfin, j'ai juste un peu calmé le jeu côté look. J'ai tout arrêté avec Irresistibly Geek. Je suis comme tout le monde, maintenant.

— Ah, tu es sûre de ça ?

Depuis qu'elle sortait avec Barney, Scarlett avait un petit ton désobligeant. Un ton que Barney lui-même n'avait pas avant de sortir avec moi. Mon influence allait loin, raison de plus pour mettre un terme à ces pernicieuses tendances, avant que je ne répande mon fiel sur le monde entier.

— Oui, ai-je répliqué, prenant la pose. Je te présente la nouvelle Jeane. Une Jeane version 2.0, si tu veux.

Scarlett a échangé un regard avec ses copines. Un regard un peu narquois.

— Je ne suis pas sûre de bien saisir cette nouvelle version, a-t-elle lâché. Je crois que je préférais l'ancienne.

— Tu la détestais, lui ai-je rappelé.

— Je ne la détestais pas… Je ne la déteste pas. OK, l'ancienne Jeane était super-terrifiante, mais elle n'était pas si mal.

— Mais si. J'étais horrible, ai-je insisté.

— Pas du tout, quand on te connaît, en plus tu m'as permis de réveiller la battante féministe qui était en moi.

J'ai soupiré.

— Mais tu es bien la seule, Scar. La seule et unique personne qui ne détestait pas cordialement l'ancienne Jeane.

— Elle n'est pas la seule, est intervenue une des amies de Scarlett. Tout le monde adorait t'avoir dans sa classe, parce que tu n'hésitais pas à t'engueuler avec les profs quand ils le méritaient.

La terrasse commençait à se remplir. Un groupe de fumeurs avait décidé d'affronter les conditions arctiques et Barney avait rejoint Scarlett, de sorte que je me suis retrouvée au centre d'un petit cercle de gens qui discutaient en hochant la tête. Pas avec moi, pas avec la nouvelle Jeane super-sympa, mais *de* moi et tous évoquaient avec regret cette bonne vieille Jeane d'autrefois, super-arrogante.

Un garçon que je ne connaissais absolument pas m'a pointée du doigt.

— C'est quoi, ce nouveau look ? C'était le meilleur moment de ma matinée, de voir ce que tu portais, tous les jours.

— Ouais, et si je ne te croisais pas dans la cour avant la sonnerie, j'avais l'habitude de faire un tour sur ton blog pour voir la tenue du jour, a enchaîné quelqu'un d'autre.

— Et ton Twitter. Genre avant que j'aie pris ma première tasse de café, toi tu avais déjà envoyé cinquante tweets et deux ou trois liens. Quand est-ce que tu recommences à tweeter ? Tu trouves toujours des liens géniaux, comme celui avec le chaton sur l'aspirateur robot.

Ils se foutaient de moi. Maintenant que j'étais toute docile et modeste, ils croyaient pouvoir se moquer.

— Oh, arrêtez, je sais pertinemment que mon audience sur Twitter se limite au Japon et à l'Amérique. Ainsi qu'à certaines régions scandinaves.

Barney essayait de tirer sur un joint, mais, comme il n'était pas très doué, il a abandonné pour déclarer, d'un ton très patient :

— Jeane, comment peux-tu ignorer qu'il y a un groupe de seconde que tout le monde appelle les Jeanettes parce qu'elles s'habillent comme toi, sauf que leur mère leur interdit de se colorer les cheveux en gris ?

J'ai secoué la tête.

— C'est précisément la raison pour laquelle je devais changer, pour cesser d'être le phénomène de foire qui amuse la galerie.

Et là, carrément, Scarlett a mis un bras autour de mes épaules pour me réconforter.

— Tu n'es pas un phénomène de foire. Tu es juste, disons, excentrique. Parfois, au lycée, quand tu parlais de trucs que je ne comprenais même pas, j'avais un peu l'impression d'être en cours avec Lady Gaga en plus jeune, sauf que tu n'es jamais allée jusqu'à te balader en sous-vêtements.

Je ne voulais pas être à part, je voulais faire partie de leur groupe, mais voilà qu'eux se tenaient en demi-cercle autour de moi, à me dévisager sans m'accepter pour autant, et moi je ne voyais pas ce que je pouvais ajouter pour les persuader.

Quel soulagement j'ai ressenti lorsque Michael est apparu sur le seuil de la porte menant à la terrasse.

— Qu'est-ce que vous faites tous ici ? Ant s'apprête à lancer *SingStar*.

— J'ai besoin de ton soutien, là, Michael, ai-je supplié. Tu pourrais dire à tes amis que j'ai renoncé à toutes mes postures geek ?

— On en a déjà parlé cent fois, a-t-il soupiré. Ce n'est pas par choix que tu es une emmerdeuse pénible et mal fringuée, tu *es* comme ça. Tu ne peux pas *renoncer*.

— Bien sûr que si. Je retire tout ce qui faisait de moi une geek. Je n'en veux plus parce qu'un jour, je ne serai plus une geek branchée, je serai une vieille folle habillée n'importe comment qui crie sur les enfants à l'arrêt de bus.

— Tu cries déjà sur les enfants à l'arrêt de bus !

— Mais il faut que je commence à m'intégrer avant qu'il ne soit trop tard. Regardez, je porte un jean ! me suis-je écriée en donnant une claque sur mes cuisses vêtues de denim.

— Et ça ne te va pas, a assené Michael.

J'ai cru qu'il allait encore se moquer de moi, mais non. Au lieu de ça, devant tout le monde, devant tous ses amis qui le prenaient pour le mec le plus cool du monde, parce qu'ils avaient des critères vraiment très bas, il m'a embrassée.

Il m'a embrassée avec un tel sérieux et pendant si longtemps qu'il aurait été carrément malpoli de ne pas l'embrasser en retour. Et au bout de cinq minutes, je dirais, tout le monde a dû s'habituer à voir Michael Lee embrasser Jeane Smith, parce qu'ils sont tous rentrés à l'intérieur, certains s'étant plaints du froid, d'après ce que j'avais vaguement entendu.

À ce moment-là, on a enfin pu commencer à s'embrasser correctement.

— Je n'arrive pas à croire ce que je vais dire, mais l'ancienne Jeane me manque terriblement, a avoué Michael quand nous nous sommes blottis l'un contre l'autre sur le muret après avoir enfin décollé nos lèvres. Tu es comme tu es, Jeane, assume.

— Ce n'était pas facile d'aimer l'ancienne Jeane, si ? ai-je demandé… avant de le regretter aussitôt, craignant d'avoir eu l'air de lui tendre une perche en vue d'une grande déclaration.

— Elle avait ses bons moments, a déclaré Michael.

Nous sommes restés là en silence pendant quelques instants, jusqu'à ce qu'il se mette à glousser.

— Et ses fans sont à ramasser à la petite cuillère, a-t-il ajouté.

— Quoi ? Tu veux parler de ce demi-million de followers qui ne me connaissent même pas ?

— Ils ne te connaissent peut-être pas, mais tu leur manques. Internet est en deuil depuis la fin prématurée d'Irresistibly Geek.

— C'est bon, j'ai compris que tu essaies de me remonter le moral avec tes blagues, mais ça ne m'aide pas.

Je n'avais pas du tout envie de revenir sur ce sujet une fois de plus. Surtout maintenant que j'avais à nouveau le droit d'embrasser Michael, parce que ça m'avait vraiment, vraiment manqué.

Je me suis penchée vers sa bouche, mais lui m'a ignorée, préférant sortir son iPhone de sa poche arrière – il le checkait toutes les cinq secondes. C'était super-énervant. Même moi je ne faisais pas ça aussi souvent, avant.

— Regarde ! m'a-t-il dit en me collant le téléphone sous le nez. Regarde ! Plus de dix mille personnes ont liké la page Facebook intitulée « Rendez-nous Irresistibly Geek et redonnez à Jeane Smith son titre de Reine des Zinternautes ».

J'ai voulu rétorquer par un commentaire sarcastique, mais aucun ne m'est venu à l'esprit. C'était plutôt mignon, ce mouvement.

— Oui, oh, ça ne veut rien dire.

Michael m'a donné un coup de coude.

— Allez, regarde tes e-mails ou Twitter, sinon va sur YouTube, je te parie qu'il y a de nouvelles vidéos de chiots depuis Noël. Tu en meurs d'envie, ne dis pas le contraire.

— Non, mais je rêve, tu es comme un immonde dealer qui essaierait de me refourguer mes premiers cailloux de crack gratos, ai-je répliqué. Je jette un coup d'œil à Twitter vite fait et, avant que j'aie eu le temps de m'en rendre compte, je serai sûrement lancée dans un débat sur les œufs au plat Haribo et je me prendrai la tête avec une ex-sous-star de la télé-réalité.

Tout en parlant, je me connectais à Twitter et pendant que Michael regardait par-dessus mon épaule, j'ai vérifié ce qui se disait parmi mes messages privés.

@irresistibly_geek Où es-tu ? Je suis en manque de vidéos de chiots.

@irresistibly_geek Reviens, Jeane. Sans toi, le monde est triste et froid.

@irresistibly_geek Je geek donc je suis. C'était ça, ta devise, non ? Ne nous abandonne pas !

@irresistibly_geek Chacun de tes tweets ne signifiait peut-être pas grand-chose pour toi, mais moi je me sentais moins seul.

Et ça continuait comme ça, jusqu'à ce que je n'arrive même plus à charger la page, incapable de gérer un tel afflux de tweets. Le plus bizarre, c'est que depuis que j'avais tourné le dos à Irresistibly Geek, j'avais gagné plus de dix mille nouveaux followers, mais c'était sûrement la conséquence du lien posté avec l'article du *Guardian* à mon sujet sur le thème du burn-out du blogueur.

— Tu vois ? Je ne suis pas le seul à qui l'ancienne Jeane manque, a remarqué Michael en enfonçant les doigts dans mes cheveux. Tes horribles expériences capillaires me manquent. Et même tes fringues qui sentent le vieux. Et aussi…

Je me suis écartée de lui parce que je risquais de me décomposer, avec ses caresses, et je tenais à rester digne.

— C'est super-sympa de savoir que je manque à tous ces gens, mais ils ne sont pas dans la réalité. Ce n'est pas la réalité. C'est juste Internet.

— Je sais, a répondu Michael d'un ton apaisant, comme pour me faire plaisir. Mais tant que tu y es, maintenant, jette donc un coup d'œil à tes e-mails.

Il avait raison. Ça ne pouvait pas faire de mal. En plus, j'avais peut-être un message de Bethan ou d'un ministre nigérian qui souhaitait mes coordonnées bancaires pour pouvoir transférer un million de livres sterling sur mon compte.

J'avais plus de trente mille nouveaux messages dans ma boîte de réception. D'ailleurs, pendant cinq minutes, je n'ai même pas eu accès à ma messagerie, tellement elle ramait. Qui aurait pu croire ça possible ?

Je ne savais pas par où commencer, j'ai donc parcouru le dossier « amis » dans lequel arrivaient directement les e-mails des personnes que je connaissais dans la vie. J'avais des messages de Bethan, Tabitha et Tom, même Glen le Cinglé. Scarlett, Barney, Mlle Ferguson, Gustav et Harry, Ben, sa mère, tous les membres de Duckie, plus un e-mail de Molly qui commençait comme suit :

Oh, Jeane, ma petite sœur honoraire,
Je ne sais pas pourquoi tu souffres, mais il faut que j'arrange ça.
Saute dans un train pour Bristol, je t'attends avec du thé, un gâteau, le coffret DVD d'*Angela, 15 ans* et un énorme câlin.

Je ne pleurais pas. Vraiment. Il faisait froid et mes yeux étaient humides, raison pour laquelle Michael a essuyé les larmes de mes joues. J'utilise le pluriel, mais il n'y en avait que trois, environ.

Après ça, j'ai ouvert au hasard quelques messages envoyés par des gens que je ne connaissais pas. Par des gens d'Internet, pas de la vraie vie.

J'ai quatorze ans et je n'avais pas d'amis parce que je suis une geek. Je passais tout mon temps enfermée dans ma chambre à imaginer ce que ma vie serait plus tard, quand j'aurais enfin l'âge de quitter la maison pour tenter de rencontrer des gens comme moi. Mais un jour, je t'ai trouvée. J'ai lu ton blog et j'ai compris que ce n'était pas grave de ne pas s'intégrer. Que c'est bien, d'être différent, un peu bizarre, d'être une geek même. Après, je t'ai suivie sur Twitter, tu m'as suivie en retour, et j'ai commencé à suivre certains de tes followers, qui semblaient tous un peu comme moi. Ensuite, j'ai fait quelque chose que tout le monde me déconseillait vivement : j'ai rencontré les gens d'Internet dans la vraie vie ! J'ai découvert des amis qui m'acceptent pour ce que je suis, et qui sont un peu décalés, comme moi. Nous faisons les brocantes ensemble et nous partageons un Tumblr, mais surtout, nous rions beaucoup et je ne me sens plus seule, tout ça grâce à toi.

Salut, Jeane,

Je ne sais pas si tu te souviendras de moi, on s'est rencontrées l'été dernier lors du camp rock de Molly Montgomery. Tu avais super bien parlé de l'estime de soi, du fait de s'assumer comme on est. Tu nous avais demandé de dire à voix haute les pires insultes qu'on avait pu recevoir et ensuite de nous les réapproprier en les écrivant au marqueur sur notre corps comme des tatouages.

J'avais choisi le mot « Grosse », et tu trouveras ci-joint, en photo, le magnifique tatouage que je me suis offert pour Noël.

Pour moi, « Grosse » n'est plus une insulte, c'est une affirmation puissante de ce que je suis, une manière de bien signifier aux gens pleins de haine qu'ils ne peuvent pas me toucher.

Juste pour te dire que tu m'as vraiment beaucoup aidée et que toutes les filles au camp d'été craquaient pour toi comme des dingues !

Jeane !

J'ai lu ton post à propos du roller derby, et ça m'a donné envie de participer à un entraînement de mon équipe locale.

Je suis désormais membre des Blackpool Brawlers, qui sont toutes super fans de toi ! Viens à Blackpool, on t'emmènera manger des frites et faire du manège.

Chère Jeane,

À chacun de tes posts, tu changes la vie de quelqu'un. Je te jure.

Tu as changé la mienne.

Les messages se succédaient ainsi, de la part de personnes que je n'avais jamais rencontrées. De gens à qui je n'avais jamais envoyé un tweet, que je n'avais jamais mentionnés dans mon blog. Mais tous avaient un point commun : ils affirmaient que j'étais leur amie, bien que nous ne nous soyons jamais retrouvés dans la même pièce. Ils étaient mes amis. Selon eux, tout l'intérêt d'Internet était justement de permettre à des gens comme nous de se retrouver. Irresistibly Geek était en quelque sorte le GPS qui les guidait vers tous les autres parias, les excentriques, les bizarres, les solitaires, du coup, plus personne n'était seul. Ensemble, nous étions forts. Et si cela ne suffisait pas à me convaincre, certains me proposaient également une chambre d'amis, un panier de muffins, il y avait même quelqu'un qui voulait m'offrir un véritable chiot.

— Eh bien, j'imagine que ça mérite réflexion, ai-je dit lentement.

J'avais la voix très, très rauque, parce que je faisais un effort surhumain pour ne pas fondre en larmes.

— Et toi qui prétendais que tous les gens que je connaissais sur Internet étaient des vieux gars bizarres qui vivaient encore chez leur mère ou des spammers qui…

— OK, je le reconnais, je me suis peut-être trompé, a murmuré Michael.

Il m'a scrutée avec un de ses regards pénétrants dont il avait la spécialité – je parie qu'il s'entraînait devant la glace pendant qu'il se coiffait, ce qui devait lui prendre des heures.

— Je me suis peut-être trompé sur un certain nombre de choses, a-t-il ajouté.

J'ai cligné des yeux.

— Pardon ? Je n'ai pas bien entendu. Tu disais que tu t'étais trompé ?

Michael m'a donné un coup de coude, j'ai cru tomber du muret.

— J'ai dit *peut-être*. Mais toi aussi tu t'es trompée. Et puissance un million au moins.

Je n'arrivais pas à y croire. Je me chamaillais à nouveau avec Michael Lee. Ça m'avait tellement manqué. Encore plus que ses baisers.

— Oui, mais c'est bien toi qui ne cessais de me répéter que la vie serait beaucoup plus simple si je n'étais pas si différente.

— Personne ne t'a forcée à enfiler un slim, à part toi, m'a répliqué Michael. Mais tu sais quoi ? Ton expérience de transformation en fille normale a simplement réussi à me prouver que je n'aime pas les filles normales. J'aime les filles différentes, qui me font voir le monde comme je ne l'ai jamais vu. Et cette bande de tordus d'Internet qui, si tu veux mon avis, sont bien des vieux pervers qui vivent encore chez leur mère, ne sont pas les seuls pour qui tu comptes. Il existe bien de vraies personnes, dans la vraie vie, pour qui tu comptes énormément. Comme par exemple, disons, Melly et Alice.

— J'adore Melly et Alice. Je vais carrément les élever à mon image, ai-je décrété, suscitant chez Michael un frisson d'effroi. Et puis ta mère et moi nous nous comprenons, il me semble, non ?

Nouveau frisson de Michael.

— Elle a vaguement parlé de te proposer de venir vivre à la maison.

À mon tour de frissonner d'effroi.

— Mon Dieu, je ne crois pas que la situation soit si désespérée.

Je lui ai jeté un regard en coin.

— Mais ce serait peut-être cool de venir dîner deux fois par semaine, de rester dormir de temps en temps. Quand je ne serai pas trop occupée avec Irresistibly Geek – enfin… si toutefois je décide de rempiler, ai-je ajouté, bien que dans mon esprit, cela ne fasse déjà plus aucun doute.

Je mourais d'envie de me remettre à Irresistibly Geek.

— J'y ai un peu réfléchi. Par exemple, si tu reprenais Irresistibly Geek et tout ce qui va avec, mais avec le soutien d'un homme de confiance – moi, en d'autres termes –, je te parie que tu peux régner sur la planète d'ici environ six mois.

Il n'avait pas tort. J'avais toujours été très ambitieuse, mais il y avait tant de choses que je pourrais accomplir si je perdais moins de temps à être en colère.

— Eh bien, le monde a besoin de changement, non ? Tant que tu ne t'imagines pas régenter en sous-main, on pourrait peut-être y arriver, ai-je répondu.

Et je me suis sentie toute bizarre. J'avais envie de faire le tour du jardin en courant et, pourquoi pas, de tenter une roue. Et puis j'avais envie de rire comme une folle, envie que

Michael me soulève pour me faire tournoyer très, très vite à m'en donner mal au cœur. Je n'en étais pas tout à fait sûre, mais je crois que ce sentiment était en réalité un bonheur pur et grisant.

— Un peu comme un fidèle lieutenant, alors ? a suggéré Michael.

J'ai fait mine d'y réfléchir, jusqu'à ce qu'il ait l'air un peu agacé.

— Allez, Jeane. Cette semaine, je ne t'ai pas prouvé que c'était la version geek de toi que je voulais ? Je kiffe le geek – et tu peux même écrire tout un post là-dessus sur ton blog. Et ajouter ma photo si tu crois pouvoir survivre à la honte de sortir avec un mec avec des cheveux débiles et un goût pour les vêtements produits en masse et vendus dans de grandes enseignes commerciales. Je ferais à peu près n'importe quoi pour toi.

J'ai plissé les yeux. Dieu merci, je n'avais pas perdu ce petit truc.

— N'importe quoi ?

— À peu près. Les voyages à l'étranger sans permission parentale, ça risque d'être un peu compliqué, et je vais continuer à m'habiller et à me coiffer comme je veux, à rester stylé comme je veux, mais à part ça, oui, n'importe quoi.

C'était ce que je rêvais d'entendre. J'ai sauté du muret et j'ai attrapé Michael par la main.

— Génial ! Alors, ramène-moi chez toi que je puisse enlever ce jean, parce qu'à chaque seconde passée engoncée là-dedans, je sens mes pouvoirs diminuer.

Et il l'a fait.

Le geek, c'est chic

Je suis de retour ! De retour à la vie en geek. Je vous ai manqué ?

J'espère que oui, parce que je me suis manqué et vous aussi, vous m'avez manqué. J'avais tort, d'accord ? Je déteste avoir tort, mais je ne pouvais pas plus arrêter d'être une geek qu'arrêter de respirer, de manger un paquet de Haribo par jour ou de prendre en photo une mitaine abandonnée sur un trottoir pour la poster sur Twitter.

Mais j'avais besoin de tout foutre en l'air, de balancer tous mes jouets en dehors de mon landau pour me rendre compte que ce que j'avais créé, sous la forme d'Irresistibly Geek, avait finalement une vie propre. J'ai commencé mon blog, parce que je n'avais personne à qui parler du super nouveau groupe que j'avais découvert, montrer la dernière robe que j'avais dénichée ou soumettre ma théorie selon laquelle les chats sont des êtres fourbes et malfaisants, qui visent à nous contrôler en nous envoyant des messages subliminaux déguisés en miaous mignons.

Jamais je n'aurais imaginé que je trouverais ne serait-ce que trois personnes sur la même longueur d'onde que moi, sans parler de vous. Vous tous. Oui, même vous, là, tout au fond. Pourtant je restais convaincue que j'étais seule, que les gens que je connaissais par Internet n'avaient qu'une existence virtuelle et n'étaient certainement pas des amis.

En effet, ma définition de l'amitié aurait pu être la suivante : un ami, c'est quelqu'un que je pourrais appeler à 3 heures du matin pour me plaindre que je n'arrive pas à dormir parce que ma vie n'est qu'un ensemble de trucs punaisés toujours à deux doigts de s'effondrer. Et cette personne se présenterait à ma porte cinq minutes après avec un bac de glace dans une main et un CD amoureusement compilé dans l'autre. Selon cette définition, je n'avais donc rien qui ressemble de près ou de loin à un ami.

Du coup, j'ai fait une ÉNORME déprime et j'ai tenté de tirer un trait sur Irresistibly Geek. J'ai même teint mes cheveux en brun et acheté un jean. J'ai voulu m'intégrer et ce fut un désastre complet. Et super, super-chiant. Je suis passée du côté obscur, mes amis, et si j'en suis revenue, c'est parce que je me suis rendu compte que malgré tous mes efforts pour repousser les gens, certains avaient tout de même envie d'être proches de moi, pour peu que je leur laisse une chance. Même des camarades de lycée – et ça, si c'est pas bizarre ?

Mais surtout, il y avait vous tous, et j'espère que vous n'êtes pas fâchés, parce que je ne peux pas continuer Irresistibly Geek sans vous, or j'estime qu'Irresistibly Geek est trop important pour rester à prendre la poussière dans un coin du Web. Aucun d'entre nous n'a envie de se conformer à une vision étriquée de ce qu'est censé être une fille, un garçon, un ado, un gay, un hétéro. Je le sais parce que je vous connais.

Nous avons de la chance, nous nous sommes trouvés. Irresistibly Geek donne une voix à tous ceux qui restent planqués dans leur chambre, qui sont sur la touche ou qui font leur maximum pour s'intégrer. Mais devinez quoi ? Vous n'êtes pas obligés. Soyez qui vous voulez être. On oublie trop souvent qu'il n'existe aucune loi qui vous forcerait à être tel que les autres veulent que vous soyez.

Être geek, ce n'est pas un choix. C'est un fait. Mais j'ai compris que le monde ne se divisait pas entre les gentils geeks et les méchants mainstream, car nous avons tous un peu de geek en nous.

Alors oui, je suis de retour, je suis toujours irresistibly geek. Je ne sais pas être autrement. Mais je vais aussi faire de mon mieux pour être simplement irrésistible, pour que vous m'aimiez plus fort que jamais.

Je m'y engage. 100 % geek. 100 % du temps.

Jeane.

Remerciements

Samantha Smith, Kate Agar et toute l'équipe d'Atom qui m'ont si chaleureusement accueillie dans mon nouveau chez-moi, chez les « jeunes adultes ». Mon agent, la merveilleuse et très avisée Karolina Sutton, Catherine Saunders et tout le monde chez Curtis Brown.

J'aimerais également remercier Hannah Middleton qui a si généreusement enchéri lors de la vente « Les auteurs pour le Japon », pour emporter la chance de voir un personnage à son nom, ainsi que Keris Stainton, qui a organisé les enchères.

Un grand coup de chapeau à Lauren Laverne, Emma Jackson et Marie Nixon, toutes trois membres du groupe de rock Kenickie lors de leur adolescence, et qui ont fourni la bande originale de ce livre, ainsi qu'à Mlle Hill, mon professeur d'anglais, grâce à qui j'ai réussi mon examen de GCSE (Certificat Général d'Éducation Secondaire), et qui m'a toujours pardonné mon côté tapageur et dissipé, parce qu'elle voyait en moi ce que je ne voyais pas moi-même.

« Pour l'éditeur, le principe est d'utiliser des papiers composés de fibres naturelles, renouvelables, recyclables et fabriquées à partir de bois issus de forêts qui adoptent un système d'aménagement durable. En outre, l'éditeur attend de ses fournisseurs de papier qu'ils s'inscrivent dans une démarche de certification environnementale reconnue. »

Composition Nord Compo

Imprimé en Espagne par RODESA
Dépôt légal 1re publication : septembre 2013

20.2987.4 – ISBN 978-2-01-202987-3
Dépôt légal : septembre 2013

Loi n° 49-956 du 16 juillet 1949
sur les publications destinées à la jeunesse.